suhrkamp taschenbuch
wissenschaft 463

Geschichtstheorie und Normenlehre treten in der Perspektive praktischer Philosophie unerwartet eng zusammen. Legt man einen philosophischen Handlungsbegriff zugrunde, so lassen sich die bisher getrennt gehaltenen Fragestellungen produktiv aufeinander beziehen. Die klassische Geschichtsphilosophie mitsamt ihren Folgen in der methodisch orientierten Historie war so überwiegend am Verstehen des Vergangenen interessiert, daß sie das konstitutive Moment der Kontingenz durch planmäßige Intellektualisierung aus dem Geschichtsverlauf vertrieb. Dagegen vermag eine begriffliche Analyse der Handlungskontingenz an die Erzähltradition pragmatischer Historiographie anzuknüpfen. Die heute viel umstrittene Geschichtstheorie bekommt so ein Fundament, das sich nicht auf die sekundäre Methodologie einer etablierten Wissenschaft reduziert.

Noch Hegel hatte sein Geschichtsverständnis auf praktische Philosophie gestützt, aber seine Kritiker mit der These herausgefordert, daß der Prozeß der Weltgeschichte im modernen Staat an sein Ziel gelangt sei. Die wachsende Skepsis gegenüber allem Historismus hat seither dazu geführt, daß die Normendebatte hauptsächlich um Rationalitätsmaßstäbe kreist, die der ideologischen Verherrlichung des Bestehenden ebenso wie der Beliebigkeit des Relativismus entzogen sind. Will man sich hier nicht auf das beherrschende juristische Paradigma allein verlassen, müssen andere Wege eingeschlagen werden. Es zeigt sich, daß das Konzept der Maximen und der darauf aufgebauten Lebensformen des Ethos zwischen der Idealvorstellung einer reinen Vernunftordnung und dem historischen Wandel auf der praktischen Ebene schlüssig vermitteln.

Rüdiger Bubner (geb. 1941) ist Professor für Philosophie an der Universität Tübingen. Veröffentlichungen unter anderem: *Dialektik und Wissenschaft*, Frankfurt/M. 1973; *Handlung, Sprache und Vernunft*, Frankfurt/M. 1976, ²1983; *Zur Sache der Dialektik*, Stuttgart 1980.

Rüdiger Bubner
Geschichtsprozesse und Handlungsnormen

Untersuchungen
zur praktischen Philosophie

Suhrkamp

CIP-Kurztitelaufnahme der Deutschen Bibliothek

Bubner, Rüdiger:
Geschichtsprozesse und Handlungsnormen : Unters.
zur prakt. Philosophie / Rüdiger Bubner. –
1. Aufl. – Frankfurt am Main : Suhrkamp, 1984
(Suhrkamp-Taschenbuch Wissenschaft ; 463)
ISBN 3-518-28063-5
NE: GT

suhrkamp taschenbuch wissenschaft 463
1. Auflage 1984
© dieser Ausgabe Suhrkamp Verlag Frankfurt am Main
Suhrkamp Taschenbuch Verlag
Alle Rechte vorbehalten, insbesondere das
des öffentlichen Vortrags, der Übertragung
durch Rundfunk und Fernsehen
sowie der Übersetzung, auch einzelner Teile
Satz: Buch- und Offsetdruckerei Wagner GmbH, Nördlingen
Druck: Nomos Verlagsgesellschaft, Baden-Baden
Printed in Germany
Umschlag nach Entwürfen von
Willy Fleckhaus und Rolf Staudt

1 2 3 4 5 6 – 89 88 87 86 85 84

Inhalt

B. Handlungsnormen

Vorwort

Dieses Buch enthält, wie der Titel sagt, zwei Teile. Der erste Teil unternimmt den Versuch, mit Mitteln des philosophischen Begriffs die Eigenart historischer Prozesse zu bestimmen. Dazu genügt es nicht, gewisse Positionen der klassischen Geschichtsphilosophie einer veränderten Terminologie anzupassen. Die Geschichtsphilosophie läßt sich nicht anstandslos wiederholen.

Vielmehr zeigt die Erinnerung an die lange vorphilosophische Tradition der pragmatisch orientierten Historiographie, daß mit gutem Grund die philosophische Theoriebildung sich erst spät der Geschichte als eines adäquaten Gegenstands angenommen hat. Die alte Trennung zwischen Theorie und Praxis mußte nämlich überwunden werden, bevor endlich im deutschen Idealismus die Spekulation über das historische Material triumphierte. Seit dem 19. Jahrhundert hat im kritischen Gefolge dieser Denkbewegung eine Verwissenschaftlichung der ursprünglichen literarischen Gattung Platz gegriffen. Die heutigen Methodendebatten kreisen um sozialwissenschaftliche oder eigentümlich historische Kategorien und orientieren sich damit an unterschiedlichen Typen des Erkenntnisverfahrens. Solange aber Geschichte unverändert durch die Frontlinie des angestammten Streits zwischen Erklären und Verstehen definiert wird, verdeckt das szientifische Bemühen, daß geschichtliche Verläufe elementar aus Handlungen aufgebaut sind.

Die Besonderheit der erinnernswerten Prozesse versteht nur, wer das Geschehen als ein Zusammenwirken von Taten und beiherspielender Kontingenz bestimmen kann. Die Mittel dazu liefert der Handlungsbegriff, auf dem eine philosophische Theorie aufzubauen hat, die Geschichte nicht unbesehen den Erkenntnisintentionen von Wissenschaft opfert. Geschichtsphilosophie gehört also in den Umkreis der praktischen Philosophie.

Wenn Geschichte vom menschlichen Handeln her verstanden werden muß, so spielt umgekehrt unsere konkrete Praxis sich stets im historischen Rahmen ab. Fragen nach der vernünftigen Anleitung des Handelns dürfen von diesen Bedingungen nicht künstlich abstrahieren. Eine philosophische Normenlehre hat grundsätzlich darauf Rücksicht zu nehmen, um die praktische

7

Vernunft nicht ins Jenseits der Geschichte, in die Utopie der Versöhnung oder die moralische Innerlichkeit zu verbannen. Damit ist die Aufgabe des zweiten Teils benannt, in dem es darum geht, Geschichte und Normen so zusammenzudenken, daß die Gefahr des Relativismus gebannt ist, der die Geltungsfrage an die wechselnden Umstände zu delegieren pflegt.

Will man dies vermeiden, so bietet sich nur ein Vorschlag an, der auf Hegel zurückgeht. Allerdings ist die praktische Philosophie Hegels wegen ihrer eigenen Geschichtsgebundenheit derart umstritten, daß ihr Wahrheitsgehalt kaum leichtes Gehör findet. Nicht umsonst herrschen in der zeitgenössischen Ethik eher Bemühungen um eine Erneuerung kantischer Einsichten vor. Der sprachphilosophisch aktualisierte Kantianismus vermag freilich für das Geschichtsproblem nicht weiterzuhelfen. Es bleibt also zu prüfen, was an der systematischen Lösung Hegels überzeugt und wo neu anzusetzen ist. Die Prüfung beweist auch hier, daß die entscheidenden Mängel aus einer Vernachlässigung des fundamentalen Praxisbegriffs entstehen. Die Aufklärung der eigentümlichen Struktur praktischer Vollzüge ermöglicht eine neue Grundlegung historischer Normen aus lebensweltlichen Maximen.

Den Zusammenhang zwischen Geschichtstheorie und Normenlehre stiftet der beiden gemeinsame Handlungsbegriff. In dieser Hinsicht knüpfen die folgenden Untersuchungen an einen Entwurf zu Grundbegriffen praktischer Philosophie an, den ich früher vorgelegt habe (*Handlung, Sprache und Vernunft*, Frankfurt 1976, ²1982). Jene Analyse des Handlungsbegriffs war notwendig an die Grenze der Geschichtlichkeit gestoßen. In der neuen Arbeit ist nun die Absicht leitend, die Grenze zu überwinden, ohne die ursprüngliche Fragestellung zu verlassen. Der Leser möge entscheiden, inwieweit das gelungen ist.

A. Geschichtsprozesse

I. Was ist Geschichte?

1. Eine Minimalbestimmung

> Wir bedenken das Wesen des Handelns noch lange nicht
> entschieden genug.
> M. Heidegger, *Brief über den Humanismus* (1947)

Geschichte ist die *Wiedergabe konkreter Geschehnisse im Zusammenhang*. Diese These bedarf der Erläuterung, wobei ich in mehreren Schritten vorgehe. Einzusetzen ist mit der Klärung des Terminus ›Wiedergabe‹. Die Wiedergabe, die auf Erinnerung und Darstellung beruht, macht ein geschehenes Ereignis erst zu einem geschichtlichen. Etwas, das bloß geschieht, um nach seinem Ablauf ohne Rest zu verschwinden, hinterläßt keine Spuren, die geschichtlich relevant würden. Unzählige solcher Ereignisse treten in der Tat allüberall und zu jeder Stunde ein. Niemand registriert sie, keine Erinnerung hält sie über den Moment des Geschehens hinaus fest und in keiner rückblickenden Überschau tauchen sie auf. Die erste Voraussetzung besteht folglich darin, daß die Geschehnisse, die das Material der Geschichte abgeben, überhaupt für jemanden als Geschehnisse erscheinen. Ohne den Beobachter, der ein Geschehen miterlebt, findet historische Erinnerung, die das Geschehene aufbewahrt, und historische Wiedergabe, die es reproduziert, keinen Anknüpfungspunkt. Was macht aber ein beliebiges Geschehen zu einem historischen Ereignis?

Ereignis heißt ursprünglich dasjenige, was jemandem vor die »Augen« tritt. Es ist wahrscheinlich eine künstliche Abstraktion, dort überhaupt von Ereignissen zu reden, wo sich für keinen Beobachter etwas ereignet hat. Wir haben uns eine Redeweise angewöhnt, die Ereignisse als das in der Welt Eintretende auffaßt. Ereignis nennen wir demgemäß, was im komplexen Gefüge der Dinge und ihrer Relationen eine Veränderung erzeugt. Wenn etwas anders ist als vorher, hat ein Ereignis stattgefunden.[1] Die Redeweise darf aber nicht darüber hinwegtäuschen, daß ein potentieller Beobachter vorausgesetzt ist; denn ohne einen solchen, der die eingetretene Veränderung feststellt, könnte man nur vom unablässigen Fluß des Geschehens reden. Streng genommen vollziehen sich alle Ereignisse im Auge Gottes, der nicht umsonst den ursprünglichen Bezugspunkt aller universalgeschichtlichen Konzeptionen abgegeben hat.[2] Sein säkularisierter Stellvertreter ist der ideale Chronist, den A. Danto als allwissenden Lieferanten der historischen Datenbasis fingiert hat.[3] Der ideale Chronist wäre der Beobachter, der alle zu einem gegebenen Zeitpunkt eintretenden Ereignisse als die beobachtbaren Veränderungen im Gesamtzusammenhang der Dinge notiert.

Erst die beobachteten Ereignisse, die für jemanden Ereignis geworden sind, lassen sich auch wiedergeben. Mit der *Wiedergabe* setzt aber die historische Arbeit auf elementarer Stufe ein. Die Sammlung der Ereignisse gründet auf der erinnernden Wiederholung des Ablaufs im Rahmen subjektiver Lebenserfahrung. Was jemand erlebt hat und was ihm im Gedächtnis blieb, weil es aus irgendeinem Grunde für ihn bedeutsam war, läßt sich in der Erinnerung reproduzieren. Die Reproduktion erfolgt aus beliebigem Anlaß: eine Assoziation, eine neue Erfahrung, eine Wiederbegegnung, eine Frage mögen sie auslösen. Solche Reproduktionen erfolgen ungeordnet im Rahmen eines subjektiven Bewußtseins. Darüber weist eine Form der Reproduktion hinaus, die der Beliebigkeit des subjektiven Erinnerns enthoben ist, weil sie das wiederholte Ereignis in eine intersubjektiv vermittelte Darstellung übersetzt. Diese hält das Erinnerte ein für allemal fest und eröffnet dem Ereignis über den sich Erinnernden hinaus planmäßig eine Bedeutsamkeit, die auch andere Subjekte einbezieht.

Die Darstellung in Form eines verbalen Berichts oder einer Niederschrift macht aus einem Ereignis eine *Erzählung,* in der das Geschehene sich verobjektiviert. Die Erzählung bringt auf die eine oder andere Weise stets eine Fixierung mit sich. Was erzählt wird, hat im Vergleich mit der schwankenden und beliebig einsetzenden Erinnerung eine gewisse Objektivität gewonnen. Die Objektivität besteht zunächst nur in der Feststellung der Ereignisse für einen intersubjektiven Austausch. Dem tun Unterschiede in der persönlichen Färbung der Darstellung oder die Bemühung um unparteiische Deskription, die zufällige Sicht eines Unbeteiligten oder die privilegierte Perspektive des Betroffenen, die Glaubwürdigkeit oder Voreingenommenheit eigens befragter Zeugen keinen prinzipiellen Abbruch. Solche Differenzen sollen weder geleugnet noch in ihrer Wichtigkeit heruntergespielt werden. Sie sind für die Einschätzung von Erzählungen unter ästhetischen, psychologischen, rechtlichen, moralischen oder historischen Aspekten sogar entscheidend. Sie berühren aber nicht den eigentlich objektivierenden Charakter der Erzählung selber.

Das wäre nur dann nicht so, wenn es unabhängig von Erzählungen mitsamt den genannten Differenzen einen anderen, authentischen Zugang zur Vergangenheit gäbe. Offenbar ist das aber nicht der Fall; denn bei erinnerten und dargestellten Ereignissen handelt es sich stets um Vergangenheit. Mag die zeitliche Distanz zwischen Erzählung und erzähltem Ereignis nun geringer oder größer sein, so existiert doch das Vergangene nurmehr in der Erinnerung oder Darstellung. Folglich macht es keinen Sinn, von der *Objektivität* des Vergangenen jenseits der Erzählung zu reden. »Objektiv« als festgestellt und intersubjektiv beredbar, ist Vergangenes allein als Erzähltes. Allerdings sollte die Kategorie der Objektivität in diesem Zusammenhang nicht irreführen. Gemeint ist zunächst nur der Status eines vergangenen, beobachteten, erinnerten und über die Gedächtnisleistung eines subjektiven Bewußtseins hinaus festgehaltenen Ereignisses.

Von hierher läßt sich die Rede vom Ereignis noch genauer bestimmen. Während das Geschehen den aktuellen Ablauf selber bezeichnet, setzt das Ereignis das Abgelaufensein oder den fertigen Vollzug des Geschehens voraus. Ereignis ist das, was geschehen ist und als solches bewußt wird oder zur Sprache kommt. Ein Geschehen, das in vollem Gange begriffen ist, so daß Richtung oder Ende nicht abzusehen sind, kann schwerlich als Ereignis wahrgenommen werden. Möglicherweise ist im allgemeinen Fluß der Erscheinungen ein Geschehen noch nicht einmal als solches ausgemacht, wenn nicht Richtung und Ende antizipiert werden. Sofern im Geschehen nicht das potentielle Ereignis, das als abgeschlossen zu registrieren sein wird, sich ankündigt, merken wir auf den besonderen Ablauf gar nicht weiter, da doch ständig unendlich vieles um uns her in Ablauf begriffen ist.

Ein Beispiel mag das erläutern. Die Beobachtung eines Autounfalls hebt aus dem permanenten Fluß des Verkehrs, der aufgrund der Gewöhnung keine besondere Aufmerksamkeit weckt, ein Geschehen heraus, das im außergewöhnlichen und fatalen Aufeinanderprallen zweier Fahrzeuge besteht. Der Anwesende wird dann zum Zeugen, wenn er sich bewußt wird, einem definitiven und berichtenswerten Ereignis beizuwohnen. Die Sinnestäuschung etwa, die zwei Fahrzeuge aufeinanderstoßen sieht, welche dann doch sicher aneinander vorbeigleiten, oder auch das Nahezu-Ereignis eines in der Tat um Haaresbreite vermiedenen Unfalls gelten nicht gleichberechtigt als Ereignisse. Es hat sich eben nichts ereignet. Nur das juristisch belangvolle, polizeilich protokollierte oder auch den Beobachter einfach erschütternde Geschehen macht das Ereignis aus. Dies lohnt es zu erzählen. Die Retrospektive gehört zum Ereignis also grundsätzlich hinzu, wobei gleichgültig ist, was im einzelnen den Rückblick motiviert, der ein abgeschlossenes Geschehen als Ereignis erscheinen läßt. Ebenso kann offen bleiben, was die verobjektivierende Erzählung auslöst: die Neugier der Umstehenden, die Befragung durch den Polizisten, die Gerichtsverhandlung oder einfach der seelische Druck, der Entlastung sucht.

Das unbestreitbare Faktum, daß *mehrere Erzählungen* sich auf dasselbe Ereignis beziehen können, scheint dieser Überlegung zu widersprechen. Wie kann etwas objektiv genannt werden, das verschiedene Personen verschieden wiedergeben? In Wahrheit bietet sich hier eine erneute Bestätigung der These an. Gerade weil es unabhängig von der Erzählung keinen objektiven Bestand eines Ereignisses an sich gibt, sind die vielfältigen und eventuell konkurrierenden Darstellungen sowohl möglich als auch berechtigt. In Konkurrenz geraten die Darstellungen kraft des jeder Erzählung gleichermaßen eigenen Anspruchs auf das Feststellen und Präsenthalten des einmal Geschehenen. Da die Erzählung die Aussicht auf Objektivität weckt, bringt die Pluralität der Erzählungen den Streit in Gang. Das letztere gäbe es gar nicht ohne das erste. Stünden alle Erzählungen von vornherein im Verdacht von Willkür und Erfindung, gerieten sie untereinander nicht in den Objektivitätsstreit. Ebenso käme gar kein Streit auf, falls es eine einzige Wiedergabe des Geschehenen gäbe, die allein wahr wäre und als solche vor allen anderen Erzählungen zweifelsfrei ausgezeichnet. Da nun aber das vergangene Ereignis nur in der Erzählung überlebt, Erzählungen jedoch immer neu möglich sind, muß die Suche danach, wie »es wirklich gewesen« ist, im Felde der Erzählung operieren. *Jenseits der Erzählungen gibt es gar keine Objektivität des Vergangenen.*

Ein Sonderfall liegt vor, wo mit technischen Mitteln wie Foto, Film und Tonband ein Ereignis eindeutig und über den Streit subjektiver Erzählungen erhaben festgehalten wird. Unter wohl abgrenzbaren Bedingungen bei genauem Vorwissen über den Typ des Ereignisses, seinen Ort und erwartbaren Zeitpunkt helfen diese Mittel weiter. Darauf gründet beispielsweise photomechanische Verkehrskontrolle oder die Entscheidung bei Wettkämpfen durch Film oder Zielphoto. Der Umstand, daß auch solche juristischen oder schiedsrichterlichen Entscheidungen angefochten werden können, zeigt die Grenze der Eindeutigkeit, die der Einsatz technischer Mittel beim Feststellen von Ereignissen erreichen kann. Wer war wirklich der Fahrer des Wagens, der die zulässige Geschwindigkeit an der Stelle zu jener Zeit überschritt? Überschritt der Ball die Linie oder nicht? Von Interessenten werden Fragen dieser Art aufgeworfen, die dazu nötigen, den technischen Ersatz der Erzählung ebenso wie einen verbalen Bericht zu prüfen, mit andern Indizien zu vergleichen und in seinem Gewicht abzuwägen. Deutlich wird die stets verbleibende Unsicherheit demonstriert von den seltenen Fällen, wo ohne vorherige Planung bei unerwarteten Ereignissen sich technische Zeugen einstellen. So entstand bei dem Attentat auf Präsident Kennedy, das in die Geschichte einging, durch einen Amateurfilmer ein Dokument, dessen Auswertung einen langwährenden Streit bis hinauf in Regierungskommissionen provozierte. Der wahre Verlauf des schrecklichen Ereignisses stand nämlich aufgrund des Films so wenig eindeutig fest, daß wie in allen andern Fällen historischer Forschung Interpretation hinzutreten mußte. Es ist eine Täuschung anzunehmen, daß Zelluloid gegenüber schwacher Erinnerung und wechselnden Worten den Königsweg zur Geschichte eröffnet.

Nimmt man diese Lehre ernst, so muß die Hoffnung auf technische Perfektion der in Erzählungen nur unvollkommen aufbewahrten Geschichte entfallen. Die verbleibende Einsicht in den Zusammenhang zwischen Objektivitätsanspruch und Konkurrenz der Erzählungen endet dennoch keineswegs in hermeneutischem Defätismus. Alle Gerichtspraxis und das tägliche Geschäft des quellenkundigen Historikers beweisen, daß man durchaus einen überzeugenden Pfad der Erkenntnis im Abwägen mannigfacher Erzählungen finden kann. Die Darstellung der subjektiven Erinnerungen des einen und des anderen Zeugen versteht sich jeweils als die Wiedergabe des objektiven Geschehens – sogar die bewußte Lüge arbeitet mit dieser Unterstellung. Dennoch sieht der zur Entscheidung berufene Richter sich nur verschiedenen

Erzählungen gegenüber. Ähnlich sichtet der historische Quellenforscher Dokumente, Akten, Briefe, Erinnerungen wie eine Menge von Erzählungen, die sich allesamt objektiv geben, so daß er aus dem Chor der Stimmen die einleuchtendste Version des Vorgangs rekonstruieren muß. Solange ein endgültig befreiender Ausbruch aus dem Gewirr der Erzählungen ins Freie einer unverstellten Wahrheit für alle vergangenen Ereignisse Schein bleiben muß, ist dieses abwägende Sichten, das die Pluralität der Erzählungen und den je erhobenen Objektivitätsanspruch zusammendenkt, die einzig verfügbare Methode.

Man kann das nur unter der einen Prämisse bestreiten, daß für die Vergangenheit etwas Ähnliches wie für die Gegenwart anzunehmen ist, nämlich *unmittelbare Empirie*. Das aktuell vor Augen Stehende gilt als ein absolutes Datum, das unabhängig von Erinnerung und Darstellung Gewißheit besitzt. Wir glauben, daß im Falle der Gegenwart eine an sich feststellbare Wirklichkeit gegeben ist, die jedermann in gleicher Weise auf der Ebene alltäglicher Sinneswahrnehmung oder methodisch geschärfter Experimentiertechnik der Wissenschaft zugänglich sei. Anstelle des von vornherein aussichtslosen Versuchs, für die Vergangenheit eine ähnliche unmittelbar sinnliche Präsenz nachzuweisen[4], frage ich umgekehrt, was es mit dem zunächst so evidenten Vorzug der Empirie auf sich hat, wo es um das Feststellen des Beobachteten und aktuell Gegebenen geht. Hier muß der Vergleich mit vergangenen Ereignissen ansetzen, denn der Objektivitätsanspruch bezog sich auf das Fixieren und Festhalten des abgelaufenen Geschehens in einer Erzählung. Die subjektive Erinnerung mag dem Einzelnen noch so plastisch und lebensnah vorkommen, sie unterliegt in Wahrheit allerlei Schwankungen der Stimmung und Vorliebe, des Gedächtnisses oder der Verdrängung. Erst die Erzählung hält das fragliche Ereignis fest.

Wo liegt nun die Differenz zur Empirie des aktuell Gegebenen? Die Differenz scheint auf den ersten Blick größer, als sie ist. Die unmittelbare Wahrnehmung des Geschehens wird stets vom Gefühl der Gewißheit begleitet. Das Fixieren und Festhalten des abgeschlossenen Geschehens als eines Ereignisses hingegen bringt notwendig die Retrospektive ins Spiel. Auch wer sogleich nach Ablauf des Geschehens darangeht festzuhalten, was sich ereignet hat, berichtet von der Vergangenheit. Die zeitliche Distanz mag noch so gering sein, schon der Ansatz zur Fixierung bedeutet die

Unterbrechung der Unmittelbarkeit der Empirie. Man kann sich das leicht veranschaulichen am wissenschaftstheoretischen Problem der Registrierung und intersubjektiven Vermittlung von aktuellen Beobachtungen. Der Positivismus debattierte unter dem Stichwort der »*Protokollsätze*« über die logische Schwierigkeit der Fixierung des vorüberziehenden und im Fluß einander verdrängenden Geschehens. Weil es hauptsächlich darum ging, den empirischen Gehalt einer konkreten Erfahrung, die als Basis einer verifizierbaren oder falsifizierbaren Theorie dienen soll, von psychologischen Komponenten freizuhalten, blieb der Faktor einer zeitlichen Distanz außer Acht.

Indes verdient er durchaus Berücksichtigung, wie die Frage nach der Glaubwürdigkeit einer in Unmittelbarkeit geronnenen oder zu Forschungszwecken vermittelten Bestandsaufnahme der Empirie zeigt. So meinte Moritz Schlick, man dürfe nur von »Konstatierungen« reden[5], die beispielsweise lauten: »hier jetzt blau«, während alle ausdrücklichen Protokolle eine Zeitangabe enthalten, der zufolge das genannte Ereignis in die Vergangenheit gehört: »Forscher X nahm zum Zeitpunkt t das Ereignis E wahr.« Liefern aber die nach dem Ablauf des jeweiligen Ereignisses niedergelegten und auf Dauer gleichbleibenden Protokollsätze wirklich noch eine verläßliche Basis der empirischen Bestätigung hypothetischer Theorien bzw. Gesetzesannahmen? Die Antwort hängt davon ab, welche Momente subjektiver Disposition und Einseitigkeit, welche Beweisinteressen oder paradigmengebundenen Stilisierungen in das Protokoll eingehen. Zwar stärkt die Filterung des protokollierten Ereignisses im Abstand vom aktuellen Erleben dessen Forschungsbedeutsamkeit, gleichzeitig schwächt aber die Reflexion auf den Stellenwert der Protokolle das Gewicht hautnaher Erfahrung.

Bekanntlich hat Popper aus diesem Dilemma die Flucht nach vorn ergriffen und alle vermeintlich empirische Evidenz zur Diskussionsmaterie einer kritisch gesonnenen Forschergemeinschaft erklärt. Kritik heißt hier die Intention, die in Protokollen oder einfachen, empirisch gehaltvollen Basissätzen niedergelegte Erfahrung auf ihre Gültigkeit hin zu prüfen. Objektivität ist also in Protokollen *nicht garantiert,* sondern nur *beansprucht.* Im Grunde berichtet jeder Beobachter davon, was ihm als abgeschlossenes Ereignis erscheint. Diese Berichte müssen im Lichte bisheriger Kenntnis, sowie der allgemein akzeptierten Maßstäbe von Exaktheit und Glaubwürdigkeit, und insbesondere hinsichtlich der Relevanz für ein gesamtes Forschungsunternehmen beurteilt werden. Damit wird die Grenze zwischen dem empirischen Forscher und dem Historiker fließend. Popper hat folglich auch keinen wissenschaftstheoretischen Unterschied zwischen den Naturwissenschaften und den historischen Wissenschaften zulassen wollen. Die an Popper anknüpfende Vereinigung von Wissenschaftstheorie und Wissenschaftsgeschichte in Kuhns Paradigmabegriff hat endgültig die empirische Evidenz auch als historisches Faktum zu deuten gelehrt.

Die vorgeschlagene Auffassung der Diskussion um Protokollsätze verschiebt wohl einige der üblichen Akzente, weil das *Zeitproblem* bei der Sorge des Empiristen um die Verifikationsbasis wissenschaftlicher Theorie kaum eine Rolle spielt. Dennoch scheint mir die Bezugnahme erlaubt. Jedenfalls zeigt sie für unsere Zwecke, daß die Differenz zwischen empirischer Wahrnehmung des aktuell Gegebenen und dem Bericht vergangener Ereignisse geringer ist als vermutet, sofern man auf die Möglichkeit achtet, das jeweilige Ereignis festzuhalten. Alle Fixierung von Ereignissen muß diese Ereignisse als Vergangenheit behandeln, so klein oder groß der Zeitabstand auch sein mag. Die Fixierung vergangener Ereignisse, die diese mit Objektivitätsanspruch versieht und dem intersubjektiven Austausch anheimstellt, hat stets den Charakter eines Berichts oder einer Erzählung. Das Forscherprotokoll ist also die abstrakteste und knappste Form einer Erzählung, die alles Historische und den jeweiligen Zusammenhang, in dem das Ereignis steht, abgestreift hat.

Ein weiterer Vergleichspunkt kommt hinzu, der die Relation von Empirie und Geschichte noch besser zu bestimmen erlaubt. Im Modell des Protokollsatzes geht die Vernachlässigung des *Vergangenheitscharakters* mit der gleichförmigen Typisierung der Ereignisse Hand in Hand. »Forscher X nahm zum Zeitpunkt t das Ereignis E wahr« ist eine Formel, die auf alle Beobachtungen, alle Zeitpunkte und alle Ereignisse gleichermaßen paßt. Die Austauschbarkeit des Beobachters garantiert die Intersubjektivität der Beobachtung, die keine Privatsache bleiben darf. Die Angabe eines Zeitpunkts enthält nicht mehr als die vollkommen abstrakte Markierung auf einer genormten Zeitskala, die unsere Uhren mit ihren Einteilungen für jedermann verbindlich machen. Die Gleichförmigkeit des beobachteten Ereignisses schließlich ermöglicht erst die Sammlung von verifizierenden Evidenzen für eine Theorie oder Hypothese, die der Forderung nach induktiver Begründung entspricht. Sähen die Ereignisse jeweils anders aus oder nähme jeder Beobachter das Ereignis verschieden wahr, so wäre nicht mehr die Einheitlichkeit jener Erfahrung gesichert, auf die alle empirischen Theorien bauen. Anonymität oder intersubjektive Austauschbarkeit der Beobachtung, Abstraktheit des Zeitpunkts und Gleichförmigkeit der Ereignisse sind also die Voraussetzungen, ohne die eine empirische Datenbasis nicht zu gewinnen ist.

Im Falle der *Geschichte* liegen die Dinge dagegen anders. Die Ereignisse, die einander gleich sind und keine Besonderheiten aufweisen, stehen für das historische Interesse keineswegs im Vordergrund. Es geht vielmehr um die Einmaligkeit und unverwechselbare Eigenart dieses ganz bestimmten, so und so eintretenden, in seinem Verlauf merkwürdigen und in seinem Ergebnis nicht schlechterdings vorhersehbaren Ereignisses. Darauf richtet sich primär das Interesse und dem gilt die Erzählung. Folglich sind die Zeitpunkte historischer Ereignisse auch nicht abstrakt normiert. Gewisse Umstände heben einen Moment aus den übrigen heraus. Eine Stunde kann über Glück oder Unglück entscheiden. Besondere Konstellationen verleihen einem Jahr oder einer Epoche Geschichtsträchtigkeit. Entsprechend sind die Beobachter, die Augenzeugen, die Autoren historischer Quellen auch keine austauschbaren Individuen, bei denen es allein auf eine vergleichbare Ausstattung mit uneingeschränkter Wahrnehmungsfähigkeit, gleicher Vertrautheit mit gültigen Maßstäben und der Fähigkeit zu möglichst ungefärbter Beschreibung des beobachteten Ereignisses ankommt.

Die Individualität der Beobachter ist historisch von größtem Gewicht. Handelt es sich um Augenzeugen oder Beteiligte, um Nachredner oder Agitatoren, um Wichtigtuer oder Verblendete? Davon hängt in Wahrheit die Einschätzung ihrer Wiedergabe der fraglichen Ereignisse ab. Die Besonderheit des Ereignisses wird nur durch die individuelle Optik des Berichterstatters zugänglich. So wie die empirische Datenbasis nur unter Absehung vom Spezifischen des je einzelnen Ereignisses und Ausfilterung aller subjektiven Komponenten der Beobachtung entsteht, so erschließen sich die Geschehnisse, die historisch zählen, gerade auf dem Wege des Akzeptierens, Bedenkens und kritischen Prüfens der unverwechselbaren Position, die der Beobachtende und Berichtende zum Beobachteten und Berichteten einnimmt. Diese Position unterliegt keiner Norm. Da das Vergangensein der Ereignisse im Falle der Geschichte nicht wie beim Aufbau einer empirischen Datenbasis zu vernachlässigen ist, sind die Umstände, unter denen das Ereignis eintrat, nicht experimentell zu rekonstruieren. Historische Ereignisse lassen sich nicht beliebig wiederholen. Ihre Bedeutung liegt im Festhalten ihrer Einmaligkeit und Besonderheit.

Für die Dominanz des Vergangenheitsaspekts, der nicht vernachlässigt werden darf, muß es allerdings einen Grund geben. Andernfalls wäre nicht einzusehen, warum man nicht auf vergangene Ereignisse, was ihren reinen Ereignisgehalt betrifft, im Prinzip sollte zurückkommen können, auch wenn zugegeben wäre, daß sie als vergangen gelten. Zyklische Geschichtsauffassungen bis hin zu Vicos merkwürdiger Lehre von den *ricorsi*, den Wiederholungen in der Geschichte dank einer sich gleichbleibenden Menschennatur, haben früher solche Vorstellungen nahegelegt. Was ist der Grund für das uns geläufige Interesse an Geschichte als der Wiedergabe wesentlich vergangener Ereignisse im Unterschied zu Ereignissen, auf die zurückzukommen ist, obwohl sie vergangen sind? Der Grund muß in einem eigentümlich geschärften historischen Bewußtsein liegen.

Die Differenz läßt sich durch einen Hinweis auf einfache Lebenserfahrung veranschaulichen. Wer am bloßen Gehalt eines Ereignisses interessiert ist, ohne sich gleichermaßen auf dessen Vergangensein zu richten, der fragt nach der Quintessenz eines Erlebnisses, nach dem Gewinn an Erkenntnis oder Belehrung, den er anläßlich eines vergangenen Ereignisses davongetragen hat. Wie sah der und der Mensch eigentlich aus? Wie ist das Wetter da und da? Wie macht man die und die Verrichtung? Die Vergegenwärtigung des einmal Erlebten ohne Berücksichtigung der zeitlichen Distanz, der damaligen Umstände, der Besonderheit jenes ein für allemal Vergangenen ist das Ziel. Streng genommen hat man es bei solchem Aussein auf den Gehalt einer einmal gemachten Erfahrung mit einer Einzelinstanz aus der Breite jener Empirie zu tun, die nach methodischer Abstraktion aufgrund induktiver Sammlung zur Errichtung der Datenbasis führt, von der wir oben sprachen.

Demgegenüber soll bei elementaren Erinnerungen von historischer Bedeutung das Augenmerk gerade auf das *Vergangensein* des Erlebnisses in der Perspektive einer Folge von Erlebnissen gerichtet werden. Das Erinnerte erscheint dann als Stück einer Biographie. Das Damals als das unwiderruflich Vergangene wird zum Gegenstand des Interesses, wenn es im Lichte der Folgen betrachtet wird, die den Bogen zur Gegenwart des Jetzt schlagen. Mithin zielt das Interesse über die Rekapitulation des bloßen Gehalts einer einmal gemachten Erfahrung hinaus und bringt den zeitlichen Rahmen des spezifischen Machens dieser Erfahrung zur Präsenz. Daß dies oder jenes damals so und so war, daß das Geschehen den bestimmten Gang nahm und keinen anderen, um zu einem definitiven Ergebnis zu führen – daran Interesse zu haben, heißt ein historisches Bewußtsein zu entwickeln.

An dieser Stelle läßt sich die letzte der Bestimmungen einführen, die in unserer Anfangsthese enthalten waren. Von Wiedergabe vergangener Geschehnisse im *Zusammenhang* war dort die Rede gewesen. Was meint Zusammenhang? Auf die Einmaligkeit eines konkreten, aber in die Vergangenheit gerückten Ereignisses vermag die Erinnerung ohne jeden Kontext gar nicht zu zielen. Die planmäßige Abstraktion von der Besonderheit des Ereignisses, seiner Umstände sowie der Position des individuellen Beobachters läßt alle Ereignisse gleich erscheinen. So überlagern sie sich und konkurrieren unablässig untereinander. Die methodisch hergestellte Gleichförmigkeit von Ereignissen als empirische Datenbasis war es sogar gewesen, die deren zeitlichen Abstand in der Vergangenheitsdimension zu vernachlässigen gestattete. Das ausdrückliche Interesse am Vergangensein des besonderen Ereignisses hingegen macht einen Leitfaden zu dessen Auffindung nötig. Das einmalige und besondere Vergangene ist allein für sich aus der unendlichen Fülle aller einmaligen und besonderen Ereignisse, die ebenfalls vergangen sind, auf gar keine Weise mehr herauszuheben.

Den erforderlichen Leitfaden zur Auffindung des gesuchten Besonderen gibt nun der Kontext ab. Der Kontext ist nicht bloß eine reichere Sammlung einzelner Ereignisse, denn auch diese Sammlung herzustellen stieße angesichts der unendlichen Fülle des Vergangenen auf dieselben Schwierigkeiten. Der Kontext umgreift vielmehr das fragliche Einzelereignis so, daß eine gewisse *Logik des Verlaufs* von den Ausgangsbedingungen bis zum abschließenden Ergebnis erkennbar wird. Die Erkennbarkeit dieser Logik, die ein bestimmtes Ereignis aus vorangehenden Umständen sich entwickeln läßt, um zu einem unverwechselbaren Ende zu führen, kennzeichnet die jeweilige Kontextgebundenheit. Insofern ein so und so geartetes Ereignis in einem charakteristischen Kontext erscheint, tritt es erst aus der monotonen Fülle ähnlicher Ereignisse heraus. Der Kontext lokalisiert das fragliche Ereignis an der gebührenden Stelle des zeitlichen Ablaufs zwischen Vorher und Nachher. Ohne solchen Kontext würden vergangene Ereignisse gar kein Gegenstand der Erinnerung oder Wiedergabe, weil sie in der Pluralität des ewig Gleichen untergingen.

Die Vergegenwärtigung des konkreten Einzelnen in der bewußten zeitlichen Distanz bedarf also zur Orientierung in der Fülle austauschbarer Details eines Rahmens, der das Erinnerungswürdige absteckt. Die Angabe der Randbedingungen mag sparsam sein wie in den Alltagsgeschichten, die jedermann widerfahren können, oder sie mag Stücke einer Lebensgeschichte umfassen, in der die Schicksale einer Person durchscheinen. Der Rahmen kann auch überindividuelle Prozesse namhaft machen, bei denen sich allgemein erkennbare Tendenzen abzeichnen. Jedesmal indes zielt das Interesse auf die besondere Profilierung des Ereignisses im zugehörigen Kontext. Das Ereignis nimmt erst zusammen mit seinem Kontext jenen Grad von Konkretheit an, der historisches Interesse weckt. Man will nicht wissen, was immer gleich ist, was für jeden Beobachter sich genauso darstellt und unbesehen des Kontextes beliebig wiederholbar wäre. Man will das konkrete Geschehen, zu dessen Auszeichnung ein nicht eliminierbarer Vergangenheitscharakter hinzugehört, als solches kennenlernen.

Die Form der Darstellung ist im Gegensatz zum neutralen Bericht über ein Ereignis oder gar zum abstrakten Forscherprotokoll die Erzählung einer *Geschichte*. Die Geschichte umfaßt das Ereignis mitsamt seinem Kontext, innerhalb dessen das Ereignis die Besonderheit annimmt, um die es dem Erzähler und dem Zuhörer zu tun ist. Die Erzählung stiftet eine in sich sinnvolle Einheit, indem sie die nötigen Ausgangsbedingungen schildert, alle Informationen mitteilt, ohne die das Geschehen keine Gestalt annähme, um daraufhin Schritt für Schritt den Ablauf wiederzugeben, bis man in der Lage ist, das ganze Ereignis zu überschauen. So versteht der Zuhörer anstandslos, worum es geht, wie es dazu kam und was im Einzelnen vorfiel. Das Erzählen einer Geschichte hält vergangene Ereignisse in ihrem Kontext so präsent, daß gerade deren Besonderheit weiterhin zugänglich bleibt.

Dem korrespondiert aufs Genaueste das Zuhören beim Erzählen einer Geschichte. Hier herrscht das ursprüngliche Bedürfnis zu erfahren, was sich zu einer Zeit, die vergangen ist, im Einzelnen abgespielt hat. Dieses Bedürfnis hat offenbar etwas mit dem Akt des Wiedererkennens zu tun. Der Zuhörer versetzt sich sozusagen in die Lage des Akteurs oder des Betroffenen und stellt sich vor, wie es jemandem bei dem erzählten Geschehnis ergeht. Es regt sich weniger die nimmersatte Neugier, die vom Fremden und Überraschenden nicht genug bekommt. Eine solche Bekanntschaft mit Dingen, die man noch nicht erfahren oder gehört hat, bleibt ganz äußerlich und führt zu keinem Ende. Sie erzeugt weder Überdruß noch Identifikation, weil sich in der Neugier der unerschöpfliche Reiz des immer wieder Anderen bewährt. Der Zuhörer, dem eine Geschichte erzählt wird, bleibt dagegen nicht in der externen Position des Unbeteiligten. Er nimmt Anteil und erlebt das Geschehene nach. Ihn beschäftigt der Zusammenhang des Ganzen, er spürt die Spannung, die vom unvorhersehbaren Verlauf ausgeht, denn er will Ausgangsbedingungen und Ende aufeinander beziehen. Das Sichhineinversetzen und Miterleben einer Geschichte aufgrund der Erzählung hängt vom Nachvollzug des Zusammenhangs ab, in dem das besondere Ereignis gerade seine Konkretion bekommt.

Daher hat das Verstehen einer Geschichte mit dem latenten *Handlungswissen* zu tun, über das der Zuhörer stets schon verfügt. Der Zusammenhang, in dem das erzählte Ereignis zugänglich wird, der Kontext einer faßbaren Verlaufslogik erschließt sich nur dem, der in gewissem Sinne schon weiß, wie sich menschliche Praxis abspielt bzw. wie es in der Welt zu gehen pflegt. Unter Rekurs auf das Handlungswissen der Zuhörer macht ein Erzähler sich verständlich. Die sinnvolle Verknüpfung von Vorher und Nachher, das Verfolgen eines Ablaufs durch verschiedene Phasen hindurch setzt eine Vertrautheit mit Handlungsbedingungen und prozessualen Konsequenzen voraus, die durch das Vernehmen von Geschichten nicht erzeugt, sondern höchstens geweckt wird.

Sicher gibt es hier breite Spielräume. Je phantastischer und unwirklicher die Erzählung, desto träumerischer wird die Anteilnahme. Je präziser und realistischer, desto unmittelbarer der Nachvollzug. Dafür bieten die Anfänge der uns bekannten Geschichtsschreibung selber die besten Exempel. Herodots *Geschichten* enthalten bekanntlich eine so bunte Mischung aus Erfahrung und Wunderbarem, daß sie genügend Material für beide Einstellungen liefern. Sie befriedigen sowohl das pure Staunen wie auch den verständigen Nachvollzug, denn die ordnungslose Vielfalt dessen, was Herodot zu erzählen weiß, entspricht einer vornehmlich auf den Effekt bedachten Häufung. Die uneinheitliche Darstellungsform erklärt sich nicht zuletzt daraus, daß die Logik der Handlungsfolge noch gar kein ausgeprägtes Stilprinzip des ganzen Geschichtswerks abgibt.

Seit dem pragmatischen Methodenbewußtsein des Thukydides jedoch ist Historie auf die Erzählung des konkreten Geschehens eingeschworen, das sich dank des Handlungswissens der Hörer oder Leser nachvollziehen läßt. Die Geschichte des Peloponnesischen Krieges besteht bei Thukydides aus einer untereinander wohl verknüpften Folge von Erzählungen der im eignen Erleben des Autors gespiegelten Geschehnisse, die in ihrer Einheit einen wichtigen, ja vorbildhaften Geschichtsabschnitt darstellen. Thukydides schreibt für diejenigen, die sich nicht durch die Rhetorik des Phantastischen bannen lassen, die vielmehr aufgrund ihrer Lebenserfahrung dem Lauf der Geschehnisse nachzuspüren vermögen. Entsprechend sieht Thukydides in der möglichen Übertragung des Erzählten auf die praktische Erfahrung aller Späteren den Erkenntnisgewinn der Geschichte. Geschichte wird unter methodischem Rückgriff auf ein gegebenes Handlungswissen dargestellt und sie wird um der praktischen Einsicht für die Zukunft willen geschrieben. Damit stehen wir an der Schwelle der ältesten Tradition der Geschichtsschreibung, auf deren pragmatisches Konzept[6] wir alsbald zurückkommen werden.

Die vorläufige Minimalbestimmung der Geschichte als Wiedergabe konkreter Geschehnisse der Vergangenheit in ihrem Zusammenhang hat uns über die Stufen des beobachteten, erinnerten und berichteten Ereignisses an die Voraussetzungen des Verstehens solcher Erzählungen herangeführt. Das Interesse an erzählten Geschichten beruht auf einem vorgängigen Handlungswissen, das jederzeit den Nachvollzug des Ereignisses erlaubt. Weil man sich an die Stelle desjenigen versetzen kann, dem ein berichtetes Ereignis widerfuhr, bleibt einem die reproduzierte Vergangenheit nicht fremd. Was damals Menschen in ihrem Handeln geschah, gehört in den weiten Horizont der Praxis, den auch wir mit unserem Tun immer neu ausfüllen. Das Wissen um die Möglichkeiten der Praxis liegt dem Wissenwollen um Geschichte zugrunde.

2. Historisches Handeln

Die Menschen *machen ihre Geschichte,* aber sie haben sie nicht vollständig *unter Kontrolle.* Mit dieser Grunderfahrung hebt historisches Bewußtsein an. Geschichte ist kein namenlos verhängtes Geschick, das wir in unserem irdischen Tun und Treiben nur pünktlich zu exekutieren haben. Geschichte ist ebensowenig voll in unsere Hand gegeben, als ob wir allein Meister unserer Taten wären und das ausgebildete Wissen um diese Autonomie nur recht anzuwenden brauchten. Die mythisch-theologische Vorstellung einerseits, die den Gang der Welt den Göttern oder einer Vorsehung anheimgibt, und die Erwartung totaler Machbarkeit andererseits, die ein allgültiges Wissen in die Technik der Zukunftsgestaltung umsetzt, sind die zwei Extreme, zwischen denen historisches Bewußtsein sich entwickelt. Im einen Fall gibt es genau genommen noch gar keine Geschichte, an der die Menschen tätig teilhaben, denn sie erscheinen als Spielball höherer Mächte. Im anderen Fall wird das Ende der bisher bekannten Geschichte anvisiert, insofern uneingeschränkte Theorie sich der praktischen Dinge ohne Widerstand bemächtigt.

Nun ist es seinerseits ein historisches Faktum, daß die deutliche Ausprägung des historischen Bewußtseins gerade die Moderne kennzeichnet. Zuständig ist jene Epoche, die sich nach hinten durch die Auflösung des theologischen Vorsehungsglaubens abgrenzen läßt und nach vorn durch die utopischen Hoffnungen auf das herbeizuführende Paradies auf Erden. Historisches Bewußtsein ist ein *Aufklärungsprodukt.* Die Aufklärung hat die Emanzipation menschlichen Selbstverständnisses aus den vorgegebenen Ordnungen von Herkunft und Überlieferung befördert. Zugleich hat sie die Aussicht geweckt, bei genügender Entschlossenheit sei der Schritt aus dem Zwischenstadium einer aktiv gestalteten, aber nicht vollkommen beherrschten Geschichte möglich. Aufklärung und Geschichtsdenken gehören zusammen, weil jene intellektuelle Bewegung endlich einem Bedürfnis zu genügen verspricht, das die Menschen angesichts ihrer Geschichte immer schon verspürt haben.

Die Herausforderung, besser zu begreifen, was Geschichte eigentlich ist, geht nämlich von dem Geschehen selber aus. Weil die historischen Prozesse unser gemeinsames Leben mit bestimmen, will man wissen, wie sie zustande kommen, wie sie üblicherweise verlaufen, warum die Ereignisse so und nicht anders eintreten, ob sie zu steuern sind und wie weit Eingriffe führen. Das ursprüngliche *Wissenwollen*, was Geschichte ist, entspringt an ihr täglich neu, denn wir sind daran insofern beteiligt, als ohne unser Zutun die Ereignisse nicht einträten, während gleichwohl unsere Rolle im Geschehen einer souveränen Überschau entzogen bleibt. Unser Handeln bringt historische Prozesse in Gang und geht in sie ein, ebenso wie umgekehrt Geschichte unser Handeln bestimmt, ja immer schon auf unabsehbare Weise geprägt hat.

Das meint die These, *der Mensch sei geschichtlich.* Die Natur mag eine Geschichte haben, aber diese Geschichte betrifft die Natur in ihrem Sein nicht. Die Menschen haben eine Geschichte und sind von dieser Geschichte betroffen. Im Gegensatz zu natürlichen Dingen ändert das Haben von Geschichte das Sein der Menschen. Mithin gehört das Wissen um Geschichte zur Existenzweise der Menschen. Da das Haben von Geschichte das Wissen um Geschichte herausfordert, nimmt dieses Wissen auch wieder Einfluß auf das Sein der Menschen. Das gesteigerte Geschichtsbewußtsein wird selber ein Faktor im historischen Prozeß. Darin liegt ein ausgezeichnetes Merkmal der Neuzeit, die vom geschichtlichen Wesen des Menschen derart überzeugt ist, daß aus dem Blick gerät, inwieweit diese Erkenntnis ihrerseits eine historisch gebundene Leistung darstellt.

Es bedarf einer eigenen aufklärerischen Reflexion zu erkennen, daß die Wahrheiten der Aufklärung, die als endgültiger Besitz in unseren Auffassungen tagtäglich weitergereicht werden und folglich die modernen Lebensformen bleibend bestimmen, selber durchaus ein historisches Schicksal erlitten haben. So definitiv ihre Geltung sich gibt, so unterliegt auch sie einem Wandel, der freilich im Rücken der erklärten Überzeugungen vor sich geht. Um hier zu Einsichten zu gelangen, muß man sich von jenen Überzeugungen, die wir alle teilen, einmal versuchsweise distanzieren. Dann wird eher deutlich, daß das historische Bewußtsein von der Aufklärung nicht nur entwickelt, sondern auch überreizt wurde.

Die Aufklärung hat uns einer *Paradoxie* ausgesetzt, für die sie keine überzeugende Lösung bereithält. Seither ist unser Bewußtsein für alles Historische weit geöffnet und sucht doch ständig einen Ausweg aus der universalen Verwicklung in Geschichte. Die historischen Kategorien stehen allenthalben zur Anwendung bereit, allein das über sie verfügende historische Bewußtsein sperrt sich gegen die Selbstanwendung. Die Dynamisierung, die der sich vollendende Historismus bedeutet, hat nach und nach zwar alle Inhalte erfaßt, aber erweist sich gerade im Siegeszug als quälendes Auf-der-Stelle-Treten, denn die teleologische Hoffnung auf Fortschritt und sinnvolle Realisierung der in der Geschichte gelegenen Ziele will sich nicht erfüllen. Das historische Bewußtsein vermag schwer zu begreifen, wie sehr inzwischen längst die Dynamisierung an und für sich als Selbstzweck wirkt, jenseits dessen die Illusion beginnt. Das aber ist die Lektion, die der historische Erfahrungsprozeß allen erteilt, die sich auf das Geschichtsdenken als eine gültige Wahrheit der Aufklärung eingelassen haben. Die moderne Schärfung des historischen Bewußtseins endet in seiner Überreizung und muß nun lernen, mit diesem selbsterzeugten Geschick fertig zu werden.

Jede Verarbeitung dessen, was mit dem Geschichtsdenken in der Folge der aufklärerischen Entdeckung geschieht, hat daher am Abbau hochgezüchteter Erwartungen anzusetzen. Wir müssen üben, in der Einsicht zu leben, daß Geschichte weder das demütige Erleiden nicht selbst gesetzter Gesetze ist, noch auch sich auflöst in ein rückhaltloses Durchschauen der wesentlichen Zusammenhänge, das für alle Zeiten Sicherheit vor Überraschungen verspricht. Was die Menschen erleiden, haben sie selber gemacht, und die Verantwortung kann auf niemanden sonst abgeladen werden. Dennoch haben sie nicht ausdrücklich gewollt, was schließlich in der Welt geschieht, während das, was sie wollen und planen, anders einzutreten pflegt als vorgesehen. Und dies gilt, soweit wir wissen, auch ohne Ausnahme von jenen grundlegenden Veränderungen, die als Abschaffung der bisherigen Konstanten geschichtlicher Existenz gedacht waren. Es bleibt mithin dabei, daß die Menschen zwar ihre Geschichte machen, aber sie nicht letztlich unter Kontrolle bringen.

Die Erfahrung, den Gang der Geschichte nicht genügend zu überschauen, war Anlaß zur Ausbildung des historischen Bewußtseins und stellt zugleich das größte Problem für jeden theoretischen Zugang zur Geschichte dar. Die Erfahrung, im historischen Bereich nicht genügend zu wissen, macht nämlich nirgends dem Zustand voll befriedigender Erkenntnis Platz. Die Bemühung um mehr Wissen endet in keiner abschließenden Theorie, weil die theoretische Intention, zu vollständiger Erkenntnis des

Gegenstands zu gelangen, im besonderen Falle der Geschichte scheitern muß. Was man sucht, kann man gar nicht finden, weil das Zustandekommen historischer Ereignisse der Eigenart dieser Ereignisse entsprechend nie restlos zu durchschauen ist. Es ist also nicht dem unvollkommenen Zustand unseres historischen Wissens zuzuschreiben, dem Mangel an eindringlicher Forschung oder der falschen Methode, wenn die Theorie der Geschichte an eine *Grenze* stößt, die die ursprüngliche Intention jeder Theorie auf umfassende und allgemeine Erkenntnis enttäuscht. Es ist der Struktur des Gegenstands zuzuschreiben, der hier Thema ist.

Das Insistieren auf den Erkenntnisintentionen der *Theorie* hilft nicht weiter. Ein Mangel an Forschung ließe sich durch verstärkte Anstrengungen beheben. Die falsch gewählte Methode ließe sich korrigieren und nach Entdeckung des Fehlers bei einigem Glück durch eine erfolgreichere ersetzen. Das Problem einer theoretischen Erfassung der Geschichte liegt aber nicht auf seiten der Theorie, die es zu perfektionieren gilt. Das Problem liegt auf seiten des *Gegenstands,* der sich theoretischer Bewältigung verweigert, obwohl er dazu einlädt. Die Theorie, die ihrem Gegenstand gerecht werden will, hat daher mit der Analyse dieser Sachlage zu beginnen. Nur um den Preis dauernder Verfehlung oder Verzerrung des Gegenstands können auf Geschichte die üblichen Formen theoretischer Erfassung angewandt werden. Die angemessene Theorie der Geschichte wäre diejenige, die ihrem Gegenstand gerecht wird, insofern sie das Theoretisierbare an ihm erfaßt und die Grenze eingesteht, wo mit theoretischen Mitteln nicht weiterzukommen ist.

Eine solche Theorie dürfte aber keineswegs auf halbem Wege stehenbleiben und sich einfach mit der Unvollständigkeit ihrer selbst begnügen. Denn wer sagte ihr, wo die Grenze des theoretischen Zugriffs auf den Gegenstand liegt? Die Halbherzigkeit ist auch im Theoretischen keine Tugend. Als *Leistung der Theorie der Geschichte* ist vielmehr die Bestimmung der Grenze des theoretischen Zugriffs auf den Gegenstand selber zu verlangen. Von seiten der Theorie sind Gründe dafür beizubringen, warum und an welchem Punkte der theoretischen Bewältigung jenes Gegenstands, der Geschichte heißt, die eigentlichen Mittel der Theorie versagen. Das bedeutet, das Gegenteil dessen zu tun, was Geschichtstheorie meistens getan hat.

Die übliche Reaktion auf die Erfahrung der Grenze, an die

Theorie im Falle der Geschichte stößt, war die *Verstärkung des theoretischen Impetus*. Die Unerkennbarkeit der Geschichte wird unserem Wissensdefizit zur Last gelegt. Die nicht durchdrungenen Reste im komplexen Gefüge historischen Geschehens verbleiben demnach aufgrund der unscharfen oder falsch gewählten Optik des Betrachters. An sich scheint kein Grund zur Annahme vorzuliegen, daß die Geschichte, wenn wir es nur richtig anstellen, sich unserer Erkenntnisbemühung nicht ebenso fügte wie andere Gegenstände, wo das theoretische Instrumentarium erfolgreich arbeitet. Seitdem die Philosophie sich der Theorie der Geschichte angenommen hat, ist der Ruf nach begrifflicher Bewältigung der historischen Zusammenhänge, die den Menschen so unmittelbar angehen, weil er in sie verstrickt ist, nicht mehr verstummt. Das beginnt gegen Ende des 18. Jahrhunderts[7] und setzt sich bis in die Gegenwart fort.

Man hat gemeint, die Beseitigung der theologischen Prämissen einer Universalgeschichte nach dem Heilsplan Gottes würde der menschlichen Vernunft einen rationalen Blick auf das Ganze des historischen Prozesses eröffnen. Man hat von der Ersetzung dogmatischer Metaphysik durch natürliche Ursachen eine wissenschaftlich vertretbare Evolutionsgeschichte der menschlichen Gattung erhofft. Die Idealisten wollten den unerklärlichen Zufall aus der Geschichte austreiben, um einen logisch zu sich selbst kommenden Geist zurückzubehalten. Die Materialisten wollten durch eine Kritik ideologischer Hemmnisse den wirklichen Gesetzen der Entwicklung der Gesellschaft auf die Spur kommen. Die Anwendung naturwissenschaftlicher Methoden erschien den einen als Rettung aus dem Dickicht unhaltbarer Vermutungen. Dagegen machten diejenigen Front, die nur einer eigenständigen Methode historischen Verstehens die Durchleuchtung des Vergangenen zutrauten. Die vordringenden Sozialwissenschaften empfahlen Strukturbetrachtung sozialen Wandels und systemtheoretischen Funktionalismus als Kur gegen die historische Skepsis. Die Historisten nennen Geschichtlichkeit als einheitlichen Schlüssel für alle Phänomene.

Herrschaft der Vernunft, Fortschritt des Geistes, Gesetze der Geschichte, historische Methode – so viele Namen, so viele Verheißungen, mit theoretischen Mitteln der Rätsel der Geschichte Herr zu werden. Über manche der von Geschichtsphilosophen vorgeschlagenen Wege wird noch ausführlich zu reden sein. An dieser Stelle kann nur ganz allgemein begründet werden, warum die *Anerkennung der Grenze* der Theorie zu einer adäquaten Theorie der Geschichte gehört.[8] Die Begründung führt dazu, Geschichte anders als bisher üblich vom Handlungsbegriff her zu betrachten. Die Untersuchung der Geschichte im Ausgang vom Handlungsbegriff macht Geschichtsphilosophie zu einem Teil der praktischen Philosophie im weiten Sinne.

Geschichte besteht aus *Handlungen.* Ein höchst verwickeltes Gefüge von einzelner und kollektiver Praxis bringt das zustande, was wir historisches Geschehen nennen. Wie Geschichte aus der Vielzahl von Handlungen entsteht, ist die zentrale Frage jeder philosophischen Theorie der Geschichte. Wie immer die Antworten lauten mögen, ob auf gesetzmäßige Abläufe, auf verstehbare Sinnbilder oder die Logik von Prozessen geblickt wird –, das Hervorgehen von Geschichte aus einem Komplex von Handlungen bleibt der springende Punkt, sofern man überhaupt zugibt, daß historisch zu nennende Phänomene sich aus Elementen einzelner und kollektiver Praxis aufbauen. Vermutlich liegt die Grenze der theoretischen Durchdringung von Geschichte, auf die wir stießen, in eben der Zone, wo einzelnes oder kollektives Handeln historisch relevant wird. Theoretische Projektionen werfen in diese Zone kein Licht mehr. Vorgefaßte Konzepte, wie Geschichte richtig anzusehen sei, helfen hier nicht weiter. Die Untersuchung hat vielmehr mit der Analyse des Handlungsbegriffs zu beginnen, um sich von dort zu dem Bereich vorzutasten, wo Handeln historisch relevant wird.

Ganz allgemein gesprochen heißen Handlungen zielgerichtete Vollzüge, die einer Struktur wechselseitiger Relation des Vollzugs auf das Ziel und des Ziels auf den Vollzug entsprechen. In Anlehnung an eine aristotelische Terminologie kann man diese Struktur als »*Worumwillen*« (οὗ ἕνεκα) beschreiben. Die Rückbesinnung auf die Ethik des Aristoteles erfolgt nicht von ungefähr, so als gälte es, irgendeinen angesehenen Gewährsmann aus der Philosophiegeschichte zu zitieren. Die aristotelische Ethik besitzt eine unüberholte Stärke darin, daß sie einen der wenigen philosophischen Versuche zur grundsätzlichen Klärung des Handlungsbegriffs darstellt. So ist Aristoteles der Stammvater der praktischen Philosophie geworden und spielt aus demselben Grunde erneut eine wesentliche Rolle in den zeitgenössischen Debatten um den Handlungsbegriff.[9] Im nächsten Kapitel wird sich zeigen, daß man mit Gewinn auf aristotelische Begrifflichkeit zurückgreifen kann auch dort, wo es um historische Fragen geht, die für das philosophische Denken der Griechen aus den oben erörterten Gründen noch nicht den Stachel besaßen, den sie im modernen Bewußtsein hinterlassen.

Für die allgemeine Handlungsanalyse besagt das »Worumwillen«, daß Handlung nur aus einer *asymmetrischen Relation* heraus verständlich wird, die zwei Momente im Sinne der Vor- und Nachordnung aufeinander bezieht. Der Einsatz von Aktivität wird an etwas gekoppelt, um dessentwillen überhaupt gehandelt wird. Ohne dies vom Handeln unterschiedene und ihm vorgeordnete Moment käme Handeln gar nicht in Gang, aber ebensowenig läßt sich das vorgeordnete Moment der Relation ohne Rücksicht auf das nachgeordnete Relat bestimmen. Das Worumwillen ist nur definierbar durch das Handeln, das sich darauf als auf sein ursprüngliches Ziel richtet. Die komplizierte Ausdrucksweise des Worumwillen soll anzeigen, daß es das Tun nicht ohne das Ziel und das Ziel nicht ohne das Tun »gibt«. Die asymmetrische Relation beider Relate stellt als Ganze erst die Eigenart des Handelns vor Augen, die systematisch verfehlt wird, wenn man beide Relate für sich nimmt und verdinglicht.

Die übliche Verdinglichung ist bereits eingetreten, wo Handlung und Ziel als je abgesonderte Gegebenheiten erscheinen. Will man das Tun als eine kausal erklärbare Körperbewegung isolieren, muß man ihr einen an sich definierbaren Zustand der Welt gegenüberstellen, der aus gewissen Gründen von einem Subjekt positiv bewertet wird und deshalb als Ziel angestrebt wird. Die Verselbständigung der Aktivität zu einem Kausalprozeß und die Verobjektivierung des Ziels zu einem wünschenswerten Weltzustand reißt analytisch auseinander, was praktisch zusammengehört, nämlich das konkrete Handeln und sein Worumwillen. Erst wenn man beides in innere Beziehung setzt, gewinnt man eine Grundlage für die tatsächliche Verknüpfung von Handlung und Ziel. Auf diesem Wege der Wechselbestimmung im Zusammenhang nähert die Analyse sich der wahren Struktur praktischer Vollzüge.

Die Strukturanalyse des Worumwillen macht *einzelnes* Handeln verständlich. Sie begeht insofern eine planmäßite Vereinfachung, denn Handeln tritt niemals allein auf. Folglich muß die Analyse schrittweise erweitert werden, wobei sich zeigt, daß sie auch komplexeren Gebilden innerhalb der praktischen Sphäre gewachsen ist. In Analogie zum Worumwillen läßt sich eine Folge *mehrerer Handlungen* deuten, die um eines übergeordneten Zieles willen konsequent aufeinander bezogen sind. Die Einzelakte treten damit in den größeren Rahmen einer *Strategie,* in der sie ihre bestimmte Funktion erhalten, obwohl sie je für sich die Vollzüge realisieren, die ihr eignes Worumwillen darstellen. Zweckgerichtetes Einzelhandeln fügt sich einem Verbund von Ober- und Unterzwecken ein, der verschiedene Aufstufung und Erweiterung zuläßt. Die Hierarchisierung einer Mehrzahl von folgerichtigen Handlungen entspricht einem umfassend ausgelegten Worumwillen.

Das Bild bereichert sich, wenn man *mehrere Akteure* einführt, die innerhalb einer durchgängigen Strategie unterschiedliche Rollen spielen, so daß sich das komplexe Worumwillen aus mehreren Handlungen mehrerer Handelnder zusammensetzt. Die Handelnden treten dann zueinander in das Verhältnis von Mittel und Zweck, wobei das wohl bestimmte Verhältnis seinerseits in der Verfügungsgewalt der Strategie verbleibt. Eine weitere Voraussetzung wird nötig, wenn mit einem gesamtstrategisch nicht lenkbaren Eigenhandeln der verschiedenen Akteure zu rechnen ist. Jeder Einzelne verfolgt die eigenen Ziele und handelt somit subjektiv rational, während die Vielzahl solcher Handlungen sich zu einem größeren Zusammenhang verwebt, der weder aus der Perspektive des Einzelakteurs noch im Lichte umfassender Strategie rational zu deuten ist. Hier setzt die *Spieltheorie* ein, die mit raffinierten Kalküls versucht, Aktionen und Reaktionen, die Antizipation von Aktionen und Reaktionen sowie die Antizipation der Antizipation usw. in ein überschaubares Muster zu bringen.

Schließlich kann man die bisherige Betrachtungsebene überhaupt verlassen und einen Rationalitätsanspruch erheben, der über die Zwecksetzung des je Handelnden und deren Kombinationen hinausgeht in Richtung auf umfassende und unverzerrte *Kommunikation.* Dazu ist ein Handeln anzunehmen, das unter der Bedingung gleichberechtigter Kooperation auf gar nichts sonst als das entsprechende Handeln des Gegenüber gerichtet ist.[10] Zwar rückt das Handeln des Andern nun nicht mehr in die Perspektive der Zweck-Mittel-Beziehung ein, die entweder ein Handelnder einseitig definiert oder die von einer beide Akteure umfassenden Gesamtstrategie verwaltet wird. Trotzdem muß auch Kommunikation wieder als ein Handlungsziel gedacht werden und gehorcht somit als ein spezifisches Worumwillen der allgemeinen Struktur praktischer Vollzüge.

Die Sozialwissenschaften haben diese und weitere Möglichkeiten komplexer Handlungsgefüge, die sich aus vielen Akten aufbauen und einen rationalen Zusammenhang ergeben, untersucht und auf einheitliche Schemata gebracht. Allen solchen Formen des Handelns haftet notwendig eine *Regelmäßigkeit* an. Die Regelmäßigkeit ermöglicht das Verstehen der Vollzüge im einzelnen sowie im Zusammenhang, sie erlaubt Prognosen von erheblichem Wahrscheinlichkeitsgrad und führt zur Formulierung beständiger Verlaufsformen des einzelpraktischen und sozialen Verhaltens. Damit ist die Zone des historisch bedeutsamen Handelns aber noch keineswegs erreicht. Schwerlich wäre zu bestreiten, daß das Gros gesellschaftlicher Praxis in den meisten historischen Lagen solchen Regelmäßigkeiten genügt, daß also die Masse dessen, was faktisch getan wird, anstandslos von sozialwissenschaftlicher Analyse erfaßt werden kann. Daraus folgt aber mitnichten, daß die Geschichte in die Summe sozialwissenschaftlich deutbaren, massenhaften Handelns innerhalb der historisch gegebenen Gesellschaft aufzulösen sei.[11]

Dasjenige Handeln nämlich, das den immer gleichen Regelmäßigkeiten folgt, die einem wissenschaftlichen Anspruch auf Allgemeinheit genügen, weist keine *historische Spezifität* auf. Was immer gleich ist und überall zu jeder Zeit ganz ähnlich geschehen könnte, entbehrt gerade der Besonderheit, auf die ein historisches Interesse sich richtet. Es ist nicht zu sehen, warum das Augenmerk des Historikers sich auf den Fall X richtet, wo die Fälle Y, Z, W usw., obzwar zu anderen Zeiten, doch derselben Regel gehorchen. Die typischen Abläufe, die als auswechselbar gelten dürfen, verdienen je für sich kein Interesse, sondern höchstens als Instanzen oder Belege einer Regel. Für die gibt es jedoch beliebig viele andere und gleichwertige Instanzen oder Belege, so daß der pure Charakter, Fall einer Regel zu sein, gerade nicht ausreicht, um das Interesse an diesem besonderen Geschehen zu wecken.

Es muß etwas hinzukommen, das den fraglichen Einzelfall sichtlich und eindeutig aus der Kette vergleichbarer Fälle heraushebt. Dies Moment ist eine *Kontingenz*, die *konstitutiv* und daher nicht zu unterdrücken ist. An sich werden alle Fälle einer Regel von Kontingenzen begleitet, die immer neu hinzutreten, ohne für den jeweiligen Fall konstitutiv zu sein. Sie lassen sich ohne Verlust an Erkenntnis vernachlässigen. Das Moment von Kontingenz, das uns beschäftigt, ist nicht von der Art, ohne Minderung des Sachgehalts unterdrückt werden zu können. Die Kontingenz ist vielmehr konstitutiv für die Besonderheit des Falles, um die es geht. Da es um die Besonderheit geht, genügt der bloße Status, austauschbarer Fall einer Regel zu sein, nicht länger. Die konstitutive Kontingenz macht aus einem Handeln ein historisch bedeutsames Handeln.

Diese These mag auf den ersten Blick überraschen, denn unter Geschichte stellt jedermann sich mehr vor als zufallsbedingtes Handeln. Zwar ist die Rolle des Zufalls im historischen Ablauf der Ereignisse stets gesehen worden und hat bei Fachleuten durchaus Würdigung erfahren.[12] Der Zufall war aber der Rest, mit dem man nichts anzufangen wußte.[13] Es schien vermessen, ihn ganz zu leugnen, während für das eigentliche Zustandekommen historischer Ereignisse doch andere und respektablere Ursachen verantwortlich zu machen waren. Die Geringschätzung des Zufalls ergibt sich aus der Enttäuschung, die er jeder theoretischen Intention bereitet. Wer Geschichte erkennen will und seine Fragen mit dem Verweis auf die Rolle des Zufalls abgespeist sieht, glaubt zunächst, in seiner Erkenntnis nicht vorangekommen zu sein. In Wahrheit ist er aber auf die Grenze gestoßen, von der eingangs behauptet wurde, daß sie sich vor allem theoretischen Zugriff auf Geschichte aufrichtet.

Das vollständige Durchleuchten des historischen Geschehens scheitert an jenem Moment der Kontingenz, das sich nicht unterdrücken läßt, weil es für historisches Handeln konstitutiv ist. Jeder theoretische Umgang mit der Geschichte hat daher dem Moment der Kontingenz gerecht zu werden, ohne die der Gegenstand unvollständig erfaßt wäre. Die Achtung vor dem Gegenstand erfordert, der historisch wirksamen Kontingenz Tribut zu zollen, indem Abstriche am theoretischen Vollständigkeitsdrang gemacht werden. Indes, wie soll das gehen? Das theoretische Sicheinlassen auf Geschichte begegnet einem konstitutiven Moment von Kontingenz, das den historischen Gegenstand charakterisiert, und weiß doch als Theorie gerade diese Kontingenz am allerwenigsten einzuordnen. Das gängige Mißverständnis dieser methodisch heiklen Situation rührt daher, daß der Zufall wie eine beziehungslose Größe behandelt wird, die im historischen Geschehen störend umhergeistert, ohne auf irgendeine Weise bestimmbar zu sein.

Diese Auffassung vom Zufall als dem schlechthin Irrationalen stellt aber eine Verkürzung dar, in der eine ältere Lehre unidentifiziert weiterlebt. Die klassische Gestalt, in der der Zufall philosophisch auf den Begriff gebracht wurde, stammt wiederum von Aristoteles. Ein Blick auf diese Herkunft wird erläutern, welch ausgezeichneten Rang der Begriff des Zufalls in der Handlungstheorie einnimmt. Von dorther kann die These dann besser begründet werden, daß historisch bedeutsames Handeln von einem konstitutiven Moment der Kontingenz geprägt ist.

3. Handlungskontingenz

Der Zufall ist das, womit man nicht rechnen kann. Er tritt scheinbar grundlos und unvorhersehbar ein. Das Zufällige geschieht einfach, ohne daß man weiß warum. Es entzieht sich aller Regelmäßigkeit und überrascht jedesmal neu. Deshalb bleibt man bis zu einem gewissen Grade dem Zufall ausgeliefert. Die launische Göttin Fortuna gehört zum ältesten Bestand topischer Reaktion auf diese Lebenserfahrung. Für die philosophische Theorie bleibt der Zufall besonders dunkel, weil sie offenbar jeglichen Ansatzes zur Bestimmung dessen entbehrt, was beliebig eintritt und sich keiner Rationalisierung beugt. Theorien über den Zufall hat die Geschichte der Philosophie infolgedessen nur ausnahmsweise hervorgebracht. Höchstens in der Grenzstellung als Gegensatz zur Notwendigkeit bekommt der Zufall in philosophischen Systemen ein Existenzrecht.[14] Diese logisch-ontologische Einordnung der Kontingenz stellt das Endergebnis einer scharfsinnigen Lehre dar, die auf Aristoteles zurückgeht. Im Gange einer Begriffsgeschichte, die noch geschrieben werden muß, ist die alte Formel »wie es sich gerade so ergibt« (ὁπότερ ἔτυχεν) von Boethius[15] und Thomas[16] als *contingere* latinisiert worden[17], während das deutsche Wort »Zufall« auf *accidens* zurückweist.

Vor dem Hintergrund der Folgen ist es bemerkenswert, daß die aristotelische Lehre vom Zufall ihre Wurzeln in der *praktischen* Philosophie haben dürfte.[18] Was Aristoteles über die Tyche sagt, ist eigentümlich praktischen Vorgängen abgelesen und erfährt von dort eine Übertragung auf reale Prozesse in der Welt. So werden vielfach Phänomene eines naturalen Zufalls erörtert, in denen etwas, das sich ereignet, so erscheint wie das, was jemandem passiert. Die stehende Doppelterminologie von Zufall und Selbstlauf (ἡ τύχη καὶ τὸ αὐτόματον) legt geradezu schulmäßig die Parallelbehandlung fest. Ohnehin gibt es für die aristotelische Ontologie, die wie selbstverständlich einem Technemodell folgt, nicht die scharfen Grenzen zwischen dem Natürlichen und dem Praktischen, die wir zu sehen meinen. Der gemeinsame Fluchtpunkt der Teleologie hält beides zusammen. Erst seit die moderne Naturwissenschaft die ›causae finales‹ unter Verdacht stellte, um eine strenge Kausalitätsbetrachtung auf die bewirkenden Ursachen der ›causae efficientes‹ zu beschränken, wird Ontologie entfinalisiert. Nun treten Zufall und Notwendigkeit fremd auseinander.

Es ist also nützlich, die Zufallslehre des *Aristoteles*[19] richtig einzuordnen. Was zufällig geschieht, fällt nicht als Faktum gleichsam vom Himmel. Dann ließe sich darüber höchstens sagen, daß es nicht notwendig gewesen sei. Die bloße Faktizität kann aber durchaus Gründe haben, so daß die Aussage der Nicht-Notwendigkeit zur Analyse des Zufalls nicht ausreicht. Zufällig erscheint etwas vielmehr dort, wo man an sich Zweckmäßigkeit erwartet. Das Zufällige überrascht, weil es wie absichtlich aussieht, ohne daß für sein Eintreten ein Zweck gefunden werden kann. Die Grundlosigkeit des Zufalls besteht also im Ausbleiben des Zwecks, dem der Zufall doch zu entsprechen scheint. Wichtig ist, daß Aristoteles den Zufall in solchen Zusammenhängen aufsucht, in denen ein »Worumwillen« (οὗ ἕνεκα) angenommen werden muß, sei es aufgrund der praktischen Zielsetzung oder aufgrund der Naturteleologie.

Der Zufall, der nicht einer strikten Notwendigkeit gehorcht oder doch auf Regelmäßigkeit in den meisten Fällen beruht, kommt akzidentell zu zweckorientierten Prozessen hinzu. Da der Grund des Auftretens hier nicht selbständig erfaßt werden kann, sondern in Abhängigkeit von einem an sich begründbaren Verlauf gedacht werden muß, ist er wie alles Akzidentelle unbestimmt. Es läßt sich nämlich nicht mehr bestimmen, was genau hinzutritt, wenn sich nur bestimmen läßt, daß an etwas, das an sich selber bestimmt ist, etwas anderes akzidentell auftritt. Die Bestimmbarkeit des Akzidentellen beschränkt sich auf sein Abhängigsein von dem, dem es bloß anhaftet, und mehr läßt sich zu seiner Bestimmung nicht beitragen. Die Abhängigkeit als solche macht eine inhaltliche Ausgrenzung aus der Fülle aller Möglichkeiten aussichtslos. Das bleibt eben dem Zufall überlassen. Zufall ist also der Schein zweckmäßigen Eintretens, der sich bildet, wo an einem klar bestimmten zweckmäßigen Prozeß ein Phänomen auftritt, das ohne jenen Prozeß nicht hätte auftreten können, für dessen Auftreten der Prozeß selber aber nicht der eigentliche Grund ist, so daß das Auftreten zwar in der Perspektive zweckmäßiger Begründbarkeit wahrgenommen wird, der Grund aber unbestimmbar bleiben muß.

Die Beispiele, an denen Aristoteles seine Analyse des Zufalls erläutert, zeigen die vorwiegend praktische Dimension. Wer einen Baum eingräbt und einen Schatz findet, dem geschieht etwas, das er hätte wollen können, ohne daß er um dessentwillen gehandelt hat. Er hätte nämlich ebensogut den Schatz suchen können, der ihm nun zufällig unter die Hände gerät. Wer vom Wind abgetrieben oder von Seeräubern gekapert in Ägina landet, dem widerfährt zufällig, was er auch zum Ziel einer Handlung hätte machen können. Ähnlich darf das Auftreten naturaler Zufälle, die dem »automatischen« Selbstlauf entstammen, in Analogie zur Praxis gedeutet werden. Wenn ein Stein so vom Dach fällt, als ob er geworfen worden wäre, um jemanden zu treffen, oder wenn ein Stuhl so umkippt, daß er wie zum Sitzen plaziert erscheint, stellt sich eine Als-ob-Zweckmäßigkeit ein.[20] Von selbst geschieht etwas, woran kein Handeln beteiligt war, obwohl es die Ursache hätte sein können.

Das berühmteste Beispiel des Aristoteles spricht von der Zufallsbegegnung mit einem Schuldner. Wer auf den Markt zu Geschäften geht und dort den Freund trifft, der Geld schuldet und auch bei Kasse ist, geht unerwartet reicher nach Hause. Wäre er regelmäßig zum Zweck der Schuldeintreibung auf den Markt gegangen und hätte den Schuldner einmal getroffen, oder wäre er diesmal gekommen, weil er von dessen Anwesenheit wußte, wäre kein Zufall im Spiel. Nur, daß die Schuldeintreibung gelingt, obwohl sie nicht Zweck war, läßt uns den Zufall zur Verantwortung ziehen. Der Zufall betrifft also das unerwartete Auftreten eines Ereignisses, das an sich auch zweckmäßigem Handeln hätte entspringen können. Der Zufall macht ein Handeln zum Ereignis. Was geschieht, tritt ohne vollkommene Zuständigkeit des Handelns ein. Deshalb gehen im Zeichen des Zufalls die Ereignisse anders aus, als das Handeln für sich intendierte.

Zufälle liegen im Bereich dessen, was *auch anders sein kann* (ἐνδέχεται ἄλλως ἔχειν). Was nicht anders sein kann, folgt nämlich einer Regel oder ist gar schlechthin notwendig. Beides ließe sich vorhersehen und somit machte der Zufall dem theoretischen Nachweis Platz.[21] Die Rede vom Kontingenten verwechselt häufig die Bereichsangabe mit dem Zufall selbst.[22] Kontingent ist streng genommen nicht das, was sich so oder anders verhalten kann, ohne schon eingetreten zu sein, sondern das grundlose Eintreten einer der beliebigen Alternativen. Die Differenz ist deshalb von Bedeutung, weil der Bereich des Anders-sein-könnens eben derselbe Bereich ist, in dem das Handeln sich bewegt. Handeln und Zufall sind aber nicht dasselbe, sondern haben nur den Bereich gemeinsam, in dem sie sich realisieren.[23]

Handeln vermag sich nur dort zu vollziehen, wo die Dinge auch anders sein können, und es muß sich dort aufhalten, solange es Handeln ist.[24] Zwangsläufige Geschehnisse pflegen wir ebensowenig Handeln zu nennen wie das schlechterdings gesetzmäßige und prognostizierbare Verhalten. Das Handeln bewegt sich Aristoteles zufolge im Bereich verschiedener Möglichkeiten, bis es einer von ihnen den Vorzug (προαίρεσις) gibt. Die Entscheidung für eine bestimmte Möglichkeit des Handelns, die durch den vollzogenen Akt selber dann in Wirklichkeit überführt wird, setzt voraus, daß es überhaupt einen Spielraum offener Möglichkeiten gibt. Andernfalls wäre überlegtes Handeln durch blindes Getriebensein in einer Richtung ersetzt.

Vor dem Akt muß dem Handeln mithin die Breite seiner Realisierungsmöglichkeiten als das Feld des Anders-sein-könnens zu Gesicht gebracht werden. Das Handeln bedarf dafür einer Anleitung. Das theoretische Wissen ist ganz ungeeignet, denn es richtet sich auf das Allgemeine und Notwendige oder zumindest Regelmäßige. Was aber so und gleichermaßen auch anders sein kann, ist nicht wirklich theoriefähig. Wie sollte das derart Unbestimmbare bestimmt werden? Wenn das Anders-sein-können einer theoretischen Bestimmung nicht unterliegt, so scheint die Aussicht auf die nötige Anleitung des Handelns, dem der Bereich praktischer Verwirklichungsmöglichkeiten vorab erschlossen sein muß, zu schwinden. Aus diesem Dilemma führt die klassische Unterscheidung des Aristoteles zwischen *theoretischem Wissen* und *praktischer Klugheit* heraus, die eine Form der Rationalität in Anschlag bringt, die nicht im Feststellen des Allgemeinen sich erschöpft.

Die fragliche Anleitung ist Sache des konkreten, auf das je Einzelne gerichteten Überlegens (βουλεύεσθαι), das im Lichte praktischer Vernunft (φϱόνησις) das Worumwillen des Handelns definiert. Angesichts der Pluralität von Alternativen im Bereich des Nicht-Festgelegten muß jeder Handelnde mit sich zu Rate gehen, bevor das Handeln überhaupt einsetzen kann. Umgekehrt zeichneten sich ohne die auf potentielle Praxis zielende Überlegung gar keine Möglichkeiten als variable, aufeinander bezogene und miteinander konkurrierende Handlungschancen ab. Niemand überlegt in praktischer Absicht Dinge, die ihm gänzlich entzogen sind, die notwendig ablaufen oder sich nicht im einzelnen konkretisieren lassen. Die eigentümliche Leistung praktischen Überlegens und der strittige Bereich des Anders-sein-könnens verweisen somit aufeinander.

Das Anders-sein-können, das praktisch relevant ist, stellt sich als Horizont des bevorstehenden Handelns dar. Vergangene Handlungen, wie die Eroberung Trojas[25], bilden naturgemäß keinen Gegenstand der Überlegung mehr, obwohl sie einmal Anlaß zu solcher Überlegung gegeben haben. Das war zu dem Zeitpunkt, als der Kampf um Troja noch bevorstand, so wie die Seeschlacht, die morgen eventuell geführt wird, noch bevorsteht. Als solche ist sie nämlich Gegenstand praktischer Überlegung und erfordert entsprechende Tätigkeit (πραγματεύεσθαι)[26]. Die Eroberung Trojas und eine gewonnene oder verlorene Seeschlacht wird man getrost *historische Ereignisse* nennen dürfen. Historische Ereignisse liegen mithin gerade auf der Linie eines Handelns, das sich im Feld des Anders-sein-könnens bewegt und bewegen muß, weil es vom praktischen Setzen von Bestimmtheiten innerhalb eines Spielraums von Möglichkeiten gar nicht absehen kann. Es ist derselbe Bereich, in dem auch der Zufall regiert, den bei seinem grundlosen Eintreten nur ein Schein von Zweckmäßigkeit begleitet.

Bevor wir allerdings diesen Gedanken weiter verfolgen, muß noch genauer geklärt werden, wieso das Handeln und das Anders-sein-können in derart enge Beziehung treten. Kann nicht unendlich vieles auf der Welt anders sein, als es ist, ohne in irgendeiner Hinsicht auf unser Handeln bezogen zu sein? Sind nicht alle Tatsachen, bevor sie wirklich wurden, auch anders möglich gewesen? Man spricht von der *logischen Möglichkeit* und meint, daß das, was nicht notwendig ist, auch nicht mit Notwendigkeit nicht sein kann und daher eben anders ausfallen mag. Wie es tatsächlich ausfällt, bleibt dem Zufall überlassen. Leibniz' bekannte Distinktion der ›vérités de raison‹ und der ›vérités de faits‹ trifft diesen Zusammenhang.[27]

Nun bedeutet das Abtrennen jener Wahrheiten, die nicht aufgrund theoretischer Vernunft allein einsichtig sind, weil man für deren Gegebensein auf die wechselhaft eintretenden Tatsachen angewiesen ist, die bloße Ausscheidung des Bereichs des Zufalls aus der rationalen Betrachtung.[28] Was stets auch anders sein kann, bildet einfach deshalb kein Thema, weil es sich unserem Wissen entzieht. Der Mangel wäre höchstens im Falle Gottes behoben, der aufgrund seiner absoluten Natur alles von Ewigkeit zu Ewigkeit vorherbestimmt. Ihm steht ein Wissen auch dort zur Verfügung, wo uns aufgrund der Kontingenz des fallweise erst Eintretenden der Überblick verwehrt ist. Entsprechend stellt die Abhängigkeit der zukünftigen Weltverläufe vom freien Willen Gottes ein wichtiges Problem der theologischen Spekulation dar.[29] Leibniz sah die Lösung einer Vereinigung apriorischer Vernunftwahrheit und kontingenter Tatsachenwahrheit darin, dem freien Willen Gottes stets nur das Beste zuzutrauen. Dann ist nämlich Anlaß, die Vernünftigkeit auch desjenigen kosmologischen Gesamtzusammenhangs zu unterstellen, in dessen kontingente Faktizität im einzelnen uns der Einblick fehlt.[30]

Die logisch-ontologische Auffassung des Zufalls macht Sinn, sofern man von theologischen Prämissen ausgeht. Damit verlagert sich das Problem aus der ursprünglich *praktischen* Ebene und verdeckt die Rolle, die das Anders-sein-können gerade für die dem Menschen eigentümliche Überlegung spielt. Wie kommt man überhaupt dazu, jenseits der Negation der Notwendigkeit den Bereich dessen positiv abzustecken, was wieder und wieder anders sein kann, bevor es in bestimmter Weise eingetroffen ist? Ohne praktisches Interesse wird das kaum als Gegenstand des Wissens in Betracht kommen. Zunächst treten solche Möglichkeiten nämlich als *Pluralität von Alternativen* im Horizont des Handelns auf, das sich verwirklicht, indem es sich hinsichtlich eines Worumwillen bestimmt. Das Setzen einer Bestimmtheit setzt seinerseits die Möglichkeit voraus, überhaupt Bestimmungen zu setzen. In dem Sinne ist das Handeln, das sich verwirklicht, indem es eine Bestimmung setzt, zugleich das Voraussetzen jener Sphäre des Unbestimmten, aber Bestimmungsfähigen, die wir als das Anders-sein-können im Horizont praktischen Überlegens beobachtet haben. Erst im Blick auf das Handeln, das sich bestimmen läßt, wird das So-oder-Anders als solches bewußt. Die praktische Überlegung entwirft Möglichkeiten, um sich unter ihnen eine zu wählen, die es als seine Bestimmung setzt, weil es sich nur so selber konkretisiert. Das Anders-sein-können öffnet dem Handeln ein Betätigungsfeld.

Das Anders-sein-können ist aber zugleich der Bereich des Zufalls, so hatten wir gesehen. Wie bilden sich jene *Interferenzen von Handlung und Zufall*, die *historisch* relevant sind, wie wir ebenfalls behauptet hatten? Was geht vor sich, wenn ein bestimmtes Handeln von dem Moment unbestimmbarer Kontingenz heimgesucht wird, die Ausdruck dessen ist, daß im praktischen Bereich die Dinge stets auch anders sein können? Dazu muß nochmals auf die Struktur des Handelns zurückgegriffen werden. Handlung als das praktische Setzen einer Bestimmung vor dem Horizont der Pluralität von Möglichkeiten ist in eins das Ausschließen anderer ebenso möglicher Bestimmungen. Die eine praktisch realisierte Bestimmung wird stets gegen Alternativen durchgesetzt. Die ausgeschlossenen Alternativen bilden jene Möglichkeiten, die das Handeln auch hätte wählen können. Es ist Kennzeichen der Endlichkeit des Handelns, daß es handeln muß, d. h. sich im einzelnen nur konkretisieren kann gegen die Breite seiner Möglichkeiten und daher unvermeidlich die meisten Alternativen verfehlt.

Der Zufall bildet die Kehrseite dieser *Endlichkeit*. Weil nicht alle Möglichkeiten gleichermaßen realisiert werden oder im Handlungsvollzug offen bleiben können, stellen sich zufällige Verläufe ein, die niemand gewollt hat, die aber ein Worumwillen hätten darstellen können. Zufällig tritt in der Sphäre des Anders-sein-könnens ein, was an sich eine praktische Möglichkeit gewesen wäre, aber von keinem Handeln übernommen wurde. Weil das Zufällige kein Handlungsresultat ist, steht es in Abhängigkeit zum bestimmten Tun. Sein Eintreten erfolgt nur begleitend zum jeweils konkreten Handeln, so daß die Als-ob-Zweckmäßigkeit parasitär auf der eigentlichen Zwecksetzung aufsitzt. Ohne bestimmtes Handeln besäße der Zufall keine Chance. Ohne die Nötigung, im Handeln praktische Bestimmung als Wählen eines Worumwillen aus einer im Überlegen bereitgestellten Vielzahl anderer Möglichkeiten zu setzen, entfiele von vornherein der Ausschluß anderer Möglichkeiten. Wären keine Möglichkeiten ausgeschlossen oder ließen sich alle realisieren, dann unterläge das Handeln auch keinen Zufällen mehr. Das Ausgeliefertsein an das grundlose Eintreten des Zufalls ist im Bereich des Handelns Ausdruck seiner Endlichkeit.

Mit der Endlichkeit des Handelns, die einen Wesenszug des Handelns bildet, ist dem Spiel des Zufalls Raum gegeben. Es wäre ein Irrtum zu glauben, die Endlichkeit des Handelns ließe sich abschaffen, weil damit das Handeln selber als das praktische Setzen von Bestimmung im Bereich der Möglichkeiten des Andersseins verschwände. Von seiner eigenen Praxis vermag aber kein Mensch Abstand zu nehmen. Solange das Handeln nun das Handelnmüssen einschließt, ist die Endlichkeit mit gegeben. Solange die Endlichkeit existiert, ist dem Zufall nicht zu entkommen. Sein Spiel treibt er nicht etwa, weil wir zu wenig wissen, so daß er sich bannen ließe, wenn wir mehr oder genügend wüßten. Die Elimination des Zufalls aus den menschlichen Geschicken ist keine theoretische Aufgabe verbesserter Erkenntnis, Prognose oder Planung. Die Elimination des Zufalls mißlingt, solange wir praktisch Handelnde sind und uns aus der Verwicklung in das Reich, wo alles auch anders sein kann, nicht zu befreien vermögen. Daraus folgt, daß die Kontingenz das konkrete Handeln seiner Natur nach unausweichlich begleitet.

Wir sahen, daß das *Moment der Kontingenz aus typischen oder regelmäßigen Handlungen historische* macht, insofern die besonderen Formen des beiherspielenden Zufalls in einem gewissen Vollzug nicht wegzudenken sind, sondern dessen Eigentümlichkeit gerade konstituieren. Aus einer Handlung wird ein Ereignis, wenn jene Begleiterscheinungen, die das Handeln nicht selber gesetzt hat, denen es sich aber nie zu entziehen vermag, weil es unter Bedingungen der Konkretion sein jeweiliges Worumwillen realisiert, ihrerseits Bedeutsamkeit erlangen. Es kommt eben anders, als der Einzelakteur oder eine Gruppe von Handelnden intendiert hatten oder vorhersehen konnten. Dieser unerwartete Ausgang verdient als solcher Interesse. In seiner Besonderheit erscheint er berichtenswert und wird in Erzählungen wiedergegeben, die sich dem merkwürdigen, bloßer Regelmäßigkeit spottenden, weil aus Handeln und Kontingenz gewobenen Verlauf des Geschehens widmen.

Betrachten wir Beispiele: Wer regelmäßig auf das Forum geht, wie es dem Politiker ziemt, tut nichts Besonderes. Wenn er dabei, wie Caesar, in die Dolche der Verschwörer läuft, kommt ein historisches Ereignis zustande. Er hätte an jenem Unglückstag der Iden des März sich vor der Stadt ergehen oder zu Hause arbeiten können, zumal er sich nach Suetons Bericht unwohl fühlte und gewarnt worden war. Hätte er also den Auftritt im Senat vermieden, so wären die Pläne für diesmal mißlungen, und die Geschichte sähe anders aus. Weil Caesar aus der Fülle der Möglichkeiten etwas Bestimmtes tat, gab er unbeabsichtigt den Widersachern eine Chance zum Erfolg. – Der französische König Ludwig XVI. berief aus ökonomischen Schwierigkeiten nach langer Zeit die Generalstände wieder ein. Er hätte die Finanzprobleme der Monarchie auf die bis dahin übliche Weise vor sich herschieben können. Durch seinen Akt aber erhielten die Volksvertreter plötzlich Gelegenheit, latente politische Forderungen zu artikulieren, die schließlich in die Ereignisse der französischen Revolution mündeten. Wiederum gilt, bedeutet, daß etwas wirklich wird, weil etwas anderes wirklich wurde, aber so, daß diese Wirklichkeit jene nicht setzt, sondern nur einen Spielraum eröffnet, in dem mancherlei möglich ist. Über die Bestimmtheit dessen, was schließlich im Rahmen des Möglichen wirklich wird, gibt es weder zu Beginn noch während des Geschehens irgendeine Sicherheit. So unwiderruflich das ist, was tatsächlich eintritt, so wenig läßt sich dafür ein zwingender Grund festmachen.[31]

Viele Randbedingungen, ohne die das ganze historische Gewicht der Fälle nicht verständlich würde, sind zugunsten einer modellhaften Verdeutlichung außer acht geblieben. Sie kommen indes zu ihrem Recht, wenn man sich fragt, was das Interesse an den Ereignissen motiviert, das zu ihrer erinnernden Vergegenwärtigung und darstellerischen Wiedergabe nach Jahrhunderten und Jahrtausenden führt. Die *Bedeutsamkeit* der Kontingenz, die dem als Ereignis gewerteten Ausgang eines in bestimmter Weise vollzogenen, obgleich anders verlaufenen Handelns anhaftet, zeigt sich erst *im Nachhinein.* Nun beginnt die *Selektion,* die aus der unübersehbaren Menge von Einzelheiten die historisch relevanten heraushebt. Ein Mord auf dem Forum hat wohl zu jeder Zeit als besonderes Ereignis gegolten und eine Weile Aufsehen erregt, obwohl man vermuten darf, daß dergleichen kaum auf Einzelfälle beschränkt blieb. Auch politische Morde hatte Rom bereits gesehen. Daß aber Caesar es war, der von Brutus und anderen Verschwörern heimtückisch auf den Stufen zum Kapitol beseitigt wurde, das hat sich in die Erinnerung der Menschheit unvergeßlich eingeprägt. Von hierher fällt das Licht auf die Randbedingungen.

An sich steht jedes Handeln in vielfältigen Bezügen zu anderem Handeln, das es vorfindet, auslöst oder verändert, auf das es Bezug nimmt oder neben dem es parallel läuft, in wechselseitiger Verstärkung oder Behinderung, zu Prozessen gebündelt oder in Krisen blockiert. Das unendlich verwickelte Geflecht allen sozialen Handelns verlangt vom Historiker Auswahl. Die Selektion wird angeleitet von der Bedeutsamkeit des herauszuhebenden Besonderen. Die Konzentration auf eine Linie kostet den Preis der Vernachlässigung unendlich vieler anderer Handlungen von anderen Personen, die mit anderen Absichten und Rollen unter anderen Voraussetzungen zur gleichen Zeit agierten. Der selektive Eingriff des Historikers, der das zunächst Gleichberechtigte in Zentralgeschehen und Randbedingungen zerlegt, legitimiert sich bloß durch das Wissen der Späteren.

Was etwa die römischen Senatoren, was Pompejus, Cicero und das Heer taten, bekommt einen Stellenwert mit Rücksicht auf das Schicksal Caesars, und das kann man erst im Nachhinein beurteilen. Während der kritischen Jahre, die Gegenstand des Historikers sind, vermochte kein Beteiligter zu wissen, daß der siegreiche Feldherr, den die römische Republik mit Ehren überhäufte, in dem Augenblick fiel, als er mit dem Griff nach der Alleinherrschaft die Existenz der Republik bedrohte, die sich dennoch nicht retten ließ, sondern im Zuge der Nachfolgerkämpfe einer Regierungsform wich, die in vielen europäischen Sprachen mit dem Namen ihres Begründers verbunden bleiben sollte. Ebenso erweist es sich gerade von den Folgen her als bedeutsam, daß die Einberufung der Generalstände, die an sich ein normaler administrativer Akt des französischen Königs war, nach einer langen Pause nun auf die durch Teuerung und Mißernten gereizte Volksstimmung traf, vorhandene Spannungen in der Aristokratie schürte und den radikalen Ideen aus den Salons der Aufklärer Vorschub leistete. Wären die Ereignisse anders verlaufen und hätte die französische Revolution nicht stattgefunden, die die Welt seither veränderte, so wären jene Umstände längst vergessen oder nur den Spezialisten bekannt.

Was im Zusammengehen von Handlung und Kontingenz Ereignis wurde, zeugt sich gewissermaßen fort, indem wegen des *Weiterwirkens* jener Ereignisse auf spätere Epochen die späteren chen gerade auf jene Ereignisse in ihrer Besonderheit zurückblicken. Das heißt, daß über die historische Würdigung einiger bedeutsamer Ereignisse aus der Menge anderer, weniger wirksamer oder gänzlich wirkungsloser Ereignisse immer schon Vorentscheidungen gefallen sind. Das Handeln, das Epoche gemacht hat, sorgt für seine eigene Aufbewahrung, insofern im Wissen der Späteren die selektionssteuernde Bedeutsamkeit jener Momente festgelegt ist, die an sich kontingent sind, für ein zum historischen Ereignis aufgerücktes Handeln aber konstitutiv wurden.

Kann man also sagen, die Geschichte schreibe sich selber fort? Der historische Erzähler und der wissenschaftliche Forscher bewerten im Zeitenabstand dank ihres größeren Überblicks die *tatsächlich vorhanden gewesenen Kontingenzmomente als historische Faktoren*. Das Zufällige erscheint als Ursache, die in komplizierter Verknüpfung gewichtige Folgen zeitigte, oder als Ingredienz eines historischen Prozesses, dessen Entwicklungstendenz es aufzuspüren gilt. In der Retrospektive hat sich das Kontingente zum Sinnvollen gewandelt. Zwar hätte alles auch anders kommen können; daß es nun einmal so geschehen ist, wie es geschah, verlangt schon deshalb nach Begründung, weil die Späteren sich vom besonderen Verlauf des Geschehens determiniert finden. Man will wissen, warum die Geschichte eben den Gang nahm, an dessen Ende man sich selber findet, und ist nicht mit der Auskunft zufrieden, daß es dafür keinen angebbaren Grund gibt, weil alles sich aus Zufallskonstellationen aufbaut.

Jeder Erzähler neigt dazu, den im Zusammenhang wiederzugebenden Ereignissen eine Logik zu unterlegen, die die Eingängigkeit und Überzeugungskraft der Erzählung sichert. Vollends ist der professionelle Historiker geschult, Zusammenhänge zu rekonstruieren und die Geschichte so zu schreiben, daß sie verständlich wird. Die Anstrengung der ehrgeizig vorangetriebenen Forschung geht von Hause aus darauf, die bereits geschriebene Geschichte solange umzuschreiben, bis auch das letzte Element des Unverständlichen daraus vertrieben ist. Über die pure Wiedergabe der Fakten hinaus wird das Geschehen in sozialer, ökonomischer, psychologischer, ideologischer Hinsicht durchleuchtet, denn mit der beschränkten, weil der Kontingenz ausgelieferten Einsicht der ehedem Handelnden mögen die Späteren sich nicht bescheiden. Die Vergangenheit wird aus den Quellen vom jeweiligen Standpunkt der Gegenwart neu gestiftet.

Geschichtsschreibung muß sich freilich vor der fachspezifischen Verführung hüten, die Rekonstruktion mit der Wirklichkeit zu verwechseln. Die quellenkundig abgestützte Darstellung ist zwar einleuchtend und muß es sein, will sie das Bedürfnis nach historischer Erkenntnis stillen. Sie erzeugt einen Grad von Verständlichkeit, den kein aktuell Handelnder vom Fluß des Geschehens verlangen kann, während er mitten darin steht. Deswegen ist geschriebene Geschichte aber kein Duplikat des ehedem abgelaufenen Geschehens, sondern nur der einzige Zugang zu den Ereignissen der Vergangenheit, der uns offensteht. Das Wissen der Späteren entgeht den historischen Akteuren notgedrungen. Sonst träte insgeheim Theorie an die Stelle der Praxis. Bevor der Historiker ans Werk geht, muß das Handeln, von dem er berichtet, bereits unwiderruflich vollzogen sein, ohne daß die Kenntnis der Folgen die Korrekturmöglichkeit der Taten einschlösse. Wenn vergangene Ereignisse, wie oben behauptet, stets nur in Erzählungen objektiviert werden können, so dürfen diese Erzählungen das konstitutive Moment der Kontingenz, das historischen Ereignissen anhaftet, nicht zugunsten vollkommener Erklärung eliminieren.

Daraus ergibt sich, daß Geschichtsschreibung bis zu dem Grade *Erzählung* bleiben muß, der die Nachzeichnung der besonderen Einzelheiten garantiert, auf deren Vergegenwärtigung das historische Interesse zielt. Die Beseitigung des Erzählerischen, das den Zugang zur Konkretion der Vergangenheit offenhält, tendiert dazu, das typisch Wiederkehrende und Regelmäßige an die Stelle des Einmaligen und Besonderen zu rücken. Die Ersetzung der erzählenden Geschichtsschreibung durch die zwingende Erklärung genügt zwar dem Bedürfnis nach Wissenschaftlichkeit, das seit dem Beginn des 19. Jahrhunderts die Bastion der alten Geschichtsschreibung erobert hat. Selten wird aber die Gefahr des Verlustes der gemeinten Gegenstände im Namen verbesserter Methode gesehen. Die natürliche Intention aller Theorie treibt dazu, auch der Rätsel der Geschichte Herr zu werden. Vor allem rätselhaft und theoretisch anstößig erscheint das konstitutive Moment der Kontingenz, dem nur historisches Erzählen gerecht zu werden vermag. Der Antrieb, besser oder gar vollkommen zu verstehen, befriedigt sich in der Elimination der Kontingenz. In diesem Punkte sind sich Philosophen und Historiker allen Differenzen zum Trotz meist einig gewesen.

Wie am Beispiel Fichtes und Hegels noch zu untersuchen sein wird, hat Geschichtsphilosophie auf ihrem Höhepunkt nicht gezögert, Vernunftgeschichte an die Stelle der Realgeschichte zu setzen. Die historiographischen Erben der Geschichtsphilosophie haben die kühne Spekulation verdammt und methodische Sauberkeit gepredigt. Die Verwissenschaftlichung der Geschichte, die seit dem Zeitalter des Historismus durchaus mit Gründen die philosophische Vernunftansicht der Geschichte abgelöst hat, zielt ihrerseits aber nicht minder darauf, das konstitutive Moment der Kontingenz in allem Historischen zu verdrängen. Die wissenschaftlichen Konstrukte tragen nunmehr die wechselnden Namen historischer Gesetze, Prozesse oder Strukturen, der Sinngebilde, Funktionen oder Evolutionen. Die philosophisch spekulierende wie die methodisch kontrollierte Behandlung der Geschichte setzt theoretische Entitäten an die Stelle jenes Stoffs, aus dem Geschichte gemacht ist: der unauflöslichen Verkettung von Praxis und Zufall.

Es hilft zur Klärung, wenn man die philosophischen und wissenschaftlichen Neuerungen im theoretischen Umgang mit Geschichte vor den Hintergrund der weit zurückreichenden Tradition stellt, der die Erhebung von Geschichte zum Theorieobjekt ganz fremd gewesen ist. Wenn die berichtenswerten Ereignisse der Vergangenheit sich ohnehin nur in Erzählungen festhalten lassen, scheint es ganz selbstverständlich, Geschichte als Teil der *Literatur* zu behandeln. Das erzählende Genre weckt in viel geringerem Maße die Erwartung restloser Erklärbarkeit, die den modernen Versuchen theoretischer Durchdringung der Geschichte eigen ist. Die beunruhigende Beobachtung einer Grenze, die die Theorie im Dienste an sachlicher Treue gerade respektieren muß, zeigt sich in der literarischen Tradition also nicht als störend. Der für einen wissenschaftlich eingestellten Historiker verwunderliche Umweg über die Literatur führt uns mithin besser an die eigentliche Schwierigkeit einer Theorie der Geschichte heran.

Anmerkungen

1 Die rationalistische Geschichtstheorie hat so gedacht. J. M. Chladenius betrachtet die unablässigen Veränderungen in der Welt der Dinge
als den eigentlichen Charakter der Geschehnisse, die er bezeichnender-
weise noch im Plural »die Geschichte« nennt. In der historischen Erkenntnis komme jedoch alles auf den »Sehepunkt« an. *Allgemeine Geschichtswissenschaft,* Leipzig 1752, Bd. I §§ 3, 13; Bd. V § 12. Für die
Lehre vom Sehepunkt als der Position des Zuschauers, dem sich in
bestimmter Weise die eintretenden Veränderungen darstellen, beruft
Chladenius sich auf Leibniz; vgl. »Von dem Verhängnisse« und »Über
die Freiheit«, in: Leibniz, *Hauptschriften,* Hg. Cassirer, Bd. II,
S. 131 ff., S. 497.

2 Vgl. F. Schiller, »Was heißt und zu welchem Ende studiert man Universalgeschichte?« (1789): »Ganz und vollzählig überschauen kann
(die lange Kette der Begebenheiten) nur der unendliche Verstand«
(*Werke,* Nationalausgabe Weimar 1970, XVII, S. 372). Ähnlich sagt
Ranke: »Die Weltgeschichte weiß allein Gott.« In: *Idee der Universalhistorie,* Hg. E. Kessel, *Historische Zeitschrift* 178, 1954, S. 301.

3 A. Danto, *Analytische Philosophie der Geschichte,* Frankfurt/M. 1980,
Kap. VII.

4 Am Beginn des neuzeitlichen Nachdenkens über wissenschaftliche
Geschichte postuliert Gatterer gegenüber der unmittelbaren Evidenz
gegenwärtiger individueller Dinge einen »zweiten Grad von Evidenz
zunächst nach den gegenwärtigen Dingen, alsdann, wann man jene
diesen ähnlich macht, das ist, wenn man vergangene und zukünftige
Dinge der Einbildungskraft so lebhaft vorbildet, daß die Einbildungskraft eben die Wirkung hervorbringt als die unmittelbare Empfindung« (J. Chr. Gatterer, »Von der Evidenz in der Geschichtskunde«,
Vorrede zu der von F. E. Boysen herausgegebenen *Allgemeinen Welt-
historie,* Halle 1767, S. 7). Vertrauensvoll setzt Gatterer das pragmatische Erzählen, das eine historische Begebenheit in ein »System« bringt,
dem »System von Begriffen einer eigentlichen Wissenschaft« gleich
und führt die erkenntnistheoretische Evidenz auf die Anschaulichkeit
des Erzählens zurück. Naiv mutet auch sein Historismus auch sein
Glaube an, historische Quellen seien als Grundsätze von wissenschaftlichen Demonstrationen zu behandeln, aus denen sich wie aus Prämissen Schlüsse mit Wahrheitsgarantie ziehen ließen (S. 23 ff.).

5 M. Schlick, »Über das Fundament der Erkenntnis«, in: *Erkenntnis* IV,
1934.

6 Ein schönes Beispiel dafür bietet in der Epoche, wo diese Tradition
abbricht, noch Friedrichs des Großen Vorrede zu seiner *Histoire de
mon temps* (1746). Das Lügengewebe der meisten Geschichtswerke,
die aus Lust am Wunderbaren, aus Vorurteil oder parteilicher Leiden-

schaft entstünden, vermöchte nicht einmal ein »Luchsauge« zu durchdringen. Die Einsicht in diese Unzulänglichkeit bestimmt den Ent-
schluß, ähnlich wie Xenophon oder Thukydides, diejenigen Ereignisse, an denen der Autor mitgewirkt oder die er erlebt habe, der
Nachwelt zu überliefern, damit die künftigen Regenten des Staates aus
der Erkenntnis Nutzen ziehen mögen.

7 Z. B. Herder, *Ideen zur Philosophie der Geschichte der Menschheit*
(1784): »In den meisten Stücken zeigt mein Buch, daß man anjetzt
noch keine Philosophie der menschlichen Geschichte schreiben könne,
daß man sie aber vielleicht am Ende unseres Jahrhunderts oder Jahr-
tausends schreiben werde.« (Vorrede) Fr. Schlegel, Rezension von
Condorcet »Esquisse d'un tableau historique« (1795): »Die Philosophie der Geschichte ist noch so weit davon entfernt, eine Wissenschaft
zu sein, daß auch der unvollkommenste Versuch, sie diesem Ziel näher
zu bringen, Aufmerksamkeit verdient.« (*Kritische Schriften*, Hg.
Rasch, München 1964, S. 231).

8 Ähnliche Überlegungen finden sich bei H. Lübbe, *Geschichtsbegriff
und Geschichtsinteresse*, Basel 1977, bes. S. 54 ff.

9 Siehe dazu R. Bubner, *Handlung, Sprache und Vernunft. Grundbegriffe praktischer Philosophie*, Frankfurt/M. ²1982.

10 Vgl. J. Habermas, *Theorie des kommunikativen Handelns*, Frank-
furt/M. 1981, Bd. I. Zur Kritik siehe das Nachwort der in Anm. 9
zitierten Abhandlung.

11 Vgl. F. Tenbrucks Kritik an einer von der Soziologie geradezu erzeug-
ten »ereignisfreien« Geschichte: »Die Soziologie vor der Geschichte«,
in: Ludz (Hg.), *Soziologie und Sozialgeschichte, Kölner Zeitschrift für
Soziologie* 16, 1973.

12 Z. B. Ed. Meyer, *Zur Theorie und Methodik der Geschichte*, Halle
1902, S. 17 ff.; Th. Schieder, *Geschichte als Wissenschaft*, München
1965, S. 50 f.

13 Vgl. R. Koselleck, »Der Zufall als Motivationsrest in der Geschichtsschreibung«, in: *Vergangene Zukunft*, Frankfurt/M. 1979.

14 So schreibt Windelband: »Der Zufall ist gewissermaßen der Schatten
der Notwendigkeit.« *Die Lehren vom Zufall*, Berlin 1870, S. 5.

15 Vgl. Boethius, *Comment. in librum Aristotelis peri hermeneias*, Ausg.
C. Meiser, Leipzig 1877, Bd. I, S. 105 ff.

16 Thomas von Aquin, *In libros peri hermeneias expositio*, I 13, 9.

17 Siehe die Dissertation von A. Becker-Freyseng, *Die Vorgeschichte des
philosophischen Terminus ›contingens‹*, Heidelberg 1938.

18 Vgl. *Eudemische Ethik*, VIII 2.

19 Ich beziehe mich auf Aristoteles, *Physik*, II 5; *Metaphysik*, V 30, VI 2;
De interpretatione, 9; vgl. auch *Protrept.*, B 12.

20 Der treffende Terminus stammt von W. Wieland, *Die aristotelische
Physik*, Göttingen ²1970, S. 256.

21 Vgl. Aristoteles, *Analytica posteriora,* I 30.

22 Die Gleichsetzung findet schon bei Thomas statt: *Comment. Metaph. Arist.* § 1182; siehe auch *Summa Theologica* 1, 86, 3.

23 So definiert noch Chr. Wolff, *Philosophia prima sive Ontologia,* Frankfurt/Leipzig 1730, § 294: »Actiones humanae contingentes sunt, propterea quod oppositae non sint impossibiles, etenim non repugnat ut legerem, dum scribo et ex adverso ut scriberem, dum lego. Utraque actio aeque possibilis.«

24 Aristoteles, *Nikomachische Ethik,* VI 2 ff.

25 Aristoteles, *Nikomachische Ethik,* 1139 b 7.

26 Aristoteles, *De interpretatione* IX, 18 b 25 ff., 19 a 7 ff.

27 Z. B. Leibniz, *Monadologie,* 33.

28 Vgl. Spinoza, der ›contingens‹ definiert ›respectu defectus nostrae cognitionis‹ (*Eth.* I 33, schol. 1; IV def. 3).

29 Z. B. Ockhams *Tractatus de praedestinatione et de praescientia Dei et de futuris contingentibus,* Hg. Ph. Boehner, Franciscan Inst. Publ. 2, St. Bonaventure 1945.

30 Leibniz, *Metaphysische Abhandlung* 13 (am Beispiel Caesars mit Bezug auf das Problem von Aristoteles, *De interpr.* 9, siehe oben). – Was die Historie im eigentlichen Sinne angeht, so folgt Leibniz übrigens der konventionellen Ansicht. Siehe *Nouveaux Essais,* IV, 16, 11.

31 Tocqueville beginnt seine Untersuchung mit den Worten: »Nichts ist geeigneter, Philosophen und Staatsmänner zur Bescheidenheit zu mahnen, als die Geschichte unserer Revolution; denn es gab niemals ein größeres, ein länger und besser vorbereitetes und trotzdem weniger vorhergesehenes Ereignis.« *Der alte Staat und die Revolution,* Hamburg 1969.

II. Geschichte als Literatur

In der alten Welt gehörte Geschichtsschreibung zur Literatur. Sie bildete also keine Disziplin der Erkenntnis. Es wäre ein modernes Mißverständnis, wollte man die verstreuten Bekundungen eines Bewußtseins vom richtigen Verfahren beim Schreiben der Geschichte als erstes Zeugnis dafür nehmen, daß Geschichte ein theoretisches Problem gewesen wäre. Die Regeln für das Schreiben der Geschichte betreffen eine *ars* und zählen zur *Rhetorik und Literaturkunde*. Das belegt noch der späte, aus dem zweiten nachchristlichen Jahrhundert überlieferte Traktat des Redners Lukian, »wie man Geschichte schreiben soll« (πῶς δεῖ ἱστορίαν συγγράφειν). Aber auch frühe Selbstverständigungen der Historiker von den Eingangssätzen des herodotschen Geschichtswerks bis zur ausdrücklichen Methodenüberlegung des Thukydides bekennen sich einmütig zur literarischen Aufgabe. Cicero hat daher die beiden Gründer der Historie als leuchtende Exempel jener Geschichtsschreibung herausgestellt, die für ihn ein vorzüglicher Teil der Rhetorik war: da sie sich nicht mit dem rednerischen Alltagsgeschäft kleinlicher Rechtshändel aufgehalten hätten, konnten sie ihre Eloquenz völlig der Historie widmen – so professionell denkt Cicero.[1]

Diese Einordnung der Geschichtsschreibung überrascht uns und ruft Widerstand hervor. Ohne Zweifel wollen die historischen Schriften auch Erkenntnis vermitteln. Der Erkenntnis kommt aber vornehmlich der Charakter *praktischer Belehrung* zu, einer Belehrung, die aus den herausragenden und instruktiven Beispielen geschichtlicher Taten und Ereignisse selber spricht, ohne in die Hände einer eigenständigen Theorie überzugehen. Die Darstellung des Wissenswerten ist nicht abzulösen vom Inhalt der erzählten Geschichte. Es gibt keine autonome Forschung, die auf methodisch gesichertem Wege empirische Tatsachen feststellt und darin die Hauptpflicht des Historikers erkennt, während die literarische Vermittlung zur nebensächlichen Angelegenheit des Geschmacks oder Stilgefühls von Autoren und Publikum herabsinkt. Die Geschichte zum seriösen Gegenstand der Wissenschaft zu erheben war erst das Ziel des 19. Jahrhunderts, wo sich die Historiker als strenge Disziplin formierten. Sie mußten sich daher von der kompromittierenden Herkunft aus der bunten Vielfalt literarischer Gattungen ebenso absetzen wie von den unüberprüfbaren Spekulationen der Philosophie. Den nötigen Kontrast zur Literatur wie zur Spekulation liefert aber eine methodische Ausrüstung.

Die engagierte Bemühung der Historiker um den angemessenen *Methodenkanon* hält die Grundlagendebatte bis in die Gegenwart in Gang. Das dominante Vorbild exakter Naturwissenschaften, das vorab definiert, was überhaupt Erkenntnis heißen darf, bestimmt in Wahrheit auch jene Reaktionen noch, die auf der Eigenständigkeit historischer Methoden bestehen. So verläuft im 19. Jahrhundert die Frontlinie zwischen der Annäherung an naturwissenschaftliche Gesetzeserklärung (Th. Buckle, K. Lamprecht) und dem Widerstand gegen dies aufoktroyierte Modell im Namen des spezifisch historischen Verstehens (Droysen, Dilthey). Die jüngste Variante dieses Streits bildet das Vordringen der Sozial- und Strukturgeschichte, das von den etablierten Sozialwissenschaften her Schubkraft bezieht und als Abwehr den zeitgenössischen Versuch einer selbständigen »Historik« aus den eigenen Kräften der Geschichtsschreibung und der Tradition des Historismus hervorruft. Dieser letzte Streit währt bereits wieder zwei bis drei Jahrzehnte. Über dem Methodenstreit, der die Gemüter in Atem hält, ist längst in Vergessenheit geraten, daß bis in die Zeiten Voltaires, der nicht nur historischer Schriftsteller war, sondern offenbar den Terminus einer »Geschichtsphilosophie« erstmals prägte, die Zugehörigkeit der Historie zur Literatur außer Frage stand.

Inzwischen hat sich jene Trennung des Fachhistorikers, der Tatsachen ermittelt, vom populären Schriftsteller, der Bilder der Vergangenheit zeichnet, durchaus nicht zum beiderseitigen Vorteil eingebürgert. Die faktenbesessenen Spezialisten produzieren zunehmend Dokumentensammlungen, die kaum jemand lesen kann, während die Dilettanten dem Bedürfnis des Publikums nach darstellerischer Vermittlung entgegenkommen. Daß uns die Trennung geläufig geworden ist, spricht noch keineswegs dafür, autoritativ an ihr festzuhalten. Mit jedem neuen Werk der Geschichtsschreibung wird sich das Darstellungsproblem wiederholen, welcher methodischen Richtung auch immer der Autor sich anschließen mag. In der eigentlichen Arbeit des Historikers zeigt sich also eine Kontinuität mit der herkömmlichen Aufgabenstellung der Historiographie, die man aller methodologischen Irritation zum Trotz nicht verkennen sollte. Die Beurteilung der frühen Historiker danach, wie sehr sie vom modernen Ideal noch abweichen oder welche erstaunliche Leistung sie in Richtung auf die heute gültigen Maßstäbe schon aufweisen, erbringt wenig. Die Feststellung, daß eine Figur der Vergangenheit ihrer Zeit »voraus« gewesen ist, kann leicht in rückwärts gewandte Projektion umschlagen.

Weiter dürfte es führen, die Bedingungen zur Kenntnis zu nehmen, die eine vergangene Epoche als ihre eigenen anerkannte, mögen sie nun in unbefragter Selbstverständlichkeit gegolten haben oder zu ausdrücklichem Bewußtsein gelangt sein. Was besagt es denn, daß die gesamte, uns bekannte Geschichte der Historiographie bis an die Schwelle zum 19. Jahrhundert sich literarisch-rhetorisch verstanden hat? Die Beobachtung ist allein für sich genommen schon in der Lage, gängige Vorurteile zu korrigieren. Es gilt jedoch, auch systematische Konsequenzen zu ziehen aus den Verschiebungen, die der Entwicklungsgeschichte der Geschichtsschreibung zugrunde liegen. Am Anfang steht nämlich ein unproblematischer *Praxisbezug* der Historie, der erst ganz allmählich einer dominanten Theoretisierung weicht.

1. Die pragmatische Tradition

Herodot wird nicht umsonst der Vater der Geschichtsschreibung genannt, denn ihm ist bei aller Zeitbedingtheit und Abhängigkeit von langsam gewachsenen Voraussetzungen der Epoche ein neuer Schritt gelungen.[2] »Historie« heißt ursprünglich Kunde, Nachforschung, Untersuchung. Gleich zu Anfang seiner Sammlung von »Geschichten« im alten Sinne der Kunde äußert Herodot sich deutlich über sein Ziel. Die planmäßige »Darlegung« (ἀπόδειξις) verfolgt eine dreifache Absicht: die Erinnerung an Vergangenes, das Rühmen von Bewundernswertem und die Aufklärung über die Ursache (αἰτία) eines so weltbewegenden Ereignisses wie des Krieges zwischen Hellenen und Barbaren. Dem schnellebigen Vergessen ist da Einhalt zu gebieten, wo Werke und Taten die allgemeine Achtung auch der Späteren verdienen und wo große Vorgänge ihnen genetisch transparent werden sollen.

Unter das darstellerische Ziel fügt sich eine vielfältige Sammlung von Geschichten, die vom Hörensagen bekannt sind. Da sie den Schwankungen des Berichts unterliegen, muß der Autor sie im Zuge seiner Erkundung sichten und aufgrund von Augenschein oder Erfahrung ergänzen. Das Kaleidoskop des Berichtenswerten zeigt sich allerdings in so vielen Brechungen, daß es kaum um exakte Ermittlung von Tatsachen geht. Was es also mit dem »historischen« Aussagewert dieser Fülle von Geschichten streng genommen auf sich hat – die literarische Leistung besteht in der Darstellung und Wiedergabe des Gehörten und Erzählten. Entsprechend lautet Herodots erklärte Maxime: λέγειν τὰ λεγόμενα.[3]

Gegen Herodot und andere Vorgänger richten sich die Ausführungen, die Thukydides seiner *Geschichte des peloponnesischen Krieges* über die Pflichten des Historikers vorausschickt.[4] Nicht jedem Hörensagen sei zu trauen, denn die Menschen glauben leicht allerlei, das ihnen erzählt wird. Die Untersuchung der Wahrheit (φήτησις τῆς ἀληθείας) muß von bloßen überlieferten Meinungen Abstand nehmen und auf Indizien (τεκμήριον) achten. Die in der Tat bemerkenswert deutlichen Bestimmungen des sogenannten »Methodenkapitels« hat man gern als erste Anzeichen moderner Wissenschaftsgesinnung gelesen. Es ist aber unübersehbar, daß hier nicht wissenschaftliche Forschung gegen vage Überlieferung steht, sondern ein literarisches Genus sich hinsichtlich seiner Merkmale gegen andere Genera abgrenzt.[5] Thukydides sieht sein Verfahren wesentlich unterschieden sowohl von der schmückenden Übertreibung der Dichter wie auch vom reißerischen Prosastil der Logographen, die für die Zuhörer anziehend schreiben wollen. Immerhin bilden einen Großteil seiner eigenen Darstellung jene Reden, in denen das Kriegsgeschehen sich spiegelt.[6] Auf Korrektheit habe er hier besonders achten müssen, da die Logoi der Kriegsparteien anfällig für Manipulation sind.

Die *Wahrheit*, der Thukydides das Wort redet, gilt nicht so sehr als Forschungsziel um der theoretischen Erkenntnis als solcher willen. Die Wahrheit zu kennen hilft dem Leser, die richtigen praktischen Konsequenzen zu ziehen. Unmittelbare Beteiligung an aktuell bewegenden Geschehnissen wie Kriegen verstelle regelmäßig den Blick für die angemessenen Dimensionen. Was die Menschen jeweils erleiden, erscheine ihnen im Moment als das Wichtigste, während nach einer gewissen Zeit das Vergangene wieder höher geschätzt werde. Solche Zeitabhängigkeit des Urteils ist durch eine wahre Darstellung des Geschehenen zu korrigieren. Die Menschen lernen sich besser verstehen, wenn sie nicht unter dem Druck der Unmittelbarkeit, sondern angeleitet von einer historischen Darstellung die Dinge des Lebens betrachten. Vor allem lernen sie dann passende Schlüsse auf künftige Lagen zu ziehen. »Wer das Geschehene klar erkennen will und damit auch das Künftige, das wieder einmal, der menschlichen Natur gemäß, gleich oder ähnlich sein wird, der mag diese Darstellung für nützlich halten und das soll mir genug sein. Als unverlierbarer Besitz und nicht als Paradestück für einmaliges Hören ist es aufgeschrieben.«

Das stolze und in der Antike schon oft zitierte[7] Wort vom ewig unverlierbaren Besitz (κτῆμα ἐς ἀεί) legt den wirklichen Sinn der Wahrheitsforderung frei. Es geht nicht um Wahrheit an sich, deren Erkenntnis ein wissenschaftlicher Wert ist, so daß man sich fragen muß, worin ihr darüber hinausgehender Nutzen für das breite Publikum eigentlich besteht. Die Suche nach der Wahrheit des historischen Geschehens steht umgekehrt unter der Erwartung des Nutzens, den alle Menschen in ähnlichen Lagen immer wieder aus der einmal gewonnenen Einsicht ziehen können. Die paradigmatische Bedeutsamkeit der geschilderten, die griechische Welt in ihrem Kern betreffenden Auseinandersetzung des Krieges zwischen Athen und Sparta zusammen mit der Überzeugung von einer gemeinsamen Natur der Menschen[8], die über historische Distanz hinweg alle Epochen und Geschlechter verbindet, leiten den Historiker Thukydides. Wenn man einmal weiß, wie ein beispielhaftes Ereignis verlief, weiß man, was so oder ähnlich immer wieder eintreten wird. Der Nutzen besteht in der immer neuen, im Prinzip unerschöpflichen Anwendungsfähigkeit der Erkenntnis.

Die *Anwendungsfähigkeit* hebt die Erkenntnis eines Ereignisses über das stete Vergehen der Zeit und die darin ablaufende unendliche Veränderung hinweg. Auf ewig unverlierbar ist der Besitz der erkannten Geschichte, weil das Gewußte immer neu zu applizieren ist.[9] Die Geschichte als Exempel für die Beurteilung praktischer Lagen – darin liegt das Credo einer Geschichtsschreibung, die man pragmatisch zu nennen pflegt.[10] Einen Fall so darzustellen, daß er exemplarische Bedeutung aufweist und die analoge Interpretation in jeweils wechselnden Situationen erlaubt – das ist die rhetorisch-literarische Aufgabenstellung der Historie. Die Verallgemeinerungsfähigkeit hängt vom Herausarbeiten des Typischen ab, das die enge Beschränkung auf das einmal Geschehene überwindet. So sehr die Darstellung des Geschehens dem wirklichen Ablauf adäquat sein muß, so darf sie doch nicht verhindern, sondern muß vielmehr befördern, daß am Einzelfall sich Züge ablesen lassen, die in anderen Lagen wiedererkannt werden. Das Allgemeine der Fälle existiert nicht jenseits der Einzelheiten in einer selbständigen Regel oder einem Geschichtsgesetz. Es springt vielmehr anhand des konkreten Vergleichs mit neu eintretenden und interpretationsbedürftigen Umständen in die Augen. Das Allgemeine ist also kein Gegenstand der Theorie, sondern praktisch zu realisierendes Wissen. Deshalb sagt Thukydides, daß allein die Erforschung der Wahrheit von Geschichte ein die Geschichte überdauernder Besitz an Erkenntnis sei.

Eines der folgenreichsten Dokumente der literarischen Auffassung von Historie findet sich an einer Stelle der *Poetik des Aristoteles*. Diese Poetik hat es bekanntlich nicht mit »ästhetischen« Wirkungen der Kunst im modernen Sinne zu tun. Sie fällt unter das Rubrum des poietischen Wissens, das die technischen Regeln zur Herstellung bestimmter Produkte verwaltet. Neben dem praktischen Handlungswissen und den Sparten der theoretischen Erkenntnis macht das poietische Wissen einen genuinen Teil der Philosophie des Aristoteles aus. Die aristotelische Lehre gliedert sich inhaltlich nach thematischer Zuständigkeit, sie entspringt nicht etwa einem umfassenden Einheitsprinzip, das im Stile neuzeitlicher Systeme den philosophischen Gesamtzusammenhang seinerseits noch organisiert. Die Poetik als Beispiel für Herstellungswissen analysiert grundsätzlich, wie Dichtwerke zu machen sind. Um zu wissen, wie etwas richtig zu machen ist, muß man aber die eigentliche Bestimmung des Produkts kennen.

Dramatische und epische Werke heißen nun Darstellung von Handlung (μίμησις πράξεως), d. h. sie erzählen eine Geschichte (μῦθος). Die erzählte Geschichte oder die Fabel folgt bestimmten Gesetzen innerer Einheit, die sich aus dem sinnvollen Verständnis des Ganzen ergeben. Die Teile, die Ereignisse oder Einzelhandlungen, müssen so zueinander stehen, daß jede Umstellung und jede Weglassung das Ganze zerstört. Nicht die Identität einer Person und auch nicht die Summe aller eintretenden Ereignisse, sondern die *sinnvoll verstehbare Einheit* des dargestellten *Hand-*

lungsprozesses liefert die Richtschnur.[11] Unter dieser Voraussetzung der Einheit der Erzählung kommt nebenbei ein Vergleich
von Dichtung und Historie zur Sprache, der für Aristoteles nur
der Verdeutlichung dient.[12] Historiographie ist gar nicht sein
Thema, dennoch bietet es sich von selbst an, Geschichtsschreibung im Kontext der Literatur zu behandeln. Die tiefsinnigen
Bemerkungen des Aristoteles[13] haben eine nachhaltige Wirkung
erfahren, die noch im Geschichtsverständnis der Renaissance zu
spüren ist.[14]

Aristoteles zufolge berichtet der Historiker nur das, was wirklich geschehen ist, während der Dichter darstellt, was hätte geschehen können, und zwar nach Maßgabe der Wahrscheinlichkeit
oder Notwendigkeit. Nicht die äußere Form von Vers oder Prosa
gibt den Ausschlag, weil sonst das in Reime gesetzte Historienwerk des Herodot den Epen des Homer gleichkäme. Es ist die
Darstellung des Geschehens hinsichtlich der ihm anhaftenden
Bedeutsamkeit, die den Unterschied ausmacht zwischen einem
historischen Bericht der Ereignisse und der dichterischen Gestaltung einer Fabel. Die Dichtung sei »philosophischer und bedeutsamer« (φιλοσοφώτερον καί σπουδαιότερον), denn sie entwikkelt, was ein so und so gearteter Charakter typischerweise tut
oder sagt, wo die Historie daran gebunden bleibt, was etwa Alkibiades wirklich einmal widerfuhr. »Die Dichtung redet mehr vom
Allgemeinen, die Historie mehr vom Einzelnen«. Nichts hindert
freilich, daß auch wirkliche Geschehnisse dichterisch dargestellt
werden, wenn die Wahrscheinlichkeit oder Notwendigkeit des
Ablaufs sich zwingend vorführen läßt.[15]

Weder die äußere Form noch das Material der Erzählung ist
Grund zur Unterscheidung, sondern allein der Bedeutungsgehalt
der Darstellung. In jedem Falle muß das Erzählte Sinn machen
und als sinnvolle Handlungseinheit verstanden werden. Die Dichtung ist freier im Ausgriff auf das Typische, die historische Darstellung kommt von den Fakten nicht los. Das frei dargestellte
Typische erleichtert die Einsicht in die Logik des erdichteten Geschehens, der man von unterschiedlichen Blickwinkeln und zu
unterschiedlichen Zeitpunkten zu folgen vermag. Dichterische
Schilderung lädt sogar zur Identifizierung der Hörer oder Zuschauer ein, weshalb eine ungeschmälerte Faszination auch von
Werken aus uns fernen Geschichtsepochen wie den Epen des Homer oder der griechischen Tragödie ausgeht. Geschichtsschrei

bung vermag sich dem nur anzunähern in dem Grade, den die Faktenbindung zuläßt. Klar ist für Aristoteles allerdings, daß Geschichtsschreibung nur als literarische Gattung möglich ist, weil sie ihr Recht als darstellerische Vermittlung jener Bedeutsamkeit unter Beweis stellt, die auch den erzählten Einzelheiten aus der Vergangenheit noch anhaftet.

Die literarisch-rhetorische Auffassung von Geschichte[16] zählt zum Traditionsbestand, den insbesondere die Renaissance wieder belebte. Dabei springt der Anteil der Staatstheoretiker an der historischen Reflexion in die Augen. *Machiavelli* etwa wendet sich mit seinen politischen Interessen, die der florentiner Gegenwart entstammen, an Livius in der Erwartung direkter Anleitung.[17] Er sagt, daß die alten Künste zwar überall als Vorbild gelten, die Darlegungen der alten Historiker aber ebenso der »Imitation« dienen sollten, statt bloß bestaunt zu werden. Wer meint, die Nachahmung sei wegen des Zeitabstands und des steten Wechsels der Lagen unmöglich, dem fehle das rechte Verständnis der Geschichte *(vera cognizione delle storie)*.[18] So wie der Himmel, die Sonne und die Elemente sich in ihrer Bewegung, Ordnung und Potenz nicht wandeln, so haben sich auch die Menschen heute nicht gegenüber früheren Zeiten verändert. Die stets gleiche Natur des Menschen erlaubt wie schon bei Thukydides die Übertragung des einmal gewonnenen Wissens. Das in der Renaissance sich verschärfende Epochenbewußtsein um den Unterschied der Alten und der Neuen[19] tut dem keinen Abbruch. In der zeitenüberbrückenden Anwendbarkeit historischer Kenntnis liegt ihr Nutzen *(utilità)*.

Für *Jean Bodin*, den Juristen und Staatstheoretiker, steht der Nutzen der Geschichte, die ebenso zur Tugend begeistern wie von Lastern abhalten kann, außer Frage.[20] Die Geschichte der menschlichen Dinge als »vera narratio« zeichnet sich gegenüber der Naturgeschichte, die Ursachenforschung betreibt, und der göttlichen Geschichte, die zur Frömmigkeit einlädt, dadurch aus, daß sie die Handlungen der in Gesellschaft lebenden Menschen darlegt. Dabei kann es nicht wie in der Naturgeschichte um wahr und falsch, sowie um zwingende Ableitung gehen, sondern nur um Wahrscheinlichkeit *(assentia probabilis)*. Die historische Darlegung *(explicatio)* lehrt das ehrenhafte vom schändlichen Tun zu unterscheiden. So schärft sie die »prudentia« und wirkt dank des »imperium rationis« mäßigend auf die aktuelle Lebensführung.

Am Vorabend der englischen Bürgerkriege greift *Hobbes* geradewegs auf Thukydides zurück, den er übersetzt, weil ihm die Geschichte des peleponnesischen Krieges unmittelbare Aufschlüsse für die eigene Zeit verspricht. Im historischen Abstand, meint Hobbes, heben sich die ehrenhaften und die ehrlosen Handlungen klar voneinander ab, während sie in der Gegenwart so verschleiert erscheinen, daß auf kaum jemandes Urteil Verlaß sein dürfte. Angesichts dessen bewähre sich wieder die eigentliche Leistung der Historie, »to instruct and enable men, by the knowledge of actions past, to bear themselves prudently in the present and providently towards the future«.[21]

Auch *Montesquieu* hält sich noch an die Alten, wenn er anderthalb Jahrzehnte vor seinem epochemachenden Werk *Esprit des lois* im Studium der Größe und des Niedergangs von Rom letztlich eine politische Einsicht[22] sucht. Hingegen denkt der zum schwedischen Hofhistoriographen ernannte *Pufendorf*, den Nutzen der Historie, »welche sonderlich Leuten von Condition und so in Staatsordnungen gebrauchet werden, sehr wohl ansteht«, eher durch einen Überblick zeitgenössischer Zustände zu mehren. Er zweifelt, was Cornelius Nepos oder die erste Dekade des Livius »für ein so groß Licht geben könne in den Geschäften, so in der heutigen Welt vorkommen«.[23] Die praktische Belehrungsfunktion der Geschichte ist dem Staatstheoretiker, der sich hier als Historiker bewährt, im zeitgenössischen Umkreis ebenso selbstverständlich wie sonst beim Rückblick auf ferne Epochen.

Voltaire, dem wir die lebendige Geschichte Karl XII. und das Fresco des »Zeitalters Ludwigs XIV.« verdanken, erklärt sich in seinem *Essai sur les moeurs et l'esprit des nations*[24] über den Zweck der Geschichtsschreibung.[25] Das riesige Werk gilt als die erste Universalgeschichte, die mit den theologischen Prämissen gebrochen hat und die Geschichte der Menschheit von den wilden Anfängen an über die verschiedenen Kulturen bis hin zur Entwicklung Frankreichs verfolgt. Das Schema eines Vergleichs mit dem Vorbild der Alten, an dem die Modernen sich schulen, ist in einem kulturellen Gesamtpanorama untergegangen. Die Neuzeit bezieht sich nicht länger ausdrücklich auf die Antike, sei es im Sinne der Nachfolge, sei es im Sinne der Einklagung eigenen Rechts. Die Zeitgenossen verstehen sich vielmehr als Teilnehmer und Beobachter einer gesamtmenschheitlichen Profangeschichte, in der die unterschiedlichen Sitten und Volksgeister gleichermaßen der Aufklärung dienen sollen.

Gerade wegen dieses Interesses erschien, wie Voltaire schreibt, die letzte noch theologisch inspirierte Universalgeschichte des Bossuet als unbefriedigend. Ihn wollte er überbieten, um einer befreundeten Dame von Geist, M. de Châtelet, das Studium der Geschichte als »une histoire qui parlât à la raison« zu erleichtern. Wenn die Geschichte als ganze aber zur Vernunft sprechen soll, darf sie weder in der Flut hinderlicher Details versinken, noch an der mangelnden Treue einer nach Gottes Plan konstruierten Heilsgeschichte leiden. Geschichte, aufgefaßt als wahres Bild menschlicher Sitten, muß sowohl kulturellen Aufstieg wie Verfall, die zähe Herrschaft der Vorurteile wie den allmählichen Durchbruch des Lichts der Vernunft enthalten. Wer die Geschichte so studiert, braucht ein vollendetes Gemälde aller Zeiten. Das »tableau des siècles« ist die einzig angemessene Form eines geistreichen Studiums der Geschichte.[26] Ein solches Gemälde kann nur der beweglichen Feder eines aufgeklärten Literaten entspringen.[27]

2. Die Rolle der Ideen

Im Umkreis des deutschen Idealismus beginnt allmählich die literarisch-rhetorische Auffassung der Geschichte einer verstärkt ästhetischen Aufgabenstellung zu weichen. Das *Ästhetische* gilt als Veranschaulichungsform des Idealen, hebt sich aber dank der Anschaulichkeit von der reinen Ideenerkenntnis der Philosophie ab. Schon das sogenannte Älteste Systemprogramm von 1796, dessen Autorschaft zwischen Schelling, Hegel und Hölderlin umstritten ist[28], hatte sich von dem bevorstehenden Aufschwung des Geistes, den es verkündet, unter anderem eine neue Beleuchtung der Geschichte versprochen. »Über Geschichte kann man nicht geistreich räsonnieren ohne ästhetischen Sinn.« Nur wer sich an Ideen zu halten vermöchte, gelangt über »Tabellen und Register« hinaus.

Wie ein Echo dieser Verheißung klingt es, wenn *Schelling* in seinen *Vorlesungen über die Methode des akademischen Studiums* (1803) verlangt, jenseits der Beschränkungen empirischer Forschung und pragmatischer Darstellung sei in der Geschichte wahre Universalität anzustreben. Die stelle aber ein Produkt absoluter Synthesis dar, das aus einer idealen Vorgabe entspringe. Von der Philosophie dürften solche Ideen freilich nicht stammen, denn die Philosophie hebe die Wirklichkeit vollends auf. Stattdessen gilt als Maßstab »die Kunst, welche das Wirkliche ganz bestehen läßt, wie die Bühne reale Begebenheiten oder Geschichten, aber in einer Vollendung und Einheit darstellt, wodurch sie Ausdruck der höchsten Ideen werden. Die Kunst also ist es, wodurch die Historie, indem sie Wissenschaft des Wirklichen als solche ist, zugleich über dasselbe auf das höhere Gebiet des Idealen erhoben wird, auf dem die Wissenschaft steht; und der absolute Standpunkt der Historie ist demnach der der historischen Kunst.«[29] Die Idealität, die den Zusammenhang stiftet, muß sich an der Wirklichkeit zeigen und auf diese zwanglos einlassen. Die von der Weisheit der Philosophie oder Religion entliehenen Universalgeschichten gehen an der Wirklichkeit vorbei und »lehren nichts«. Gerade wenn sie Wissenschaft sein und die Wirklichkeit angemessen behandeln will, muß Historie sich an das *künstlerische* Vorbild halten. »Die wahre Universalgeschichte müßte im epischen Stil, also in dem Geiste verfaßt sein, dessen Anlage in Herodot ist.« Hier hat kein besseres Vorwissen Anfang und Ende äußerlich festgelegt, sondern das Ganze bildet und erweitert sich von den bedeutenden und interessanten Punkten her gleichsam organisch aus sich.

Ganz ähnlich verweist *Humboldt* den Geschichtsschreiber an die Kunst statt an die Philosophie, und zwar gerade im Namen der »historischen Treue«, die das Fach verlangt.[30] »Die Aufgabe des Geschichtsschreibers ist die Darstellung des Geschehenen.« Mit dieser Definition beginnt Humboldt, um dann fortzufahren, daß der Zusammenhang, der die Darstellung allererst trägt, sich nicht vorfinden lasse, sondern »hinzu erfunden, erschlossen, erraten werden« muß. Die Anleitung zu derart schöpferischer Tätigkeit, die den Historiker mit dem Dichter auf eine Stufe stellt, geht von Ideen aus. *Ideen* ersetzen nicht die Wirklichkeit, sondern lenken den Produzenten auf deren wahre Gestalt. Die ideale Hinsicht offenbart der Darstellung die eigentlichen Dimensionen ihres Themas, und damit vermag Humboldt die klassische Bestimmung der Kunst als Mimesis aufzugreifen. »Die historische Darstellung ist, wie die künstlerische, Nachahmung der Natur. Die Grundlage von beiden ist das Erkennen der wahren Gestalt, das Herausfinden des Notwendigen, die Absonderung des Zufälligen. Es darf uns daher nicht gereuen, das leichter erkennbare Verfahren des Künstlers auf das mehr Zweifeln unterworfene des Geschichtsschreibers anzuwenden.«

Was rührt indes jene Zweifel auf, wo doch Kunst und Historie von idealer Anleitung leben? Aristoteles hatte die Mimesis des Historikers an Treue gegenüber dem Einzelgeschehen gebunden, während die dichterische Freiheit den Gedankenflug ins Allgemeine wagen darf. Dagegen meint Humboldt, »der Geschichtsschreiber, wie der Zeichner, bringt nur Zerrbilder hervor, wenn er bloß die einzelnen Umrisse der Begebenheiten ... aneinanderreihend aufzeichnet.«[31] Die Beschränkung, der Zweifel gegenüber freier Phantasie, ist also beim Historiker selber noch idealen Ursprungs. Er muß sich auf die »wirkenden und schaffenden Kräfte« einlassen, die nicht in die Geschichte von außen hineingetragen werden, sondern hinter der Oberfläche der Geschehnisse »das Wesen der Geschichte selbst« ausmachen.

Sucht man nach solchen Ideen, die dem historischen Material abgelauscht sind, ohne sich im empirisch Vorfindlichen zu erschöpfen, die weder aus der Philosophie übernommen, noch von künstlerischer Produktivität ursprünglich hervorgebracht sind, so stößt man auf einen verräterischen Hinweis auf die *Sprache*.[32] Von hier fällt in der Tat einiges Licht auf die paradoxe Forderung nach historischer Treue im Blick auf Ideen. Diejenigen historischen Gebilde, die sich wie die verschiedenen Nationalsprachen im Gange der Geschichte ausprägen und in wechselnder Abhängigkeit von Umständen und materiellen Gegebenheiten realisieren, obwohl sie unter der Oberfläche äußerer Erscheinung in wesentlichen Zusammenhang treten, von wo ihre tieferen Kräfte immer neu zur Wirkung kommen – solche Gebilde lassen sich in ihrer Wirklichkeit nur erfassen, wenn man sie ideal ansieht. In der Analogie zu der originellen Sprachphilosophie, die Humboldt sich in jenen Jahren erarbeitet, wird auch seine Geschichtsauffassung verständlich, die gegen den Überschwang idealistischer Philosophie die sachgerechte Historie gerade als eine ideengeleitete Kunst bestimmt.

Noch mitten im methodenbewußten 19. Jahrhundert hält der Historiker und Literaturwissenschaftler *G. Gervinus* strikt an der traditionellen Zuordnung der Historiographie zur Literatur fest. Er knüpft ausdrücklich an Aristoteles' Poetik an, wenn er von einer »historischen Kunst« redet, die der antike Philosoph allerdings nicht wirklich behandelt habe.[33] Die Besinnung der Historie auf die Nähe zur Kunst scheint um so mehr berechtigt, als die von der Philosophie inzwischen geweckten Hoffnungen auf eine ideale Teleologie der Weltgeschichte, eine völlige Vermittlung von Geist und Empirie oder eine Gesetzmäßigkeit des historischen Materials sich noch lange nicht erfüllt haben. »Dazu ist der historische Sinn noch kaum geweckt unter uns.« Lieber solle man sich an die Vorbilder des Thukydides oder Machiavelli halten, statt den Antizipationen moralischer Bildung bei Herder oder Kant zu vertrauen.[34] Einzig »Hegel hatte den Takt, der konstruktiven Methode auf diesem Gebiet so sehr zu entsagen, daß sich seine Geschichtsphilosophie stellenweise in der Tat nur wie die Arbeit eines geistreichen Geschichtsschreibers ausnimmt.«[35]

Die Berufung auf *Hegel* erstaunt in mehrfacher Hinsicht. Hegel[36] hatte sich gerade gegen eine Verwechslung philosophisch begründeter Geschichtsbetrachtung mit der Beliebigkeit des »Romans« ausgesprochen. Seine systematischen Erwägungen wollten durch eine Theorie des objektiven Geistes die moralisch antizipierenden Perspektiven auf eine zukünftige Bildung vollkommener Humanität einholen in die Rekonstruktion der gesamten Geschichte der Menschheit als Fortschritt im Bewußtsein der Freiheit. Erst nachdem der ganze Weg des Geistes in der Geschichte überblickbar ist, läßt diese sich als Freiheitsgeschichte in ihrem philosophischen Gehalt deuten. Darüber hinaus hatte Hegel aus denselben theoretischen Gründen die formale Eingliederung der Geschichte in den Kreis einer »Enzyklopädie philosophischer Wissenschaften« vorgenommen. Als der Vollender der Geschichtsphilosophie ist er so auch zum Wegbereiter einer sich methodisch verstehenden Geschichtswissenschaft geworden, die von aller Spekulation gerade abrückt. Die Geschichte, die vom System Hegels in den Rang einer Wissenschaft erhoben war, verfügt nun über Kräfte, sich gegen eine philosophische Bevormundung zur Wehr zu setzen.[37]

Droysen hat sich in seinen genuin historischen Methodenüberlegungen dieser von Hegel stammenden Argumente gegen die Hegelsche Geschichtsphilosophie bedient.[38] Vor allem hat er die zur Selbständigkeit gereifte Wissenschaft von der Geschichte gegen die künstlerischen Bekenntnisse eines Gervinus verteidigt.[39] Immerhin kommen in seiner Historik nach der »Methodik« und »Systematik« der Geschichtswissenschaft die Probleme der Darstellung unter der alten rhetorischen Überschrift der »Topik« zur Sprache. Besonderen Wert legt Droysen dabei auf die »erzählende Darstellung«, die die Ergebnisse der historischen Untersuchung zusammenhängend präsentiert. »Das Wesen der Erzählung ist das Werden und den Verlauf dessen, was erzählt werden soll, darzulegen.« Der Gang des Geschehens, auf den es ankommt, muß im Zusammenhang hergestellt und durch Auswahl gestiftet werden. Gegen eine falsche Erwartung »eunuchischer Objektivität« bringt Droysen das Erzählsubjekt als konstitutiv ins Spiel. »Der Erzählende kann aus der endlosen Fülle der Tatsächlichkeiten nur gewisse, nur die ihm wesentlich scheinenden herauswählen, um ein relativ geschlossenes Ganzes zu gewinnen.«[40]

Die Leistung des historischen Erzählers wird nun wiederum in Anklang an Aristoteles als »Mimesis des Werdens« bezeichnet. Aristoteles hatte künstlerische und historische Darstellung aufeinander bezogen, weil beiden die Verpflichtung auf eine verstehbare Einheit der Handlung gemeinsam war. Die freier ins Allgemeine hinüberspielende oder mehr an die Einzelheiten des Geschehens gebundene μίμησις πράξεως fordert vom Dichter wie vom Historiker, die innere Handlungslogik zur Geltung zu bringen. Diese am Praxisbegriff orientierte Einheitsvorstellung hat Droysen durch die eigentümliche historische Kategorie des *Werdens* versachlicht. Die Darstellung des Werdens muß sich an einem Prozeß orientieren, der als solcher mit seiner Einheit erst im Nachhinein sichtbar wird.

Das Handeln entfaltet seine eigne Logik, der die Darstellung bloß zu folgen braucht, weil jedermann, der Zuschauer im Theater und der Betrachter des Geschehens, ursprünglich Handlungswissen besitzen, an das die Darstellung zum Zwecke ihrer Verständlichkeit jeweils appelliert. Die Prozeßkategorie hingegen wird vom Zuhörer einer Erzählung oder vom Leser der Geschichte nicht unmittelbar mitgebracht, sie wird vielmehr erst in der Darstellung konstituiert. Etwas als Prozeß verstehen heißt der Logik des Historikers folgen, der in der Retrospektive und angeleitet von selbst entworfenen Gesichtspunkten die Fülle der einzelnen Tatsachen zur Einheit des Werdens zusammenfaßt. Das Werden kann dem historischen Material selber gar nicht abgelesen werden, denn es repräsentiert eine höhere Ordnung, deren Recht sich im zeitenübergreifenden Verbinden des Mannigfaltigen und Disparaten beweist. Woher bezieht der Historiker aber seine Kategorie des Werdens, wenn sie nicht aus dem Fundus elementaren Handlungswissens stammt? Er nimmt sie unmittelbar aus sich beim Versuch, verwickelte Tatsachen zu verstehen. Die theoretische Einstellung selber ist der Ursprung jener Kategorie. Droysen sieht den Historiker charakteristischerweise auf der Suche nach *Gedanken.*

»Unsere Auffassung bedeutender Geschehnisse von diesem Standpunkt, von diesem Gesichtspunkt aus (ist) nur so, einen Gedanken verfolgend, imstande, erzählend eine μίμησις des Werdens zu geben. . . . Überall stellt sich die erzählende Darstellung und mit ihr das Interesse des Lesers eine sehr andere Aufgabe, als das zu rekonstruieren, was einst, als jene Dinge Wirklichkeit und Gegenwart waren, die handelnden Menschen bewegte und beschäftigte. Die Römer in der Zeit des Romulus oder der ersten Konsuln waren keineswegs mit dem Gedanken beschäftigt, eine Weltherrschaft zu gründen.«[41] Mit dem das Einzelne übersteigenden »höheren Gedanken«, dessen »Wahrheit« im Werden hervortritt, der das »eigenste Wesen« etwa eines Staates oder Volkes ausprägt, hat der Historiker anzufangen und damit hat die vollendete Darstellung auch aufzuhören. Es handelt sich nämlich nicht nur um heuristische Zugänge, um methodische Selektionen einer »Wertbeziehung« oder um hypothetisch angenommene »Idealtypen«. Es handelt sich hier um das eigentliche Thema der Geschichtsschreibung selber. Die Darstellung des Werdens ist die als historischer Prozeß vorgeführte *Verwirklichung von Gedanken.* Der jenseits der Handlungsebene angesetzte gedankliche Gesichtspunkt des Historikers führt ihn direkt zu seinem wahren Gegenstand, ins Zentrum der Geschichte.

Es ist offenkundig, daß bei allem Widerstand gegen spekulative Überhöhung der Realgeschichte durch Philosophie Droysen tief in der Schuld Hegels steht. Jene »Gedanken«, auf die die sinnreichen Historiker das Faktenmaterial reduzieren, sind die etwas vorsichtigere Formulierung für jene Vernunft, die Hegel zufolge der Philosoph in der Geschichte findet, wenn er dieselbe nur vernünftig anschaut. Das Argument der Hegelschen Geschichtsphilosophie lautete, daß der Philosoph gar nicht anders kann, als von der Vernunft auszugehen, so daß die philosophische Ansicht der Geschichte ganz natürlich die Vernunftansicht sei, in der die Masse des historischen Details zurückbleibt. Muß der Philosoph sich auch nicht um das historische Material im einzelnen kümmern, so kommt dem Historiker sicher diese Aufgabe zu. Wenn der sich nun aber gleichsam philosophisch verhält, um die prozessuale Entfaltung von Gedanken zu studieren, wo bleibt dann der entscheidende Unterschied, den Droysens Historik gegenüber der idealistischen Geschichtsphilosophie doch namhaft machen wollte?

Da die erzählerische Darstellung für Droysen zur Erfassung von Gedanken wird, verschwindet aus ihr notgedrungen die Anwendbarkeit für zukünftige Praxis, worin die früheren Historiker eben den *Nutzen* der Geschichte erblickt hatten. Diese Dimension verlagert Droysen aus der eigentlich historisch zu nennenden Darstellung fort, um sie von einer gesonderten Absicht der Didaktik abhängig zu machen. Der Abschnitt über »die didaktische Darstellung« beginnt mit der Erinnerung an das hochgemute Wort des Thukydides, sein Werk sei Besitztum auf ewig, und entwickelt sich dann an einer Lessingschen Vorstellung von der »Erziehung des Menschengeschlechts« weiter. Damit ist die Paradoxie deutlich; denn Thukydides dürfte wohl das Urbild der erzählenden Darstellung ohne Voreingenommenheit irgendeiner Art sein, während die erzieherische Geschichtsbetrachtung zur moralischen Bildung, aber nicht zur Historiographie gehört. Thukydides und mit ihm die gesamte Tradition dachte, daß gerade die sachliche Darlegung des Geschehens ohne parteiliche Akzente oder moralische Propaganda aufgrund der gemeinsamen praktischen Anlage aller Menschen belehrend wirkt für das Selbstverständnis eines jeden, der zukünftig mit Überlegung handelt.

Die *Didaktik*, die Droysen vorsieht, gründet nicht länger auf solch praktischer Basis, sondern ist durch die Säkularisierung der Heilsgeschichte von Augustinus' ›civitas Dei‹ bis zu Lessings moralischer Menschheitsbildung im Namen der Offenbarung hindurchgegangen.[42] Die didaktische Darstellung benutzt Geschichte zur Aufforderung und Veranschaulichung der Erziehungsaufgabe, die der Menschheit insgesamt gestellt ist.[43] Historie wird damit zum Appell. »Aber wo ist nun die Form für diese Art geschichtlicher Auffassung? Ich lasse dahingestellt, ob und inwieweit weltgeschichtliche Auffassungen der Geschichte bisher gelungen sind. Aber müssen sie denn in Form von gedruckten Werken vorliegen? Wird man den Wert der Predigt in unseren evangelischen Kirchen nach den gedruckten Predigten bemessen wollen? . . . Nein, es soll jede Predigt ein neues Zeugnis von dem lebendigen evangelischen Geist unserer Kirche sein, und soweit die Gemeinde sich daran erbaut, ist sie es.«[44] Die didaktisch dargestellte Geschichte dient folglich der *Erbauung* und nicht der *Erkenntnis,* während die erzählte Geschichte einen *Gedanken* darstellt und nicht mehr auf *Praxis* verweist. Mit den Dinstinktionen von Droysens Historik ist auf reflektiertem Niveau der Schlußstrich unter die herkömmliche Auffassung der Geschichte gezogen.

Heutzutage überlebt die alte Auffassung, daß man aus der Geschichte lernen könne oder solle, höchstens noch in der politischen Debatte. Die zur Wissenschaft gewordene und inzwischen unendlich verfeinerte und ausgebreitete Geschichtsschreibung hat das Ihre dazu getan, jene Auffassung obsolet werden zu lassen.[45] Das empirische Ethos und der Alltag quellenkritischer Faktenerhebung ersetzen seit langem die Lehrfunktion der Historie. Die mit der *literarischen Darstellungsform* angestrebte Anwendungsfähigkeit oder Verallgemeinerbarkeit entgleitet den Händen der Historiker. Indem Droysen der Methodenausrüstung der Geschichtsschreibung das Wort redet, bemerkt er zugleich, daß »dem großen Publikum mit dieser Richtung unserer Historie nicht eben gedient (war); es beklagte sich, daß man ihm die Zubereitung der Speise statt der Speise biete«.[46] Die glänzenden historischen Schriftsteller Englands oder Frankreichs, Macaulay und Thiers, liefen den »pedantischen« Deutschen bei der Leserschaft den Rang ab. In der Tat brachte das 19. Jahrhundert neben dem aufbrechenden Methodenstreit eine Reihe literarischer Federn in der Geschichtsschreibung hervor, die bis heute nicht übertroffen sind.[47] Man denke an die Wirkung von Michelets Darstellung der französischen Revolution auf die Bourgeoisie oder auch an die Epochengemälde des Droysen-Schülers Burckhardt, den der Humanismus eines Basler Patriziers vor der Pedanterie bewahrte.

Seither scheint die Kluft zwischen historischer Wissenschaft und literarischer Präsentation unüberbrückbar geworden. Die nötige Aufbereitung unseres ständig anwachsenden Wissens über die Vergangenheit gerät in den Sog einer simplen Popularschriftstellerei, die oft eine vordergründige Aktualisierung betreibt und mit gängigen Wertetiketten schnell bei der Hand ist. In ähnliche Richtung wirken Ausstellungen zu historischen Themen, bilderbuchartige Veranschaulichung, pädagogisch gemeinte Dokumentarfilme. Auf dergleichen pflegt die Fachdisziplin verächtlich herabzusehen. Kaum nimmt sie wahr, daß es sich hier um eine entrechtete Gestalt ihrer selbst handelt, zu deren Herabwürdigung sie mitgewirkt hat.

Eine andere Gestalt, unter der die alte rhetorische Rolle der Geschichtsschreibung kaum ein angeseheneres Dasein fristet, ist die offizielle Historie im Namen der *Parteilichkeit*.[48] Die unterschiedlichen ideologischen Vorzeichen legen die konforme und einzig zulässige Anwendung der Lehren der Vergangenheit auf die Gegenwart und die Zukunft fest. Dem Leser wird die Mühe, sich selber angesichts seiner Lage einen Reim zu machen, wegen der Unsicherheit des Ergebnisses gleich abgenommen. Was aus der Geschichte zu lernen ist, sagen die weltanschaulich verfestigten Konzeptionen der Geschichtsphilosophie. Der Einzelfall zählt nicht, seine Eingliederung in die großen Tendenzen der Epochen, die Bewegung eines Volkes, den Kampf der Klassen oder den unaufhaltsamen Fortschritt ist längst vorgenommen. Aus der Geschichte gilt es keine Lehren zu ziehen. Die Geschichte illustriert die Aufteilung der Welt in Gut und Böse, worüber Funktionäre und Ideologen eifersüchtig wachen.

Damit ist die ursprüngliche Auffassung, die Geschichte auf ein vorgängiges Handlungswissen der Rezipienten bezog, an ihr Ende gekommen. Die literarisch-rhetorische Einordnung schwindet im gleichen Maße, wie Geschichte ein prominenter Gegenstand der Theorie wird. Die Ablösung des praktischen Hintergrundes von Geschichtsverständnis durch ein theoretisches Paradigma erfolgt über mehrere Stufen, die nun zu untersuchen sind.

Anmerkungen

1 Cicero, *De oratore* II, 12, 51 ff.

2 Vgl. Chr. Meier, »Die Entstehung der Historie«, in: Koselleck/Stempel (Hg.), *Geschichte – Ereignis und Erzählung* (Poetik und Hermeneutik, Bd. V), München 1973.

3 Herodot, *Historien*, VII 152.

4 Thukydides, *Geschichte des peloponnesischen Krieges,* I 20 ff.

5 Über das Verhältnis zur sophistischen Rhetorik und zu Isokrates vgl.

W. Jaeger, *Paideia*, Berlin 1947, III 164 ff.

6 Dieses Wesensmerkmal der thukydideischen Geschichtsschreibung bereitet dem modernen Verständnis Schwierigkeiten: vgl. H. Strasburger, »Die Entdeckung der politischen Geschichte durch Thukydides« (1954), in: Herter (Hg.), *Thukydides*, Darmstadt 1968, bes. S. 443 ff.

7 Z. B. Lukian, a.a.O. 41 f. – Zur Deutung von ἀεί als immer neuer »Jeweiligkeit« vgl. W. Schadewaldt, *Die Anfänge der Geschichtsschreibung bei den Griechen*, Frankfurt/M. 1982, S. 287.

8 Siehe auch Thukydides, III 82, 2.

9 Z. B. K. Reinhardt, »Thukydides und Machiavelli«, in: *Die Krise des Helden*, München 1962.

10 Dem entspricht noch vollkommen die *kantische* Definition: »Pragmatisch ist eine Geschichte abgefaßt, wenn sie klug macht, d. i. die Welt belehrt, wie sie ihren Vorteil besser, oder wenigstens eben so gut, als die Vorwelt, besorgen könne.« Kant, *Grundlegung zur Metaphysik der Sitten*, A 44 Anm.

11 Aristoteles, *Poetik*, 8; vgl. *Problemata*, 18, 9.

12 Aristoteles, *Poetik*, 9, vgl. 23.

13 Zur Auslegung siehe die Abhandlung von K. von Fritz, »Die Bedeutung des Aristoteles für die Geschichtsschreibung«, in: Hager (Hg.), *Ethik und Politik des Aristoteles*, Darmstadt 1972.

14 Z. B. Sp. Speroni, *Dialoghi*, Venedig 1552 (Ausg. Venedig 1596, S. 411); Fr. Patrizi, *Dialoghi della historia* (1560), lat. Übersetzung von J. Stapanus, Basel o. J., Bd. I, S. 15 f. Dort wird offensichtlich auch auf eine bekannte Definition des Rhetorikers Quintilian angespielt, der das Geschichtswerk mit einem nicht versmäßig gebundenen Gedicht vergleicht (carmen solutum) (*Instit. Orator*. X 1, Lyon 1549, S. 503). Sir Philip Sidney, *An Apology for Poetry*, London 1595 (Nachdr. 1971), D 2, 3, E 1. Zu Patrizi vgl. St. Otto, »Die ›mögliche Wahrheit‹ der Geschichte«, in: *Materialien zur Theorie der Geistesgeschichte*, München 1979. Fraglich ist allerdings, ob die Patrizi hier zugeschriebene Bemühung um Verwissenschaftlichung der Geschichte nicht eher einem heutigen Interesse entspricht.

15 S. die Aufnahme bei Lessing, *Hamburgische Dramaturgie*, 19. Stück (3. 7. 1767). – In dem Zusammenhang ist von Interesse, daß die neuzeitliche Romantheorie anfänglich mit der Umkehr der aristotelischen Einteilung operiert. So schreibt P. D. Huet, der den Aristoteles gelesen hatte, in seinem *Traité de l'origine des romans* von 1670: »On ne s'amusa donc plus à chercher de bons mémoires et à s'instruire de la vérité pour écrire l'histoire; on en trouvoit la matière dans sa propre tête et dans son invention. Ainsi les historiens degenerèrent en de véritables romanciers.« Nachdruck Stuttgart 1966, S. 69, vgl. S. 88.

16 Materialreich ist die Studie von Kl. Heitmann, »Das Verhältnis von Dichtung und Geschichtsschreibung in älterer Theorie«, *Archiv für*

Kulturgeschichte 52, 1970.

17 Machiavelli, *Discorsi sopra la prima deca di Tito Livio*, Proemia I.

18 Wie für die Epoche üblich, stehen die erzählten »Geschichten« im Plural. Die von Machiavelli verfaßte Geschichte der Stadt Florenz trägt den Titel *Istorie fiorentine*.

19 Zum Verhältnis *antichi-moderni*, siehe auch *Discorsi*, Proemio II.

20 J. Bodin, »Methodus ad facilem historiarum cognitionem« (1572), in: *Oeuvres philosophiques* Bd. V 3, Hg. Mesnard, Paris 1951, S. 112 A.

21 Th. Hobbes, *Works*, Bd. VIII, Hg. Molesworth, London 1843, S. VI f.

22 Montesquieu, *Considérations sur les causes de la grandeur des romains et de leur décadence* (1734), bes. Kap. III zur gemeinsamen Menschennatur.

23 Pufendorf, *Einleitung zu der Historie der vornehmsten Reiche und Staaten, so itziger Zeit in Europa sich befinden*, Frankfurt ²1689, Vorrede.

24 Ab 1740 geschrieben.

25 Ähnliche Gedanken skizziert schon früher Fénélon in seinem »Projet d'un traité sur l'histoire«, in: *Lettre à l'académie*, 1714 geschrieben, 1716 gedruckt.

26 Voltaire, »Essai sur les moeurs«, *Oeuvres complètes*, Paris 1827, Bd. XX, S. 7 ff., Bd. XXIV, S. 350 f.

27 Eben deswegen tadelt Abbé de Mably den Autor, der nicht genügend Besonnenheit des Poeten beweise, um geschmacklose Übertreibungen und die wohlfeile Beugung unter den Geschmack einer Masse von Lesern zu unterlassen. Schon Lukian habe zu Recht den Historiker gewarnt »de ne pas se conformer au goût de son siècle« (»De la manière d'écrire l'histoire«, *Oeuvres complètes*, Bd. XII, Lyon 1796, S. 347 f.).

28 Vgl. zur Forschungslage: *Das älteste Systemprogramm*, Hegel-Studien, Beiheft 9, 2. Aufl. 1982 (Zitat S. 264).

29 Schelling, *Werke*, Bd. I 5, S. 310.

30 W. Humboldt, »Über die Aufgabe des Geschichtsschreibers« (1821), in: *Werke*, Bd. I, Hg. Flitner/Giel, 1960, S. 594 f. – Zur Anregung Schillers für eine dichterische Geschichtsschreibung vgl. Humboldts Brief an Goethe vom 18. 3. 1822. – Die Parallele zu Schelling untersucht E. Spranger, »Humboldts Rede ›Über die Aufgabe des Geschichtsschreibers‹«, in: *Historische Zeitschrift* 100, 1908.

31 Humboldt, a.a.O. S. 595.

32 A.a.O. S. 604.

33 G. Gervinus, »Historik« (1837), in: ders., *Leben, von ihm selbst*, 1860, § 1.

34 § 26; zu Herder und Kant siehe unten, A III, 2.

35 A.a.O. S. 279.

36 Vgl. Hegel, *Enzyklopädie*. § 549 A. – Allgemein dazu siehe unten, A V, 2.

37 Über die Zusammenhänge unterrichtet umfassend E. Simon, *Ranke und Hegel*, München 1928.

38 Zum Verhältnis Hegel-Droysen vgl. J. Rüsen, *Begriffene Geschichte*, Paderborn 1969, bes. S. 122 ff.

39 Droysen, *Historik*, Hg. Hübner, München 1971, S. 273.

40 A.a.O. S. 283, 287.

41 A.a.O. S. 285 f.

42 A.a.O. S. 305 ff.

43 Schon eine Generation vor Droysen hatte Fr. Creuzer diese Überzeugungen des 18. Jahrhunderts verabschiedet: »Nun ist aber das ganze nachfolgende Menschengeschlecht, das der Historiker zu berücksichtigen hätte, ein Unbestimmtes, Unendliches, dessen Ansichten, Bedürfnisse, Forderungen in das weite Gebiet des Möglichen gehören und ebenso unbegrenzt sind als die Bildsamkeit des menschlichen Geistes. Folglich ist der didaktische Zweck mit der Historie unverträglich.« »Die historische Kunst der Griechen«, *Schriften* Bd. III 1, ²1837, S. 180.

44 Droysen, *Historik*, a.a.O. S. 307.

45 Den Bruch hat R. Koselleck schulbildend an der Begriffsgeschichte studiert: »Historia Magistra Vitae« (1967), jetzt in: *Vergangene Zukunft*, Frankfurt/M. 1979.

46 Droysen, »Kunst und Methode«, in: *Historik*, a.a.O. S. 418.

47 Vgl. H. White, *Metahistory. The Historical Imagination in Nineteenth Century Europe*, Baltimore 1973. Er nimmt als einer der ganz wenigen Historiker in der Geschichtsschreibung des 19. Jahrhunderts das literarisch-rhetorische Element ernst. Er dürfte darüber hinaus der einzige sein, der dies als Kur gegen das unaufhaltsame Anwachsen wissenschaftstheoretischer Überzeugungen unterderhand auch der Gegenwart empfiehlt.

48 Vgl. den Sammelband *Objektivität und Parteilichkeit*, Hg. Koselleck, Mommsen, Rüsen, München 1977.

III. Einheit der Geschichte und Beginn der Geschichtsphilosophie

Alles historische Bewußtsein beginnt mit Geschichten, die ein erinnerungswürdiges Ereignis im Zusammenhang erzählen. Erzählte Geschichten gibt es unbegrenzt viele, entsprechend der Unzahl von Ereignissen, die ständig neu eintreten und je nach Interessenlage, Gedächtnis oder Aufmerksamkeit der Subjekte erinnerungswürdig und berichtenswert erscheinen. Die Alltagsgeschichten, die von Erlebtem und Getanem berichten, das jedermann so oder ähnlich geschehen könnte, bleiben auf einen überschaubaren Zeithorizont beschränkt und spiegeln das in der Praxis gültige Selbstverständnis von Einzelnen oder Gruppen. Die biographischen Lebensgeschichten führen an einem Einzelfall exemplarisch die Einheit einer die gesamte Spanne einer menschlichen Existenz ausfüllenden Praxis vor. Sie befriedigen in der traditionellen Gesellschaft eher die Suche nach heroischen Vorbildern oder nach großangelegten Rollendefinitionen für politische Zwecke. Plutarch liefert dafür Beispiele, die noch in der späteren Feudalkultur unverändert zur Prinzenlektüre taugen mochten. Die seit der Renaissance anwachsende Literatur der Autobiographien und Memoiren belegt hingegen den modernen Subjektivismus, der eine stärker physiognomische Neigung zu den Spielarten der Individualität kultiviert. Alle diese Geschichten im Vorfeld der eigentlichen Historiographie füllen einen Zeitraum, den die berichtete Handlung selbst definiert. Den Rahmen sprengt erst die autonome Geschichtsschreibung.

Geschichtsschreibung widmet sich vornehmlich denjenigen Ereignissen, die als historisch empfunden werden, weil sie aus der Fülle trivialer Alltagsgeschichten herausragen. Solche Ereignisse behalten Bedeutsamkeit über Generationen und große Zeitabstände hinweg. Die Erinnerung daran verblaßt nicht, weil jede neue Gegenwart aus den historischen Geschichten relevante Einsichten in die Möglichkeiten menschlichen Tuns und Leidens überhaupt gewinnen kann. Insofern reichen die historischen Geschichten in eine Dimension, in der sich alles menschliche Handeln aller Zeiten abspielt. Zwar behandeln sie abgeschlossene Geschehnisse wie den peloponnesischen Krieg bei Thukydides, die

Geschichte Roms »ab urbe condita« bei Livius oder wenige genau begrenzte Jahre wie Tacitus' Historien. Dennoch sind wegen der allgemeinen Bedeutsamkeit des Berichteten die engen Grenzen der konkreten Situation oder des momentan gültigen kollektiven Selbstverständnisses durchbrochen. Die von der Geschichtsschreibung erzählten Ereignisse öffnen einen *einheitlichen Zeitraum*, den nicht mehr die erzählte Handlung selber oder die wiedergegebene Lebenspraxis der Individuen absteckt.

Gleichwohl haben die Geschichten der klassischen Historiographie nicht den einheitlichen Zeitraum zum Thema, in den die erzählte Praxis ebenso gehört wie die Praxis derer, die viel später die Erzählung aufnehmen und eventuell auf ihre Lage anwenden. Geschichtsschreibung setzt den einheitlichen Zeitraum für alle historischen Ereignisse bloß voraus, ohne ihn auszufüllen. Wir sahen, wie weit die klassische Auffassung von Geschichte aus der antiken Historiographie herüber bis in die Neuzeit weiterwirkt. Wir müssen nun fragen, wieso die Pluralität der Einzelgeschichten, die praktisches Geschehen in seiner Vielfalt als erinnerungswürdige und Orientierung bietende Erfahrung aufbewahren, unter veränderten historischen Bedingungen der Auffassung von der Geschichte als allumfassender Einheit der vielen Einzelgeschichten Platz macht. Die über eine lange Phase hinweg sich erstreckende Säkularisierung der ursprünglich theologischen Idee einer Welt- oder Universalgeschichte hat die neue Auffassung vorbereitet.

1. Säkularisierung und Geschichtserfahrung

Säkularisierung[1] nennt man den Reduktionsprozeß eines theologischen Dualismus. Dieser Prozeß spielt sich für Geschichtsschreibung im wesentlichen ab zwischen Augustinus und Bossuet, dem Bischof von Hippo aus dem vierten Jahrhundert und dem Bischof von Meaux aus dem siebzehnten. *Augustin* hatte in seiner Auseinandersetzung mit dem Weltstaat Roms einer anderen von Gott begründeten Civitas ein Recht erkämpft und auf die Parallelentwicklung der zwei Reiche, des transzendenten und des hiesigen, die gesamte Geschichte der Welt von der Schöpfung bis zum Jüngsten Gericht gegründet.[2] Er hat der Christenheit nicht nur den Dualismus der Reiche, sondern auch die Idee eines durch-

73

gängigen Laufes der Welt von ihrem gottgesetzten Anfang über alle Epochen höherer Lenkung bis zum definitiven Urteil am Ende aller Zeiten (novissimum tempus) vermacht. Die Säkularisierung reduziert den Dualismus durch Abbau der Transzendenz solange, bis allein die Geschichte des irdischen Reiches übrigbleibt, das bei Augustin schon saeculum hieß. Die Heilsgeschichte als Interaktion zweier Sphären transformiert sich in die eine Geschichte der einen Welt.

Bossuet ist der letzte, der noch innerhalb des alten Schemas gedacht hat, obwohl sein *Discours sur l'histoire universelle* (1681) sich mit den vertrauten Vorstellungen der pragmatischen Geschichtsschreibung als Anleitung zum politischen Handeln verbündet.[3] In der Vorrede an den Dauphin schreibt Bossuet, der Nutzen seiner Universalgeschichte bestehe in der Zusammenfassung aller Einzelgeschichten der Alten und der Neueren, so wie eine Generalkarte den Überblick schaffe über spezielle Landkarten. »Ce qui se fait par un abrégé où l'on voie comme d'un coup d'œil tout l'ordre des temps.« Universalgeschichte schafft den Gesamtüberblick über die Folge aller historischen Zeiten gemäß einer Ordnung der Epochen. An diesen Gedanken brauchte Voltaire und das 18. Jahrhundert nur anzuknüpfen, um die moderne Konzeption der Universal- oder Weltgeschichte aus der Taufe zu heben.

Es bedurfte aber noch eines zusätzlichen *Konzeptualisierungsdrucks,* um die Einheit der Geschichte auf bis dahin unerhörte Weise zu einem theoretischen Thema zu machen. Der Säkularisierungsprozeß hätte nämlich sehr wohl mit der Verwandlung des Providenzprinzips in die profane Fortschrittsidee zum Abschluß gelangen können. Wenn Gottes Allmacht nur unserer Selbsttäuschung entspringt, wird aus der transzendenten Lenkung ein menschliches Gemächte. Unter dieser Prämisse läßt sich eine Weltgeschichte schreiben, die dem historischen Wissensbedürfnis mit einer Art aufgeklärt räsonnierendem Epochendurchlaufs genügt. Voltaires *Essai sur les mœurs* wäre dann das gültige Modell, das zu überschreiten nichts nötigte. Solange spräche auch nichts dagegen, an der alten Abgrenzung zwischen theoretischer Wissenschaft und Geschichtsschreibung als Teil der Rhetorik und Poetik festzuhalten. Warum die geschichtliche Entwicklung des historischen Denkens dabei trotzdem nicht Halt gemacht hat, ist nicht leicht zu erklären.

Zunächst muß man konstatieren, daß die Frage nach der Einheit der Geschichte sich zunehmend als ein drängendes Problem begrifflicher Bewältigung dargestellt hat. Zusammen mit der Herausarbeitung der Einheit der Geschichte wird Geschichte theoriefähig. Die Stationen dieser Konzeptualisierung sind bekannt, sie markieren den steilen Aufstieg der philosophischen Beschäftigung mit Geschichte von Herder und Kant über Fichte und Schelling bis zur Höhe der Spekulation des Hegelschen Systems. Die Philosophie nimmt sich einer Problematik an, die ehemals mit dem Geschichtenerzählen begann und zur Einheit aller Geschichten im Blick auf das eine Subjekt der Menschengattung auswuchs. Warum Philosophie sich aber auf Geschichte als theoretisches Problem einläßt, bedarf der Begründung. Man kann nämlich das Eindringen der Geschichtsproblematik in die Theorie auch als die Aufweichung der alten Sicherheit vernünftiger Begriffsbildung durch das historische Bewußtsein beschreiben. Im gleichen Maße, wie die Philosophie beginnt, die Geschichte ernst zu nehmen, wird Geschichte zu einem Faktor, der die Definition von Philosophie selber betrifft.

Es ist keineswegs so, als ginge das Thema der Geschichte, das als rhetorisch-poetisches Erbe der reinen Theorie nicht ebenbürtig war, nun endlich in die Obhut philosophischer Systemkonstruktion ein. Nicht die souveräne Philosophie läßt sich zur vernachlässigten Geschichte herab, ohne ihrerseits an begrifflicher Synthetisierungskraft zu verlieren. Die Geschichte erfaßt vielmehr die Philosophie und hinterläßt an der Autonomie der Vernunft die für alle Zukunft untilgbaren Spuren historischer Bedingtheit. Das *Theoretischwerden der Geschichte* bedeutet gleichzeitig das *Geschichtlichwerden der philosophia perennis.* Diese erstaunliche Wechselwirkung war nicht von Anfang an vorherzusehen. Sie kündigt sich kaum merklich an und zeichnet sich erst im Nachhinein als Resultat des großen Umbruchs vom 18. zum 19. Jahrhundert ab.

Zur vorläufigen Erläuterung kann die Ortsbestimmung des systematischen Neubeginns theoretischer Philosophie in der *transzendentalen Wende Kants* dienen, die sich selber durchaus als Resultat historischer Reflexion artikuliert. Ein besonders aufschlußreiches Dokument bildet die berühmte Vorrede zur zweiten Auflage der *Kritik der reinen Vernunft* von 1787. Mit diesem Werk stellt Kant die neue Begründung der Philosophie als reifes

Produkt der Auseinandersetzung mit dem geschichtlich gewordenen Stande der Metaphysik vor. Die älteste und ehrwürdigste Disziplin, die den philosophischen Titel der obersten Wissenschaft in Wahrheit begründete, ist im Laufe der Geschichte, vor allem seit dem Aufkommen neuzeitlicher Naturwissenschaften, ins Wanken geraten. Der Zustand, den Kant vorfindet, widerspricht gründlich dem Anspruch: Nichts ist sicher und alles ist umstritten. Aus dieser historischen Beobachtung, die die Philosophie an sich selbst vornimmt, erwächst die Aufgabenstellung einer »Metaphysik, die in Zukunft als Wissenschaft wird auftreten können«.

Die transzendentale Neubegründung nimmt nicht bloß Stellung zu bisherigen Positionen, wie es seit Plato und Aristoteles stets üblich war, Philosophiegeschichte zur deutlicheren Kennzeichnung des eigenen systematischen Entwurfs zu benutzen. Kants Erklärung des Neuen an der Transzendentalphilosophie im Blick auf den vorfindlichen Status der Theoriebildung aus Kräften reiner Vernunft zieht aus dem Umstand, daß Metaphysik entgegen ihrem überzeitlichen Geltungsanspruch historisch geworden ist, allererst systematische Konsequenzen. Die Transzendentalphilosophie taucht als neuer Gedanke keineswegs aus dem Nichts auf, sie bestimmt den jetzt noch allein aussichtsreichen Weg der Einlösung philosophischer Ansprüche auf wissenschaftliche Theorie unter Verarbeitung von deren historischem Schicksal. Es ist die »Geschichte der reinen Vernunft« selber, die Kant belehrt: »der kritische Weg ist allein noch offen.«[4]

Bei allem fundamentalistischen Pathos der transzendentalen Wende spielt bereits ein unleugbares historisches Bewußtsein eine stimulierende Rolle. Der zitierte Text Kants ist für unsere Frage der Geschichtlichkeit von Philosophie deshalb sprechend, weil er keine geschichtsphilosophischen, sondern rein theoretische Gegenstände berührt.[5] Geschichtsphilosophie im strengen Sinne gehört für Kant mitnichten ins Zentrum systematischer Bemühung, sondern, wie die *Idee zu einer allgemeinen Geschichte in weltbürgerlicher Absicht* gerade zeigt, an den Rand einer populären Schriftstellerei für aufgeklärte Köpfe. Darauf wird zurückzukommen sein.

Der beschriebene Vorgang, der Philosophie und Geschichte in ein engeres Verhältnis bringt, ist ein historisches Ereignis, das sich binnen weniger Jahrzehnte vollzog, obwohl seine Inkubationsphase lange andauerte und seine Wirkung sich bis heute unvermindert fortsetzt. Historiker haben sich verstärkt jener Umbruchszeit angenommen. Koselleck etwa spricht von einer »*Beschleunigung*« der historischen Erfahrung.[6] In einem gewissen Abschnitt der Geschichte, der chronologisch wie andere Abschnitte eingeteilt werden kann, ist nicht nur Zeit verflossen, in der historische Ereignisse stattfanden wie sonst auch. Es ist eine Intensivierung des Historischen selber eingetreten. Beschleunigung bezeichnet metaphorisch das Schnellerwerden der Prozesse, in denen historische Abläufe sich vor den Augen der Zeitgenossen bewegen.

Die Metapher erhellt zwar eine Erfahrung, erklärt sie aber nicht. Geht es doch darum zu erkennen, was historisch am Werke ist, wenn Geschichte nicht nur intensiver als sich beschleunigender Prozeß erfahren wird, wenn diese Erfahrung vielmehr so zur Intensivierung der fraglichen Prozesse beiträgt, daß schließlich die begrifflichen Möglichkeiten in den Sog hineingerissen werden, mit denen, wenn überhaupt, die Erfahrung zu bewältigen wäre. Die streng historische Erklärung dieses erstaunlichen Vorgangs kann unsere Aufgabe nicht sein. Ich vermute sogar, daß es eine historische Erklärung im eigentlichen Sinne kaum geben wird für ein Phänomen, das sich in den Befunden der Begriffsgeschichte und Theorieentwicklung niederschlägt, weil es Bewußtsein und Praxis einer Epoche tiefgehend prägt. Denn die Faktoren, aus denen sich die Beschleunigung erklären ließe, sind letztlich das zu Erklärende selber: Beschleunigung.

Für die Philosophie jedenfalls ist das geschichtliche Thematischwerden von Geschichte eine Herausforderung, weil die Philosophie damit an die Grenzen der Theorie getrieben wird. Die Schärfung des geschichtlichen Bewußtseins wirkt nicht wie andere historische Vorgänge höchstens mittelbar auf das philosophische Denken ein, sondern betrifft dessen eigene Konzeptualisierungsfähigkeit. Die Schärfung des geschichtlichen Bewußtseins bedeutet keinen begrifflichen Wandel, der inhaltliche Umstellungen im Theoriegebäude vornimmt, die theoretische Möglichkeit als solche aber unangetastet läßt. Gerade die herkömmliche Sicherheit philosophischer Theorie steht in Frage, wenn die allgemeine Erfahrung der Geschichte sich als Schatten historischer Bedingtheit auf das philosophische Denken legt. Seither ist die Abhängigkeit der Vernunft von ihr äußeren Faktoren oder der nicht zu beseitigende Mangel an theoretischer Autonomie unter dem Stichwort

Geschichtlichkeit eine genuin philosophische Fragestellung geworden.

Bleibt die Schärfung des historischen Bewußtseins mithin für Philosophie nicht gleichgültig, so sind die Folgen noch bemerkenswerter. Die Philosophie reagiert nämlich auf die Historisierung des Denkens mit der *Intellektualisierung der Geschichte*. Erst in dieser Perspektive wird voll durchsichtig, was die Geschichtsphilosophie vor allem des deutschen Idealismus bedeutet. Die Geschichte wird zu einer Angelegenheit des Geistes erhoben in der geheimen Absicht, die freie Beschäftigung des Geistes mit sich nicht länger stören zu lassen durch das Faktum eines irrationalen Wandels blinder Ereignisse. Geschichtsphilosophie ist nicht ausschließlich zu interpretieren als geradlinige Verlängerung der Säkularisation theologischer Universalgeschichte über das Fortschrittsideal der Aufklärung hinaus in die schwindelnde Höhe begrifflicher Spekulation. Daß diese Tendenz ganz wesentlich an der Entstehung von Geschichtsphilosophie mitgewirkt hat, kann gar nicht bestritten werden. Dennoch verdient die Einseitigkeit des Aspekts mehr Beachtung als üblicherweise zugestanden.

Der Streit um *Karl Löwiths* Standardthese ist in dieser Hinsicht belehrend. Löwith hat in *Weltgeschichte und Heilsgeschehen*[7] überzeugend den theologischen Hintergrund der Geschichtsphilosophie dargestellt. Er war geleitet vom existentialistischen Zweifel am spekulativen Überschwang. Aus der verständlichen Ernüchterung gegenüber den großen Entwürfen der Geschichtsphilosophie heraus glaubte er, das historische Denken überhaupt verabschieden zu können, wenn die Ahnherrnschaft einmal aufgedeckt war. Ihm schien anstelle dessen eine Rückkehr zum antiken Kosmos möglich, der die historische Irritation ablösen sollte. Er verkannte freilich, daß diese Vergegenwärtigung des Vergangenen ihrerseits eine Leistung des historischen Bewußtseins ist.[8] Innerhalb der wechselhaften Geschichte der Ideen dürfte die ewig sich selbst gleiche Ruhe der Natur zu allerletzt zu finden sein.

Immerhin ging bei Löwiths Lehrer Heidegger die existentialistische Abwehr des Idealismus nicht auf rein naturale Gründe zurück, sondern vielmehr auf eine ursprüngliche Geschichtlichkeit, die noch als Fundament des ontologischen Denkens der metaphysischen Tradition vor aller spekulativen Geschichtsphilosophie zu entdecken war.[9] So gesehen impliziert Löwiths Protest gegen das herrschende Geschichtsdenken die Wendung eines Heidegger-schen Arguments gegen Heidegger selbst.[10] Es wiederholt sich gewissermaßen das Muster der junghegelianischen Überbietung Hegels mit Hegels eigenen Mitteln: wenn der Meister sich als historisch bedingt erweist, führt eben diese Beobachtung seine Jünger ins Freie. Löwith hatte den entsprechenden Umsturzver-such am Exempel der Junghegelianer in seiner Aussichtslosigkeit genau genug studiert.[11] Er hätte wissen müssen, daß es nieman-dem gelingt, sich wie Münchhausen am eigenen Schopf aus dem Sumpf des historischen Bewußtseins zu ziehen.

Statt die Säkularisierung allein für das historische Bewußtsein verantwortlich zu machen in der Hoffnung, die Aufklärung über die Ursprünge enthalte die Therapie des Übels, verdient die ge-nuine Geschichtserfahrung aus der zweiten Hälfte des 18. Jahr-hunderts eine tiefere Deutung. Betrachtet man die Bruchstelle zwischen traditionellen Vorstellungen von Historie und moder-ner Beschleunigung der geschichtlichen Prozesse bis hinein in die Grundschichten der philosophischen Begriffsbildung, so zeigt sich, daß zwar ohne die Säkularisierung theologischer Hinter-gründe das Entstehen von Geschichtsphilosophie nicht zu den-ken, mit der Säkularisierung allein aber nur unvollkommen zu erklären ist. Die Übernahme göttlicher Absolutheit in die Abso-lutheit des Wissens mußte naturgemäß den Impetus der *Metaphy-sik* stärken, der den spekulativen Systemen der Idealisten ihren definitiven Zug verlieh. Die Verstärkung der Metaphysik hätte jedoch durchaus ohne die Begleiterscheinung einer sich ausbil-denden *Geschichtsphilosophie* erfolgen können.

Es muß also noch ein Motiv hinzukommen, wenn die Bewäh-rung spekulativer Überlegenheit zunehmend auf dem Felde der Geschichte gesucht wird, die herkömmlicherweise überhaupt kein angemessenes Thema für Theorie abgab. Die Integration der Geschichte in den Rahmen absoluter Systeme ist die Antwort auf jene Geschichtserfahrung, in der auch die Geschichtlichkeit des Denkens erstmalig erfahren wird. Diese Erschütterung des tradi-tionellen Selbstverständnisses philosophischer Theorie hat die Spekulation herausgefordert, der geschichtlichen Erfahrung mit dem Gedanken allein Herr zu werden. Dabei wird der ursprüng-liche Charakter von Geschichte als einem aus Handlungen kom-plex gewobenen Zusammenhang unbemerkt verzerrt und Ge-schichte zur Demonstrationstafel geistiger Prozesse sublimiert.

Nur so vermag sich offenbar die Philosophie, deren theoretische Selbstgewißheit ins Wanken geraten war, in ihrer Überlegenheit zu behaupten.

Die Verdrängung der für Theorie bedrohlichen Geschichtserfahrung im Rahmen absoluter Systeme, die sich Geschichte als Teilbereich ihrer Deduktionstätigkeit einverleiben, war total. Ein wichtiges Indiz dafür liefert die alsbald einsetzende Kritik am Idealismus. In der Tat hat sie die Rechnung aufmachen können, daß in Systemen des absoluten Geistes *Theorie und Praxis* verwechselt seien, weil fälschlich an den Himmel der Ideen projiziert erscheine, was die Handlungen der Menschen in der realen Geschichte zu konkretisieren hätten. Soweit trifft die Kritik eine Konstruktionsschwäche der theoretischen Bewältigung geschichtlicher Erfahrung. Dennoch spielt bei den nachidealistischen Kritikern dieselbe Abstraktion eine verhängnisvolle Rolle[12], die dem Idealismus die Aufhebung der Geschichte in den Geist erlaubte, und die als undurchschautes Erbe fortwirkt. Wenn der idealistischen Geschichtsphilosophie die Vertauschung der Geschichte mit dem Reich des Gedankens vorgehalten wird, so stellt die Einsicht in die Verkehrung allein die Dinge noch nicht vom Kopf auf die Füße. Denn aus der Kritik an Ideologie folgt nicht der automatische Umschlag von Spekulation in Schritte welthistorischer Praxis. Vielmehr übt in der viel beschworenen Theorie-Praxis-Dialektik die theoretische Hybris weiterhin ihren Bann aus.

Die anfängliche Abstraktion vom Praxischarakter der aus konkreten Handlungen aufgebauten historischen Geschehnisse kehrt als eschatologisches Vollendungsprogramm aller Geschichte wieder. Die junghegelianische *Philosophie der Tat*, die auch den frühen Marx bestach, knüpfte an die ungebrochene Fortschrittshoffnung der Aufklärung an und krönt sie mit dem philosophischen Totalitätsanspruch. Der letzte Schritt, der den Gang der Welt überhaupt an sein wahres Ende bringt, scheint unmittelbar bevorzustehen. Wofern die Gedankenblässe nur der entschlossenen Tat weicht, wandelt sich die Vollendung in der absoluten Theorie zum gesellschaftlichen Himmel auf Erden. Die Ideologiekritik zerstört zu Recht die Illusion, Geschichte ließe sich in philosophischen Systemen aufheben, sie erliegt aber dem Irrtum, auf geschichtliche Praxis ließen sich die Totalitätsforderungen der Theorie übertragen. Die Erschütterung der Theorie durch die ursprüngliche Erfahrung der Geschichte des Denkens ist, nachdem der Idealismus sie mit der Affirmation des Systemprinzips beantwortete, nun in den Konzepten welthistorischer Strategien endgültig überwunden. Der fruchtbare Ansatz einer Geschichtsphilosophie, die sich ihrem Gegenstand aussetzt, statt dessen Eigenart um jeden Preis hinwegzuinterpretieren, wurde vertan. Der Zugang zur Welt des historischen Handelns öffnet sich nur, wenn die Philosophie es lernt, das primäre Selbstbehauptungsinteresse der Theorie zu zügeln.

Will die Philosophie der Geschichte ihrem Gegenstand wirklich gerecht werden, so sollte sie tunlich dort noch einmal anfangen, wo Geschichte und Philosophie erstmals in enge Berührung traten. Dieser Blick zurück korrigiert die vermeintlichen Triumphe der voll ausgereiften Geschichtsphilosophie, deren Erben wir nolens volens sind. Die hermeneutische Versenkung in die universale Wirkungsgeschichte kann sich von dem Erbe ebensowenig befreien wie die radikale Absage des Szientismus gegenüber aller historischen Einfühlung. In beiden Fällen nämlich gilt trotz der offen ausgetragenen Kontroverse einmütig die von den Erfolgen der Geschichtsphilosophie suggerierte Erwartung weiter, Theorie müsse der Realität der Geschichte mächtig werden, sei es im Verstehen von Sinnzusammenhängen, sei es im gesetzmäßigen Erklären. So wird die Geschichte, die aus konkreter Handlung mitsamt einem konstitutiven Moment von Kontingenz aufgebaut und in historischen Erzählungen aufbewahrt ist, zum *Erkenntnisgegenstand.* Wie weit Philosophie in dieser Richtung wirklich vorzudringen vermag, wird sich in der Folge zeigen, wo das transzendentalphilosophische Verhältnis zur Geschichte, die systematische Verarbeitung von Geschichte und die methodologische Einstellung zur Geschichte nacheinander zur Debatte stehen. Wir setzen an dem Punkte ein, wo Geschichtsphilosophie sich überhaupt zu formulieren beginnt.

2. Bildung zur Humanität

Der originellste Autor ist *Herder,* als dessen Vorläufer man in unserem Jahrhundert Vico entdeckt hat[13], während sein unmittelbarer Nachfolger Kant heißt. Die Beziehung von Vico und Herder will trotz wiederholter Bemühung der Forschung nicht zu vollständiger Klarheit gelangen. Beide waren Außenseiter ihrer aufklärerischen Epoche, der Rhetorikprofessor aus dem barocken Neapel ebenso wie der protestantische Pfarrer aus dem ostpreußischen Mohrungen. Daß sie überhaupt in einem Atem genannt werden, hat der spätere Historismus zu verantworten, der sich seine Ahnengalerie schuf. In Wahrheit greift *Vico* dem Titel seiner *Scienza nuova* (1725) zum Trotz auf die alte Tradition der Rhetorik und praktischen Philosophie zurück, um »die gemeinschaftliche Natur der Völker« angesichts historischen Wandels zu bestätigen. Der bewußte Traditionalismus und Naturalismus schottet Vico bei seiner zyklischen Geschichtsbetrachtung gewissermaßen von den modernen Erfahrungen der Beschleunigung im Sog der Geschichte ab. Was immer Vico und Herder ideengeschichtlich verbindet[14] – Herder bricht die neue Bahn.

Wird Herder oft in einem Atemzug mit Vico genannt, so gilt Ähnliches im Vergleich mit *Kant,* der Herders Lehrer war und dessen geschichtsphilosophisches Hauptwerk kritisch besprach. Kants eigene Geschichtsphilosophie hat den Herderschen Grundgedanken der Bildung des Menschengeschlechts zur Humanität moralisch verschärft. Die schwelgende Phantasie von Herders Prosa erscheint durch die Klarheit, ja Überzeichnung einer dualistischen Anthropologie des in der Spannung zwischen Sinnlichkeit und Vernunft stehenden Menschenwesens bei Kant gebändigt. Zum Zwecke unserer Darstellung tritt Herder gegen Kant stärker hervor, obwohl Kant schließlich die schulbildende Wirkung ausübte. Die ersten Gehversuche des frühen Idealismus auf geschichtsphilosophischem Felde bewegen sich deutlich in Kants Spuren. Der wichtigste neue Schritt besteht darin, Geschichte in den Rahmen der Transzendentalphilosophie einzubauen. Erst von daher wird die letzte Stufe der vollständig systematischen Integration in den Idealismus verständlich.

Die *Geschichtsphilosophie Herders* erschließt sich am ehesten, wenn man sie aus ihrer programmatischen Opposition zu aufklärerischem Geschichtsdenken begreift. Der ironische Unterton im Titel der ersten Abhandlung *Auch eine Philosophie der Geschichte zur Bildung der Menschheit, Beitrag zu vielen Beiträgen des Jahrhunderts* (1774) gibt deutlich die Richtung zu erkennen. Ein übriges tut die ständige Polemik gegen die »flüchtigsten Räsonnements à la Voltaire«[15], die zehn Jahre später in den *Ideen zur Philosophie der Geschichte der Menschheit* gemildert wiederkehrt.

Die herrschende Geschichtsphilosophie, mit der das Zeitalter prunkt, nimmt Geschichte nicht ernst genug, wie Herder meint. Der Fortschrittsglaube, der die gesamte Geschichte in der Gegenwart kulminieren sieht, oder die Messung aller Epochen am jetzt gültigen Maßstab ist das letzte Vorurteil, das dem erklärten Kampf des 18. Jahrhunderts gegen die überlieferten Vorurteile widerstanden hat. Die ungetrübte Überzeugung von der Vollkommenheit der erreichten Höhe der Erkenntnis, die entsprechenden Urteilen über andere Epochen unbezweifelbare Gültigkeit verleiht, drückt ein im Grunde *ungeschichtliches* Denken aus.

Solange die eigene Epoche nicht als Teil eines umfassenden Geschichtsprozesses verstanden wird, herrscht ein falscher Hochmut des Wissens. Unser Wissen gehört in den Zusammenhang der Geschichte hinein, wo es sich gegenüber anderen Zeiten notwendig relativiert. Wenn wir uns wirklich auf die Geschichte einlassen, muß die Sicherheit einer Theorie schwinden, der das historische Material bloß äußerer Gegenstand war. Das Staunen über die Komplexität der Verwicklungen, über das Eigenrecht aller individuellen Erscheinungen, über die Konkretion von Raum, Zeit und Umständen, die positive Rolle des Zufalls, den Wert des unablässigen Wandels bereichert unsere Kenntnis der Geschichte. Je mehr wir allem, was anders ist als das uns Vertraute, eine Funktion im großen Geschehen der Geschichte zubilligen, um so eher überwinden wir die Einseitigkeit unserer je schon gegebenen, wie überhaupt aller auf einen Punkt fixierten Ansicht. Schon in einer frühen geschichtstheoretischen Betrachtung moniert Herder den Mangel der Denker, die nicht über allgemeine Klassifikationen hinausgelangen zur nötigen Beachtung der Besonderheiten einzelner Individuen. Die systematischen Philosophen verführen in der Geisterlehre wie Linné, während ihnen ein »unsystematischer Kopf« wie Buffon zur Seite zu stellen sei. »Wenn unsere Philosophen also diese Kenntnis einzelner Geister noch nicht so häufig versuchen, so hat ein anderer dazu mehr Gelegenheit und Pflicht: der Geschichtsschreiber.«[16]

Freilich muß das Sicheinlassen auf die Vielfalt und den Wandel historischer Erscheinungen von dem Vertrauen getragen sein, daß der Verzicht auf die künstlichen Abstraktionen das Verstehen nicht jeglicher Möglichkeiten beraubt. Der tiefere Sinn der Geschichte soll sich gerade so enthüllen.[17] Das Vertrauen des Theoretikers, der auf keine Prinzipien und Ableitungen bauen kann und dennoch Geschichte wahrer begreifen will, weckt einige Formeln, die Herder ohne weitere Klärung und Bestimmung untereinander einfach beschwört. Vom Plan der Vorsehung ist die Rede, vom Gang Gottes durch die Natur, von allgemeiner Naturweisheit. Daß diese Zitate traditioneller Glaubenssätze mit Bedacht vage und appellativ bleiben, zeigt die erreichte Ferne Herders von säkularisierten Heilsgeschichten. Gegenüber dem eigentlichen Geschäft des *Studiums der Konkretion* in historischen Gestaltungen stehen jene Gesamtkonzepte zurück. Die Zitate geben nur die allgemeinste Handhabe dafür, daß es aussichtsreich ist, in allen historischen Einzelheiten, auch denen, die unseren Erwartungen oder Überzeugungen zuwiderlaufen, Sinn zu suchen. Vorsehung, Natur, Gott garantieren auf eine theoretisch nicht vermittelte, der Problematisierung entzogene Weise, daß wir Geschichte besser verstehen, wenn wir uns auf sie einlassen. So erhält die Konkretion geschichtlicher Wirklichkeit das Vorrecht vor theoretischen Allgemeinheiten zuerkannt.

Entscheidend ist der Schlüsselbegriff, den Herder einführt, um seinem ganzen Unterfangen, gerade aus der Vielheit auf die Einheit zu schließen, Struktur zu geben. Dieser Begriff heißt *Bildung*. Bildung bedeutet einen Prozeß, in dem etwas zu dem sich gestaltet, was es seinem Wesen nach ist. Im Falle der Menschheit ist es die Gattung, die sich zu sich selber bildet. Sie ist Subjekt und Objekt dieser Tätigkeit zugleich, sie ist ebenso Material wie Kraft des Prozesses. Bildung muß dort aufgesucht werden, wo sie tätig am Werk ist, dann entfällt die abstrakte Differenz zwischen einer inneren Teleologie und den äußeren Gegebenheiten. Bildung kann alles zum Anlaß nehmen, sich selber weiter zu entwickeln. Sie vermittelt erfolgreich zwischen der Gattung und ihren vorfindlichen Lebensumständen, die man Faktum oder Fatum nennen mag. So bringt die Menschheit sich selber in allen Einzelheiten und durch alle Stadien hindurch hervor. Da Geschichte als Bildungsprozeß der Menschheit anzusehen ist, bekommen alle Epochen, alle Erscheinungen, die gesamte Verwicklung von Schicksal und Zufall, von Planmäßigkeit und Abwegen gleichermaßen Bedeutung. Es gibt keinen dem Geschichtsverlauf selber transzendenten Ordnungszusammenhang, es gibt kein apriorisches Einheitskonzept, das der Fülle historischer Konkretion übergestülpt wird, möge es nun passen oder nicht.

Die Einheit der Geschichte stellt sich innerlich im Fortgang der Geschichte selber her. Damit ist das wichtige Problem gelöst, wie die Einheit der vielen Handlungen und Ereignisse, deren Geschichten insgesamt *die* Geschichte ausmachen, zwanglos zu denken sei. Der Gedanke der Bildung läßt alle Einzelgeschichten, unbesehen ihrer Fügsamkeit zu einem vorgefaßten Zusammenhang, aufeinander beziehbar erscheinen. Indem alle aufeinander beziehbar sind, trägt jede das Ihrige zum Ganzen bei, ohne daß vorentschieden wäre, was und warum und wieso hier statt dort und weshalb eher so und nicht vielmehr anders. Die Konkretion erfährt uneingeschränkte Würdigung, während die Gefahr der beliebigen Ansammlung ungeordneter Details gebannt ist. Die Details können gar nicht ordnungslos sein, weil sie selber im Prozeß der Bildung das Ganze mitbewirken, das Ordnung definiert. Die Ordnung steht den Einzelheiten ebensowenig fremd gegenüber wie das Ganze dem historischen Gange.

Da Geschichte als Bildung der Menschheit zu sich angesehen werden muß, kann Herder sagen, sie stelle die Bildung zur *Humanität* dar. Ähnlich wie im Falle der Bildung verleiht Herder dem Begriff der Humanität höchst eigne Züge. Er behauptet, das Wort gehöre »eigentlich den Römern an«[18], nimmt aber den ganzen Zivilisationsgehalt des 18. Jahrhunderts hinein. Herders Wortgebrauch schillert zwischen einer normativen Komponente, die besagt, was edles Menschentum, Sitte und Vernunft gebieten, und einem pleonastischen Akzent, der nur die Breite des Menschlichen in allen historisch gegebenen Bildungen unterstreicht. Diese Ambivalenz ist charakteristisch, denn sie trägt dem genuin historischen Interesse Herders gegenüber den moralisierenden Aufklärungsparolen Rechnung.

»Wir kennen nichts Höheres als Humanität im Menschen. ... Zu diesem offenbaren Zweck ist unsere Natur organisiert: zu ihm sind unsere feineren Sinne und Triebe, unsere Vernunft und Freiheit, unsere zarte und dauernde Gesundheit, unsere Sprache, Kunst und Religion uns gegeben. In allen Zuständen und Gesellschaften hat der Mensch durchaus nichts anderes im Sinn haben, nichts anderes anbauen können als Humanität, wie er sich dieselbe auch dachte. Ihr zugut sind die Anordnungen unserer Geschlechter und Lebensalter von der Natur gemacht. ... Ihr zugut sind auf der weiten Erde alle Lebensarten des Menschen eingerichtet, alle Gattungen der Gesellschaft eingeführt worden ..., so daß der Mensch sich durchaus keinen anderen Zweck aller seiner Erdanstalten denken kann, als der in ihm selbst, der in der schwachen und starken, niedrigen und edlen Natur liegt, die ihm sein Gott anschuf. Wenn wir nun in der ganzen Schöpfung jede Sache nur durch das, was sie ist und wie sie wirkt, kennen: so ist uns der Zweck des Menschengeschlechts auf der Erde durch seine Natur und Geschichte wie durch die hellste Demonstration gegeben.«[19]

Soll man sich also befriedigen mit der Erkenntnis der bunten Mannigfalt menschlichen Lebens in der Geschichte, die jeweils konkreter Ausdruck der wirkenden Menschennatur ist, oder muß ein Niveau der Gesittung angestrebt werden, auf das die Menschheit zustrebt, das sie im bisherigen Verlauf ihres Tuns und Treibens aber noch nicht vollkommen verwirklicht hat? Den Zweifel, den Herders zwischen Moral und Historie schwankender Humanitätsbegriff aufrührt, beseitigt *Kant* gründlich. Geschichte ist kein Gegenstand, dem Kant in der architektonischen Anlage[20] seiner Philosophie einen wohl bestimmten Platz zuweisen konnte. Weder die transzendentalphilosophische Reflexion auf die Bedingung der Möglichkeit von Erkennen und Handeln noch eine auf dieser Basis zu errichtende metaphysische Doktrin sieht sich dem Problem der Geschichte gegenüber. Weder die kritische Grundlegung noch die von hierher ins Auge gefaßte Metaphysik, die zukünftig »als Wissenschaft wird auftreten können«, beschäftigt sich theoretisch mit Geschichte. Das Thema rechnet Kant unter die Gegenstände populärer Schriftstellerei, zu denen ein Philosoph, ohne systematische Prätentionen zu hegen, vor einem nachdenklichen Publikum Stellung nimmt. Allerdings ist nicht zu leugnen, daß die Geschichte für die Kantische Moralphilosophie eine besondere Bedeutung gewinnt, insofern sie die Dimension einer Antwort eröffnet für eine zentrale Frage, die dort offen bleiben mußte.

Die Geschichte erlaubt, *das Sittengesetz und die Empirie zusammenzudenken,* nachdem der kategorische Imperativ beide auseinandergerissen hatte. Die sittliche Forderung nämlich, allein aus Antrieben reiner Vernunft zu handeln, muß die Möglichkeit unterstellen, daß der menschliche Wille ganz anders als unter irgendeiner empirischen Bedingtheit tätig werden kann. Der strengen Gesetzlichkeit reiner Vernunft zu gehorchen und zwar ausschließlich, weil sie es so gebietet, heißt die Autonomie des Subjekts auf Kosten von dessen sinnlichen Antrieben und auch einer mit Weltkenntnis vermischten praktischen Klugheit durchzusetzen. So kritisiert die *Kritik der praktischen Vernunft* alle kluge, bereits gegebene Handlungsorientierung zugunsten der absoluten Geltung *reiner* Vernunft im Praktischen.[21] Die selbst auferlegte Vernunftbestimmung und das konkret angeleitete Handeln in der Welt sind letztlich unvereinbar, wie der gegen alle Faktizität formulierte Status des schlechthinigen Sollens der kantischen Ethik zum Ausdruck bringt. Unter diesen Voraussetzungen zerfällt der Mensch in unversöhnbare Spannung zwischen seinem noumenalen und seinem phänomenalen Charakter.

Dahinter kann nicht mehr zurückgefragt werden, weil jede theoretische Erläuterung oder Ableitung aus Gründen die Strenge des Sollens mildern und mithin dem Einfluß reiner Vernunft auf die Handlungsdisposition im Willen des Subjekts die nötige Unbedingtheit nehmen würde. Allein die fraglose, nicht durch Argumente herbeigeführte Unterwerfung des Handelnden unter das Gesetz eröffnet Moralität. Das lehrt der letzte Abschnitt der *Grundlegung zur Metaphysik der Sitten* unter dem Titel »Von der äußersten Grenze aller praktischen Philosophie«.[22] Dort wird die Unvereinbarkeit von Vernunftbestimmung und Weltgebundenheit des Menschen geradezu positiv gewendet. Zwar kann die Unterstellung der Freiheit als eines Wollens kraft reiner Vernunft theoretisch gar nicht bewiesen werden. Dennoch ist die Annahme einer noumenalen Welt, der wir als Vernunftwesen angehören, jenseits der Welt der Erscheinungen, in der wir gemäß empirischen Naturgesetzen handeln, praktisch geboten. Ohne Aussicht auf theoretischen Beweis müssen wir jene Unterstellung machen, weil wir uns anders selbst nicht einheitlich verstehen könnten. Wir würden uns eigenhändig zum Objekt von Naturabläufen degradieren, obwohl wir schon aus der Einsicht in die dabei waltenden Gesetze von der Selbständigkeit unserer Vernunft wissen. Diesen Widerspruch sehen wir noch ein, wir vermögen aber nicht mehr zu zeigen, warum er entsteht. Mithin sieht sich praktische Philosophie unabänderlich an eine äußerste Grenze ihrer selbst getrieben.

In anderer Richtung jedoch sind weiterführende Überlegungen zulässig, die den unbedingten Freiheitsbegriff mit der Welterfahrung vermitteln. Die *Geschichte* stellt die Dimension einer solchen Vermittlung dar und zwar, weil sie selber kein Gegenstand theoretischer Erkenntnis ist. Die Vermittlung innerhalb der Geschichte befriedigt daher auch keinerlei Begründungserwartung. Wir müssen uns in diesem unsicheren Felde mit der bloßen Denkbarkeit und einem Anlaß zur Hoffnung begnügen. Das entspricht nicht nur der genannten Unbezwingbarkeit des Dilemmas zwischen empirischer Naturordnung und Freiheitsannahme. Es entspricht auch der Eigenart der Geschichte selber, die niemand, der in ihren Gang verwickelt ist, als ganze zu überschauen oder auf gültige Gesetze zu bringen vermag. Höchstens Extrapolationen aus dem beschränkten Umkreis des eigenen Erlebens aufgrund eines Vertrauens in die sinnreiche Ausstattung der menschlichen Natur sind uns erlaubt. Alles Wesentliche sagt der Anfang von Kants kleiner Schrift *Idee zu einer allgemeinen Geschichte in weltbürgerlicher Absicht* von 1784.

»Was man sich auch in metaphysischer Absicht für einen Begriff von der Freiheit des Willens machen mag: so sind doch die Erscheinungen desselben, die menschlichen Handlungen, ebensowohl als jede andere Naturbegebenheit, nach allgemeinen Naturgesetzen bestimmt. Die Geschichte, welche sich mit der Erzählung dieser Erscheinungen beschäftigt, so tief auch deren Ursachen verborgen sein mögen, läßt dennoch von sich hoffen: daß, wenn sie das Spiel der Freiheit des menschlichen Willens im großen betrachtet, sie einen regelmäßigen Gang derselben entdecken könne; und daß auf die Art, was an einzelnen Subjekten verwikkelt und regellos in die Augen fällt, an der ganzen Gattung doch als eine stetig fortgehende, obgleich langsame Entwicklung der ursprünglichen Anlagen derselben werde erkannt werden können.« Die Geschichte erzählt die Erscheinungen der Freiheit, die, was ihre Erkenntnis nach Naturgesetzen angeht, als empirische Phänomene neben anderen angesehen werden müsse. Als Naturerscheinungen verlieren die Handlungen den Freiheitsaspekt. Als Äußerungen sittlichen Wollens stehen sie unter dem Imperativ, der sie einer ganz anderen, rein vernünftigen Sphäre zuschlägt. Dazwischen liegt die Freiheit in der Erscheinung oder die Handlung als eine nicht nur empirisch bedingte. Diese Sphäre umfaßt die Geschichte.

Die Geschichte stellt Einzelhandlungen in einen größeren Zusammenhang, der nicht von ausmachbaren Gesetzen getragen, sondern in der *einheitlichen Erzählung* konstituiert wird. Im größeren Zusammenhang der Geschichte lassen sich Regelmäßigkeiten entdecken, die den Gesichtspunkten handelnder Einzelsubjekte verschlossen sind. Im Einzelnen erscheint regellos und zufällig, was im Ganzen ein Muster ergibt. Geschichte muß daher auf der Ebene der Gattung geschrieben werden. Hier zeigen die Verwicklungen im Einzelnen einen höheren Sinn, auf den wir hoffen dürfen. Der Sinn besteht darin, daß die Diversität und Spannung unter den Einzelhandlungen, in denen jedes Subjekt seine Freiheit verwirklicht, ohne deshalb schon mit den empirischen Handlungen der andern Subjekte übereinzustimmen, eine Herausforderung an die Gattung darstellt, alle ihre Anlagen selbsttätig nach und nach auszubilden.

Es geht also nicht um eine providentielle Harmonie, die an sich von der Natur vorgesehen wäre, die zwar niemand für sich erkennt, die aber in übergeordneter Perspektive sich ergibt. Es geht vielmehr darum, die empirische Unvereinbarkeit der Handlungen, die jeder namens der Freiheit vollzieht und die nur im Sollen des kategorischen Imperativs auf einen Nenner lauten, zum Vehikel der *Gattungsentwicklung* zu erheben. Der Antagonismus der Kräfte im gemeinsamen Handeln, die »ungesellige Geselligkeit der Menschen«, kennzeichnet die historische Welt, in der wir leben. Nun ist dies ein unerträglicher Zustand, der von sich aus darauf dringt, durch einen allgemeinen Rechtszustand abgelöst zu werden. Der Fortschritt der Gattung zu rechtlich verfaßter Gesellschaft wird ihr dank der eigenen Natur zur Aufgabe, die sie durch alle Widerstände hindurch und von Spannungen gerade gestärkt selber lösen muß. Der Rechtszustand garantiert für das äußere Verhältnis der Subjekte zueinander im Rahmen ihrer empirisch-praktischen Beziehungen, was für die innere Willensbestimmung das Sittengesetz ohnehin verlangt: die eigene Freiheit als Anerkennung der Freiheit aller aufzufassen. Daß der Rechtszustand im kosmopolitischen Weltmaßstab hergestellt werde, ist das letzte Ziel des historischen Prozesses. Hier würde Geschichte enden, weil die menschliche Gattung nichts mehr zu perfektionieren fände.

Für Kant wie für Herder zeigt sich Geschichte als die Dimension der Selbstwerdung des Menschen als humaner Gattung. Eingespannt zwischen die ursprüngliche Naturausstattung und das letzte Ziel vollendeter Sittlichkeit bewegt sich die Menschheit durch Stadien ihrer Entwicklung über eine unendliche Vielzahl einzelner, miteinander verwobener, in empirischer Konkretion vollzogener, eine antagonistische Spannung austragender Handlungen. Die Gesamtheit dieser Handlungen heißt Geschichte, sofern sich im Blick auf die umfassende Einheit des Weltbürgertums darin ein regelmäßiger Gang entdecken oder zumindest während des Verlaufs unterlegen läßt. Der Zusammenhang, der alle Handlungen zur Einheit der Geschichte fügt, bildet sich erst aus dem Beitrag, den die je für sich realisierten, vom Einzelsubjekt verantworteten und der Eigenlogik des besonderen Handlungsvollzugs folgenden Akte zur Erstellung des Ganzen leisten.

Wäre dieser Bildungsprozeß durch einen genauen Plan vorgeschrieben, so verwandelte sich reale Geschichte in einen rationalen »Roman«, wie Kant warnt.[23] In Wahrheit exekutiert Historie aber kein deutliches Projekt. Weder zollt die einzelne Handlung bloß, ohne es zu wissen, einen funktionalen Tribut, noch läßt sich aus der Summe aller Handlungen minutiös ein evolutionärer Fahrplan erstellen. Der Sinn der Geschichte im Ganzen gründet sich auf Hoffnungen und Annahmen, die uns begleiten, wenn wir in beschränktem Gesichtsfeld historischer Lagen handeln. Wir sollen uns vom Skeptizismus nicht dazu überreden lassen, die Freiheit für eine Täuschung zu halten. Sofern wir nicht akzeptieren, daß Vernunft den Einzelnen bei seinem Handeln zwar leitet, die Gattung aber im Stich läßt, bleibt nur das Vertrauen, daß die historische Gesamtpraxis der Menschen mit Aussicht auf eine Erfassung des Zusammenhangs zu betrachten ist, obwohl unserem beschränkten Wissen die tiefere Endabsicht der Natur verborgen bleibt.

Gerade weil uns als den handelnd an Geschichte Beteiligten definitives Wissen versagt ist, bietet sich die Kategorie der Erzählung an. Die Unzulänglichkeit strenger Theorie bei gleichzeitigem Angewiesensein auf praktisch motivierte Totalitätserwartung verweist uns auf das strittige Feld darstellerischer Vermittlung von Freiheit und Empirie. Mit den bescheidenen Möglichkeiten des Wissens, die Geschichte eröffnet, müssen wir uns begnügen. Die am Humanitätsideal orientierte Geschichtsauffassung von Herder und Kant verbleibt also im Horizont des *praktischen Selbstverständnisses* handelnder Menschen, die sich als Glied in der einheitlichen Kette aller Handelnden denken wollen. Diese Orientierung limitiert ganz umstandslos die theoretischen Ansprüche. Das ändert sich erst, als Geschichte in die innere Konstruktion der Transzendentalphilosophie selber einwanderte.

Anmerkungen

1 Zur Begriffsgeschichte siehe H. Lübbe, *Säkularisierung*, Freiburg 1965.

2 Augustinus, *De Civitate Dei*, XVIII 1: »ambae utique in genere humano, sicut ab initio simul, suo procursu tempora variaverint.«

3 Vgl. bereits den 1662 am französischen Hofe gehaltenen »Sermon sur la providence«, der es als kluge Überlegung empfiehlt, die scheinbar ordnungslose Zufälligkeit in den menschlichen Dingen auf die wohl bedachten »Maximen« einer göttlichen Politik im Vorgriff auf die Ewigkeit zurückzubeziehen: Bossuet, *Sermon sur la mort et autres sermons*, Paris 1970, S. 79 ff., 84 f.

4 Schluß der *Kritik der reinen Vernunft*.

5 K. L. Reinhold bemerkt dazu in seinen *Briefen über die kantische Philosophie* (1786/87), Hg. R. Schmidt, Leipzig 1924, S. 36: »Unter diesen Umständen steigt das Ansehen der Geschichte in eben dem Verhältnisse, als das Ansehen der Metaphysik sinkt, die man jener nie so scharf in Rücksicht nicht nur auf ihre Objektivität, sondern auch auf Zuverlässigkeit, Brauchbarkeit und Einfluß entgegengesetzt hat.«

6 R. Koselleck, *Vergangene Zukunft*, a.a.O.

7 K. Löwith, *Weltgeschichte und Heilsgeschehen*, Stuttgart ³1953.

8 Vgl. J. Habermas, »K. Löwiths stoischer Rückzug vom historischen Bewußtsein«, in: *Theorie und Praxis*, Neuwied 1963.

9 Blumenbergs nachdrücklicher Widerruf der Säkularisierungsthese erfolgt im Namen der *Legitimität der Neuzeit*, Frankfurt/M. 1967. Hinter der Verteidigung des selbständigen Rechts der Aufklärung steht ein polemisches Motiv, das auf den ungenannten Heidegger als Vertreter einer vernünftig nicht ergründbaren, originären »Seinsgeschichte« zielt. (S. 159 f.)

10 Löwith, *Heidegger, Denker in dürftiger Zeit*, Göttingen ²1960, bes. S. 44 ff.

11 Löwith, *Von Hegel zu Nietzsche*, Stuttgart ⁴1958, S. 78 ff.

12 Vgl. meine Studie *Theorie und Praxis – eine nachhegelsche Abstraktion*, Frankfurt/M. 1971.

13 Seit B. Croces Buch *Die Philosophie G. Vicos* (1910), Tübingen 1927, wo Croce allerdings Herder das Verdienst des »Begründers der Geschichtsphilosophie« im strengen Sinne einräumt (S. 122).

14 Vgl. zuletzt I. Berlin, *Vico and Herder*, London 1976.

15 Herder, *Werke in zwei Bänden*, München o. J., Bd. II, S. 11, vgl. S. 33, 46, 51.

16 Über Thomas Abbts Schriften (1768), von dem Historiker J. v. Müller 1809 herausgegeben, in: Herder, *Sämtliche Werke*, Tübingen 1829, Bd. XV, S. 17 f.

17 »Wenns mir gelänge, die disparatesten Szenen zu binden, ohne sie zu

91

verwirren – zu zeigen, wie sie sich aufeinander beziehen, auseinander erwachsen, sich ineinander verlieren, alle im Einzelnen nur Momente, durch den Fortgang allein Mittel zu Zwecken – welch ein Anblick! Welch edle Anwendung der Geschichte! Welche Aufmunterung zu hoffen, zu handeln, zu glauben, selbst wo man nichts oder nicht alles sieht!« Herder, *Auch eine Philosophie der Geschichte*, a.a.O. S. 37.

18 Briefe zur Beförderung der Humanität, a.a.O. Bd. II, S. 473. Dem hat Fr. Klingner zu Recht widersprochen, indem er zeigt, daß das römische Wort *humanitas* den gesittet-urbanen Lebensstil meint und nichts mit der menschheitlichen Aufgabe der Geschichte zu tun hat: »Humanität und Humanitas«, in: *Beiträge zur geistigen Überlieferung*, Bad Godesberg 1947.

19 Herder, *Ideen zur Philosophie der Geschichte der Menschheit*, a.a.O. Bd. II, S. 231 f.

20 Kant, *Kritik der reinen Vernunft*, A 832 ff.

21 Vgl. Kant, *Kritik der praktischen Vernunft*, Vorrede.

22 Kant, *Grundlegung zur Metaphysik der Sitten*, bes. A 117 ff.

23 Kant, *Idee zu einer allgemeinen Geschichte in weltbürgerlicher Absicht*, Neunter Satz, A 407.

IV. Geschichte in der
Transzendentalphilosophie

Geschichte bildet wegen ihrer erzählenden Darstellungsform noch kein Bestandstück der transzendentalen Neubegründung des Wissens, mit der Kant die Philosophie revolutionierte. Wie gezeigt, rückt Geschichte zwar in den Blickkreis der Philosophie, zu der sie nie gehört hatte, solange sie unter der klassischen Obhut des Literaturkanons und der Rhetorik stand. Die Rolle, die Geschichte im Kantischen Philosophieren zu spielen beginnt, definiert sich durch den vermittlungsbedürftigen Gegensatz zweier Welten, denen wir als Vernunftwesen und empirisch Handelnde angehören. Vernünftiges Handeln verständlich zu machen heißt für Kant einen Dualismus einzuführen[1], der erst in historischer Perspektive überwindbar scheint. Darüber hinaus eröffnen jedoch *innere Konstruktionsprobleme* der Transzendentalphilosophie einen Weg, auf dem noch nicht bei Kant, aber bei seinen unmittelbaren Nachfolgern der Geschichte eine neue Funktion für transzendentales Philosophieren zufällt.

Die kritische Transzendentalphilosophie Kants und seiner Nachfolger meldet am Theorieparadigma, das seit eh und je von der Metaphysik verwaltet wurde, fundamentale Zweifel an. Der Dogmatismus einer obersten Wissenschaft versinkt im unschlichtbaren Streit dialektischer Widersprüche. Zugleich aber zeigt sich in der neuzeitlichen Entwicklung exakter Wissenschaften ein Modell der Erneuerung für eine künftige Metaphysik, die wissenschaftlichen Maßstäben genügen kann. Die Aufmerksamkeit gilt dabei den apriorischen Bedingungen logischer Art, die für die Konstitution strenger Wissenschaft diesseits möglicher Erfahrung bereits Notwendigkeit besitzen. Diese Notwendigkeit ist ohne alle metaphysischen Versicherungen und bodenlosen Annahmen in sich einsichtig, weil der menschliche Geist nur in sich blicken muß, um sie dort vorzufinden. Der menschliche Geist ist immer schon auf eine ganz bestimmte Weise organisiert, die es möglich macht, in der aposteriorischen Erfahrungsbegegnung mit der Welt wissenschaftliche Erkenntnis zu gewinnen.

Bei der Aufklärung dieser Möglichkeitsbedingungen operiert die Transzendentalphilosophie mit einer *Reflexion*, die als Reflexion nicht den gleichen Status apriorischer Notwendigkeit einnimmt wie das von ihr Aufgedeckte. Den Bedingungen des Erkennens kommt in bezug auf das, wofür sie die Bedingungen schaffen, Notwendigkeit zu. Den tatsächlichen Erkenntnissen, die dank jener apriorischen Bedingungen möglich wurden, kommt eine objektive Gültigkeit zu. Die Reflexion aber, die auf das logisch zwingende Verhältnis zwischen apriorischen Bedingungen und aposteriorischer Erkenntnis aufmerksam macht, hat weder am einen noch am andern Anteil. Sie ist weder von der Art der Möglichkeitsbedingungen für Erkenntnis, noch gar ein Resultat der dadurch ermöglichten Erkenntnis. Genau genommen bildet die Transzendentalphilosophie, die mittels jener eigentümlichen Reflexion ihr kritisches Geschäft übt, nur eine Vorstufe des endgültigen und auf dieser Grundlage in Zukunft zu errichtenden Systems philosophischen Wissens.

Kant selber gedachte der kritischen Grundlegung, für die er berühmt geworden ist, eine doktrinale Vollendung systematischer Art folgen zu lassen, von der aber nur Teile vorliegen. Die Fortsetzung des transzendentalphilosophischen Ansatzes im Frühidealismus stand ganz unter der Erwartung, das von Kant unvollendet liegengelassene Werk konsequent zum Abschluß zu führen. Bei Fichte und Schelling nimmt Transzendentalphilosophie daher alsbald systematische Züge an. Die alte Metaphysik, die Kant wegen des Ungenügens ihrer wissenschaftlichen Ansprüche mit Recht revolutioniert hatte, soll nun endlich in ihr Ziel gelangen. Aus der Kritik wird definitive Wissenschaft. In diesem Prozeß der Umformulierung bleibt allein die Ortsbestimmung der transzendentalen Reflexion offen. Es ist dies für die entschlossenen Systemkonstrukteure auch kein zentrales Problem mehr, nachdem sie den Schritt von der Kritik in die Wissenschaft vollzogen hatten. Immerhin knüpft aber an dieses Restproblem, im Ganzen des Systems die transzendentale Reflexion noch unterzubringen, eine neue Auffassung von Geschichte an.

Geschichte wird zunächst nicht, wie in der abgeschlossenen *Enzyklopädie der philosophischen Wissenschaften* Hegels ein genuiner Teil der Philosophie, die sich mit der objektiven Realität des Geistes beschäftigt. Geschichte bleibt noch ganz im Sinne der alten Auffassung das Atheoretische, das sich der gesetzlichen Erfassung entzieht. Aber als dasjenige, das nicht unter Gesetze apriori zu bringen ist, tritt Geschichte in eine eigens artikulierte

Beziehung zur gesetzlichen und apriorischen Sphäre des Wissens. Der erste, der Geschichte so in die systematisch angelegte Transzendentalphilosophie einbezieht, ist *Fichte* gewesen. In seiner einflußreichen Programmschrift *Über den Begriff der Wissenschaftslehre* (1794), die sogleich auch der philosophischen Entwicklung Schellings das Startsignal gab[2], erörtert er die zeitgemäße Aufgabenstellung einer Philosophie, die Kant zu Ende denkt und daher über die Kritik hinaus zu einer Gestalt wirklichen Wissens vorstößt, die in der überlieferten Metaphysik sich schon angekündigt hatte. Fichte entwirft eine »Wissenschaftslehre«, welche die transzendentale Grundfrage beantwortet, wie Wissenschaft möglich sei, und sie tut dies in wissenschaftlicher Form durch lückenlose Ableitung aus einem letzten Grundsatz. Die Philosophie als Wissenschaftslehre ist die Wissenschaft von der Wissenschaft überhaupt.

Die Wissenschaftslehre rekonstruiert das System des Wissens, das im menschlichen Geiste bereits vorliegt.[3] Sie bringt also einen vorphilosophischen Gehalt, der ohne Zutun des Theoretikers die Form der Vernunft aufweist, in eine neue wissenschaftliche Form. Das an sich Notwendige und Apriorische wird *als* das Notwendige systematisch dargetan. Zwischen Gehalt und Form, menschlichem Geist und philosophischer Wissenschaftslehre vermittelt die transzendentalphilosophische Reflexion. Diese Reflexion kann nur arbeiten unter der Voraussetzung einer Übereinstimmung zwischen beiden Seiten, die dem Unternehmen der Wissenschaftslehre allererst Wahrheit zukommen läßt. Die Voraussetzung kann aber ihrerseits nicht mehr abgeleitet werden, da sie allem Ableiten voranliegt. Daß die Reflexion des Philosophen beim Versuch der Rekonstruktion unseres apriorischen Systems des Wissens sich auf die allgemeinen Strukturen des menschlichen Geistes bezieht, ist systematisch nicht noch einmal sicherzustellen, da die Reflexion als freier, im rekonstruierten System noch nicht enthaltener Akt des Wissens auftritt. Insofern in diesem philosophischen Akt das Wissen sich nur auf sich selbst bezieht, ist die Richtung wohl vorgezeichnet, nicht aber das Ergebnis. Daß das freie Sichrichten des Geistes auf sich etwas Geistiges gewahren wird, darf unterstellt werden. Fraglich ist nur, ob der philosophische Akt auch all das trifft, was zur wissenschaftlichen Erklärung der Wissenschaft nötig ist.

Die verbleibende *Unsicherheit* wird, wie Fichte meint, von der

Geschichte der Philosophie unmittelbar bestätigt, die doch nichts anderes darstellt als eine Folge mehr oder weniger erfolgreicher Bemühungen des menschlichen Geistes, sich selber zu begreifen. An sich liegt im Geist alles offen da, er muß nur darauf kommen, und das geht langsam vor sich. »Er kommt durch blindes Herumtappen zur Dämmerung und geht erst aus dieser zum hellen Tage über.«[4] Im Hochgefühl der transzendentalphilosophischen Erneuerung zögert Fichte nicht, das Ziel jenes Weges nun in Reichweite zu sehen. Daß es aber einer langen Folge von Bemühungen bedurfte, um den Geist zu sich zu bringen, zeigt die lange Geschichte, die eine endlich zur Wissenschaftslehre gereifte Philosophie im Rücken hat. Im historischen Gang der philosophischen Bemühung spiegelt sich noch für das System, das sich selber Abschlußcharakter zuspricht, die Unsicherheit, ob die intendierte Rekonstruktion wirklich trifft. So muß denn die Übereinstimmung zwischen menschlichem Geist und Vernunftsystem, auf die hin allein die transzendentale Reflexion erfolgen kann, eine unbeweisbare Annahme bleiben, die sich nur im Erfolg aufs Ganze gesehen bewähren kann.

An dieser für den Systemgedanken sensiblen Stelle der Argumentation rekurriert Fichte über die fachinterne Erinnerung an Philosophiegeschichte hinaus auf das Konzept der fortschreitenden Gattungsgeschichte, worin das 18. Jahrhundert seine Erwartung einer moralischen und kulturellen Vervollkommnung formuliert hatte. Kants Geschichtsphilosophie in pragmatischer Absicht, die die planvolle Entfaltung der Vernunftanlagen im Entwicklungsprozeß der Gesamtgattung ins Auge gefaßt hatte, steht Pate. Die Leitvorstellung ist die sukzessive, durch ein unbestimmbares Mehr oder Weniger hindurch verlaufende Identifikation des wirklichen Menschen mit seiner Vernunftbestimmung. Hatte Kant sich noch gehütet, dergleichen transzendentalphilosophisch zu begründen und daher mit vollem Bedacht seine geschichtsphilosophischen Ideen der aufgeklärten Schriftstellerei überantwortet, so bricht Fichte mit dieser Einteilung der Gattungen nach theoretischen Gesichtspunkten strenger Begründung bzw. populärer Belehrung. Die moralische Vervollkommnung der Gattung in der Geschichte erscheint nun in den immanenten Systemaufbau der Transzendentalphilosophie überführt. Dabei treten wichtige Änderungen im Geschichtskonzept ein. Geschichte ist nicht länger die vernünftig angesehene Universalgeschichte, sondern die philosophische *Geschichte des zu sich als System kommenden menschlichen Geistes.*

Geschichte erschließt den Spielraum einer Reflexion, die in ihrer Arbeit einer Vermittlung des ansichseienden Geistes mit seiner philosophischen Rekonstruktion zwar zielorientiert verfährt, aber keinen Regeln notwendiger Ableitung unterliegt. Die Spanne zwischen Ziel und Bewährung deutet Fichte in geschichtsphilosophischen Metaphern. »Ist unsere Wissenschaftslehre eine getroffene Darstellung des Systems (des menschlichen Geistes), so ist sie schlechthin gewiß und infallibel, wie jenes; aber die Frage ist eben davon, ob und inwiefern unsere Darstellung getroffen sei; und darüber können wir nie einen strengen, sondern nur einen Wahrscheinlichkeit begründenden Beweis führen. Sie hat nur unter der Bedingung und nur insofern Wahrheit, als sie getroffen ist. Wir sind nicht Gesetzgeber des menschlichen Geistes, sondern seine Historiographen, freilich nicht Zeitungsschreiber, sondern pragmatische Geschichtsschreiber.«[5] Da der Transzendentalphilosoph nicht vorschreibt, sondern rekonstruiert, wie die allgemeinen Strukturen des menschlichen Geistes aussehen müssen, liegt Notwendigkeit nur auf der Seite jener Strukturen, nicht aber im reflektierenden Tun des Philosophen, der jene Notwendigkeit nachzeichnet. Abgeleitet wird nur, was ohnehin apriorische Geltung beanspruchen kann. Der freie Akt des Philosophen bringt hier nichts an Gewißheit hinzu, sondern folgt der Logik eines an sich schon Gewissen. Für diese merkwürdige Mischung aus Freiheit im reflektierenden Tun und Notwendigkeit in der Rekonstruktionsaufgabe dient Historie als ein Schlüssel.[6]

Es klingt wie eine Variation dieser Motive, wenn der junge *Schelling*[7] in einer Fingerübung zur Frage »Ist eine Philosophie der Geschichte möglich?« (1797/98) das Haben von Geschichte schließlich zu einer Angelegenheit des Nichthabens einer apriorischen Theorie macht. Dahinein löst er nämlich die früheren Vorstellungen einer Naturgeschichte und einer menschlichen Gattungsgeschichte auf. Die neue systematische »Universalwissenschaft« der Idealisten hatte den Gegensatz von Philosophie und Erfahrung, wie er im alten Titel einer Meta-physik zum Ausdruck kommt, aufgehoben. Philosophie behandelt nicht, was »jenseits« der physischen Welt liegt. »Das Objekt der Philosophie ist die wirkliche Welt.« Die Naturphilosophie, die Schelling in jener Zeit konzipiert, bringt die theoretische Erfahrung auf einen einheitlichen Begriff. Leistet die Geschichtsphilosophie Analoges für den Bereich praktischer Erfahrung? Offenbar nicht, wenn man unter Erfahrung hier das Nichtverfügbarsein eines Gesetzeswissens verstehen muß. Dies aber ist unvermeidlich, solange der Umstand, daß der Mensch Geschichte hat, so viel bedeutet wie, daß er noch unvorhersehbar Erfahrungen machen muß.[8]

Die *Erfahrung* im Praktischen machen wir im gleichen Grade, wie die Herrschaft von Gesetzen aussteht. Gesetze aber gibt es nicht für eine Geschichte, die im Sinne Kants als freie Annäherung an ein Ideal der Gattung bestimmt wird. Dieser Progreß gehorcht keiner von Anfang an existierenden und durchweg gültigen Regel. »Wenn also der Mensch Geschichte *(a posteriori)* hat, so hat er sie nur deswegen, weil er keine *(a priori)* hat; kurz, weil er seine Geschichte nicht mit-, sondern selbst erst hervorbringt. ... Es wird für uns ... alles zur Geschichte, was wir nicht apriori bestimmen können.« Da der Erfahrungsbereich im gegebenen Fall der Mensch selber ist und nicht die Natur, so scheint, »daß wir Geschichte haben, Werk unserer Beschränktheit« zu sein. Das Aufgeben der Beschränktheit, die uns fesselt, im vollständigen Verfügen über uns selbst macht aus dem Aposteriori der Erfahrung das Apriori der Theorie. Die systematische Philosophie wäre dann an einen Endpunkt gelangt, wo Wissen und Wirklichkeit übereinstimmen. »Je mehr sonach die Grenzen unseres Wissens sich erweitern, desto enger werden die Grenzen der Geschichte.«

Offenbar hängen unsere Wissenspotenz und unsere Geschichtsdependenz zusammen. Solange der Endpunkt bruchlosen Wissens nicht erreicht ist, solange sind wir in der Kenntnis unserer selbst auf unerwartet neue Erfahrung angewiesen, und solange wird es Geschichte geben. Wenn es nun Geschichte gibt, weil das Wissen unserer selbst mangelhaft ist, dann brächte umgekehrt die Vervollkommnung des Wissens im systematischen Sinne die Geschichte zum Stillstand. Wenn aber im vollständigen System schließlich Geschichte überhaupt verschwindet, ist eine Philosophie der Geschichte ein in sich widersinniges Unterfangen, denn den Gegenstand gibt es nur, solange das Wissen fehlt. Schelling folgert, daß Philosophie der Geschichte aus diesem Grunde unmöglich ist. Wir schließen daraus, daß Geschichte sich auf den *Wissensmangel* reduziert, der das idealistische Systemprogramm an einer wichtigen Stelle heimsucht. Der Mangel an Wissen betrifft nämlich die Sicherheit, mit der das System den fraglichen Gegenstand erfaßt. Der Mangel läßt ihn existieren, die Beseitigung des Mangels bringt den Gegenstand hingegen zum Verschwinden. Der beunruhigende Rest an Unsicherheit bei aller großen Geste philosophischen Konstruierens beweist, daß sich systematische Philosophie der ursprünglichen Theorieferne des Geschichtlichen nicht voll entwinden kann.

Diese Tatsache wird eher verdeckt als ihrem eigentlichen Gewicht nach erkennbar, wo Schelling in Verlängerung der Überlegungen Fichtes das Geschichtsdenken methodisch in sein *System des transzendentalen Idealismus* einbaut. Die Vorrede bekundet[9], daß dieses erste System, mit dem Schelling sich als selbständiger Denker vorstellt, zwar die Grundsätze der Fichteschen Wissenschaftslehre bestätigt, aber doch eine Ausweitung vornimmt, insofern »alle Teile der Philosophie in einer Kontinuität« dargelegt würden. Der Impuls zur Vollendung der Transzendentalphilosophie, der Fichte schon gegen Kant in Bewegung setzte, beginnt sich nun gegen Fichte zu richten. Das Mittel der Kontinuitätsstiftung findet Schelling darin, die gesamte Philosophie »als fortgehende Geschichte des Selbstbewußtseins« zu entfalten.[10] Das hat den Interpreten, die die idealistische Philosophie von ihrem Auslaufen in die historische Weltanschauung her deuten, eingängig geklungen und enthält doch Schwierigkeiten, wenn man auf die intendierte Systemkonstruktion achtet.

Der menschliche Geist setzt, Schelling zufolge, alle für ihn nötigen Strukturen im ursprünglichen Akt des Ich, der Selbstbewußtsein schafft. Dieser Akt kommt als ursprüngliche Setzung und Einheitsstiftung nicht eigens zu Bewußtsein. Dazu bedarf es der rekonstruierenden Philosophie, die eine »freie Nachahmung« jenes Aktes in transzendentaler Reflexion ist.[11] Der zweite Akt fällt in die Zeit, denn er folgt dem ersten Urakt, der selber nicht in die Zeit fällt, weil er sie mit setzt. Das Problem besteht für das »philosophische Talent« darin, in der Nachahmung oder Wiederholung genau das zu treffen, was ursprünglich gesetzt war. Eine *freie Wiederholung* im Nachhinein besitzt nicht jene Notwendigkeit, die die ursprüngliche Setzung aller Strukturen begleitet. Hier tritt Geschichte als eine Darstellungsform ein, »diejenigen Handlungen, die in der Geschichte des Selbstbewußtseins gleichsam Epoche gemacht haben, aufzuzählen und in ihrem Zusammenhang miteinander aufzustellen.«[12]

Der Geschichte eignet keine Notwendigkeit, sie ist eine Erzählung vergangener Handlungen im Zeitabstand, zwischen denen sie einen Zusammenhang erst stiftet. Die methodische Adaption einer *historischen Darstellungsform* imitiert den notwendigen Zusammenhang der primären Handlungen des Selbstbewußtseins, die vom Reflexionsakt der Philosophie frei wiederholt werden. Der rekonstruktive Zusammenhang, der an die Stelle der apriorischen Notwendigkeit tritt, wirkt überzeugend durch die Gliederung in »Epochen«, die sich immer nur *ex post* bestimmen lassen. In *Epochen* pflegen wir abschnittweise zusammenzufassen, was an historischem Material in der bloßen Summierung unübersichtlich würde. Die Einführung von Epochenabschnitten in die Geschichte des Selbstbewußtseins ist ein Hilfsmittel für die Herstellung einer Ordnung in der einfachen Sukzession. Keineswegs sollte Geschichtsmetaphorik bereits für die Sache gehalten werden, auf die wir vom Ende her blicken.

Das Selbstbewußtsein »hat« an sich keine Geschichte. Es wird in der Optik des Historischen durch den Philosophen wahrgenommen, der mit seiner freien Reflexion auf das Selbstbewußtsein naturgemäß immer zu spät kommt. Da er im Nachhinein etwas treffen muß, das sich selber gar nicht in Zeitdimensionen abspielt, erscheint ihm das Apriorische gleichsam historisch. Er macht aus der Not eine Tugend, indem er durch das Einführen epochaler Abschnitte gegliedert eine Nacherzählung anspinnt, die einen rekonstruktiven Zusammenhang an die Stelle transzendental-logischer Notwendigkeit setzt. Das Geschichtliche ist mithin ein methodisch umfunktionierter Mangel einer Transzendentalphilosophie, die Systematik anstrebt, aber mit einer Reflexion arbeiten muß, die im System keinen angemessenen Platz findet. Die freie Reflexion auf das Selbstbewußtsein *schafft* durch ihr Auftreten allererst den Zeitabstand, der in einen deduktiven Kontext immer wieder Geschichtsmomente einfließen läßt. Die Nichtbeherrschbarkeit der Reflexion, mit der allein der Transzendentalphilosoph sich den apriorischen Strukturen nähert, die sein Gegenstand sind, stellt ein Element dar, das zwangsläufig aus dem Systemverband hinausfällt.

Man muß sich klar machen, daß der Rückgriff auf Geschichte im methodischen Aufbau des Systems mindestens so sehr ein Indiz für die *Endlichkeit des Philosophierens* ist wie eine siegreiche Erledigung alter Fragen durch die Zauberkraft des idealistischen Ansatzes. Die idealistische Geschichtsphilosophie lesen die meisten wie die kühne Projektion der intuitiven Evidenzen des Geistes auf das historische Material. So entsteht das Bild einer voll durchsichtigen Entwicklungsgeschichte des Geistes zu sich, die die Interessen der Vernunft befriedigen mag und deren »Idealisierung« immer beklagt wurde. Die Apologeten wie die Kritiker des Idealismus sehen sich durch dies Bild gleichermaßen bestätigt. Dennoch zeigt das Bild nur eine Seite des idealistischen Umgangs mit Geschichte, wie er etwa in Fichtes *Grundzügen des gegenwärtigen Zeitalters* (1806) hervortritt. Der bewunderte und umstrittene Modellfall ist und bleibt die Hegelsche Geschichtsphilosophie aus den Berliner Vorlesungen. Durchaus in andere Richtung weist aber *Hegels Phänomenologie des Geistes* (1807), die man nur oberflächlich mit seiner Geschichtsphilosophie gleichsetzen kann, um beides dann auf die einheitliche Linie »idealistischen Geschichtsdenkens« zu bringen. Bevor die Sprache darauf kommt, muß jedenfalls kurz die Stellung der Phänomenologie Hegels geklärt werden.

Die *Phänomenologie* gehört genau genommen in die Reihe jener Verständigungsversuche des idealistischen Programms philosophischer Systembildung hinsichtlich der *methodischen* Mittel. Die Phänomenologie Hegels setzt dort an, wo der frühe Fichte und sein Adept Schelling die transzendentale Reflexion in ihrem eigentümlichen Status zwischen Systemkonstitution und mangelnder Integration in das System einzugrenzen suchten. Der Vergleich mit Geschichtsschreibung bot sich dafür aufgrund von Verfahrenserwägungen an und weniger aus inhaltlichen Gründen. Im Prinzip baut die *Phänomenologie des Geistes* diese Überlegung aus, obwohl sie weit über beiläufige Anmerkungen zum philosophischen Vorgehen hinausgewachsen ist und einen eindrucksvollen »ersten Teil« des Systems selber ausmacht.[13]

Die Lehre von den »Erscheinungsformen« des Geistes ist keine unklar mit Psychologie vermengte Geschichtsphilosophie, wie seit Hayms Abrechnung mit Hegel oft vermutet wurde.[14] Sie ist auch keine ideologisch verzerrte Skizze der gesellschaftlichen Entwicklung der Menschheit, wie man glauben mochte, seit Karl Marx sie mit »dem Standpunkt der modernen Nationalökonomie« verglich.[15] Sie hat, wie jeder Blick auf die in der Gestaltenfolge gänzlich verschobene, vor- und zurückspringende Chronologie zeigt, kein Primärinteresse an der Deutung von Realgeschichte. Ihr Interesse gilt der »Vorbereitung« eines philosophischen Systems[16] durch klärende Auseinandersetzung mit der Reflexion. Die Reflexion bedeutet für die Philosophie nicht nur das Mittel ihrer eigenen Begriffsarbeit, sondern auch eine eigentümliche Herausforderung, weil Reflexion der Struktur nach bereits in allen Gestalten des vorphilosophischen Bewußtseins steckt. Dieser Umstand darf dem Philosophen nicht gleichgültig sein, denn er ist seinerseits auf die Reflexion angewiesen, ohne ausschließliche Verfügungsgewalt darüber anmelden zu können.

Nachdem Hegel in seinem Verdikt über die genialen Prätentionen höherer Weisheit die Unmittelbarkeit intuitiver Erkenntnis als leer entlarvt und der wissenschaftlich gesonnenen Philosophie ein klares Methodenkonzept verordnet hatte, muß die philosophische Reflexion ihr Verhältnis zur Reflexion in allen Formen vorphilosophischen Bewußtseins bestimmen. Sie tut dies, indem sie in den Bewußtseinsgestalten das reflexive Strukturmoment dechiffriert, das diese Gestalten als die gegebenen Weltansichten, die sie jeweils sind, nicht selber zu Bewußtsein bringen. Indem der Philosoph den verschiedenen Bewußtseinsgestalten ihre wahre Reflexionsnatur andemonstriert, hebt er sie schrittweise über das je vorfindliche Niveau hinaus. So bereitet er seinerseits im Interesse des systematischen Philosophierens denjenigen Standpunkt vor, auf dem das System beginnen kann.

Hegel nennt diesen Standpunkt das absolute Wissen und kennzeichnet ihn dadurch, daß er sich nicht länger als eine Bewußtseinsgestalt unter vielen kennzeichnen läßt. Hier spielt nämlich *Reflexion* keine unkontrollierte Rolle mehr, sondern ist als solche ihrer selbst vollauf bewußt geworden. Erreichen läßt sich der Standpunkt des absoluten Wissens allerdings nur, indem mit dem Mittel einer methodisch eingesetzten Reflexion die Reflexion überhaupt aufgehoben wird. Diese Aufgabe übernimmt die phänomenologische »Darstellung des erscheinenden Wissens«. »Weil nun diese Darstellung nur das erscheinende Wissen zum Gegenstand hat, so scheint sie selbst nicht die freie, in ihrer eigentümlichen Gestalt sich bewegende Wissenschaft zu sein, sondern sie kann von diesem Standpunkt aus als der Weg des natürlichen Bewußtseins, das zum wahren Wissen dringt, genommen werden.« Auf diesem Weg wird die »Reihe der Gestaltungen ... als vorgesteckter Stationen durchwandert«[17], bis der Rekonstruktionsprozeß des erscheinenden Wissens auf dem für das System einzig angemessenen Niveau wahren Wissens endet.

Die Phänomenologie rückt diesen Prozeß in die Dimension der Geschichte, d. h. des »an die Zeit entäußerten Geistes«.[18] Die geschichtliche Ansicht des Geistes korrespondiert seinem bloß erscheinenden Dasein, bevor er ganz als Geist bei sich ist. Die Wahrheit des Geistes wäre der reine »Äther« des Logischen, wo Zeitfaktoren entfallen. Die quasi-historische Vorgehensweise der Phänomenologie hingegen erklärt sich wesentlich aus der Stellung zum System. Die Unverzichtbarkeit des reflektierenden Zugangs für den philosophischen Systemkonstrukteur und die Unangemessenheit dieses Mittels für das Thema wirken zusammen, um die erste Hürde systematischen Philosophierens *vor* dem eigentlichen Systembeginn aufzurichten. Die Geschichte des Bewußtseins darzustellen dient in dieser Lage einer Verständigung im Blick auf das System ohne sichere Verfügung über dessen Kategorien. *Geschichtlich erscheint, was sich noch nicht vollständig theoretisieren läßt.* Die Erscheinungsformen des Geistes sind die uneigentlichen Formen, wo die Wahrheit der Sache nur unzureichend mit den Kräften des reinen Begriffs erfaßt werden kann.

Für diese schwer einzuordnende Sphäre taugt die weniger stringente, auf darstellerischen Zusammenhang gegründete historische Abfolge. Wenn die Phänomenologie also den Geist im Medium der Geschichte bricht, so tut sie dies, weil sie seiner im Rahmen des Systems noch nicht habhaft ist. Solange das bewegliche Spiel transzendentaler Reflexion den Philosophen leitet, ist das methodische Mittel nicht bewältigt. Die Bewältigung des Mittels oder die Einfügung der Reflexion in das System nennt Hegel Spekulation. Dieser Schritt aber steht am Ende einer Geschichte des Bewußtseins, die zunächst ganz durchlaufen sein will. Das Ende der geschichtlichen Darstellungsform oder die Selbstbeherrschung des methodischen Mittels eröffnet den endgültigen Eintritt in das enzyklopädische System. Was davor liegt, ist mit der Gebundenheit an externe Faktoren geschlagen. Im Auge des Philosophen erscheint derjenige Geist als historisch, für den die autonomen Mittel der Theorie nicht taugen. Wenn das zutrifft, muß jedoch deutlich zwischen *Phänomenologie* und *Geschichtsphilosophie* Hegels getrennt werden. »Geschichte« bedeutet für die Vorbereitung des Systems eine besondere Form methodischen Vorgehens, während sie innerhalb des Systems zu einem Gegenstand neben anderen wird.

Anmerkungen

1 Genaueres dazu siehe R. Bubner, *Handlung, Sprache und Vernunft*, a.a.O., S. 139 ff.

2 Vgl. Schelling, *Über die Möglichkeit der Form einer Philosophie überhaupt* (1794).

3 Zum folgenden: *Über den Begriff der Wissenschaftslehre*, § 7.

4 Fichte, *Werke*, Bd. I, S. 73.

5 A.a.O., S. 77 ff.; siehe auch Fichte, *Grundlage der gesamten Wissenschaftslehre* (1794), *Werke*, Bd. I, S. 222.

6 Erstaunlicherweise geht E. Lask in seiner Arbeit *Fichtes Idealismus und die Geschichte* (1902) darauf nicht ein. Die Studie entstand im Zuge des neukantianischen Interesses am Wertproblem, das vor allem bei Rickert das logische Rätsel der Geschichte ins Zentrum rückte. »Wir verfolgen ja bloß, wie sich das Irrationalitätsproblem durch die ganze Entwicklung des deutschen Idealismus hindurchzieht, und betrachten dabei etwas genauer den Weg, den es bei diesem Fortgang durch das Gebiet der fichteschen Philosophie nimmt.« (E. Lask, *Gesammelte Schriften*, Bd. I, 1922, S. 79).

7 Schelling, »Ist eine Philosophie der Geschichte möglich?«, in: *Werke*, Bd. I, S. 464 ff.

8 Vgl. die parallele Formulierung in Schellings nur wenig später erschienenem *System des transzendentalen Idealismus* (1800), *Werke*, Bd. III, S. 588 ff.

9 A.a.O., S. 331.

10 Siehe schon die ähnliche Bemerkung in den *Abhandlungen zur Erläuterung des Idealismus der Wissenschaftslehre* (1796/97), *Werke*, Bd. I, S. 382.

11 *Werke*, Bd. III, S. 395 ff.

12 A.a.O., S. 398.

13 Zu genetischen und konzeptuellen Fragen vgl. R. Bubner, »Problemgeschichte und systematischer Sinn der Phänomenologie Hegels«, in: *Dialektik und Wissenschaft*, Frankfurt/M. 1973. In der Folge stütze ich mich auf die Ergebnisse dieser Untersuchung.

14 R. Haym, *Hegel und seine Zeit* (1857), Leipzig 1927, S. 243.

15 Marx, *Ökonomisch-philosophische Manuskripte* (1844), in: *Frühe Schriften*, Bd. I, Hg. Lieber/Furth, Darmstadt 1962, S. 641 ff., bes. S. 646.

16 Hegel, *Phänomenologie des Geistes*, Hg. Hoffmeister, Hamburg 1952, S. 31.

17 A.a.O., S. 66 f.

18 A.a.O., S. 563; vgl. S. 557 ff.

V. Idealistische Geschichtsphilosophie

Die idealistische Geschichtsphilosophie steht seit langem in schlechtem Ruf. Der Verlust ihres Kredits begann, als zwei Bewegungen sie beerbten: der *Historismus* und die *Junghegelianer*. Die Schule der Historie, die sich erstmals und mit großem Erfolg als Wissenschaft etablierte, und die politische Forderung nach praktischer Veränderung glaubten beide die Sache der Geschichte in den eigenen Händen besser aufgehoben als in der dünnen Luft philosophischer Systeme. Beide sind indes konsequente Erben idealistischer Konzepte: der Historismus, insofern er die Geschichte aus der literarischen Domäne eines belehrenden Erzählens befreit und zum wissenschaftlichen Gegenstand gleichberechtigt neben anderen erhebt; die Programmatik praktischer Vollendung der Weltgeschichte, insofern sie die verwegene Aussicht auf definitiven Abschluß aus Kräften einer von ideologischer Täuschung befreiten Vernunft übernimmt. Nachdem beide Erben meinten, den rationalen Kern der Geschichtsphilosophie gerettet zu haben, blieb dem Ursprung das Odium unkontrollierter Schwärmerei.

Niemand wird bestreiten, daß Fichtes Diagnose des gegenwärtigen Zeitalters, Schellings Weltalterlehre und Hegels Vorlesungen über die Vernunft in der Geschichte genügend Anlaß zum Kopfschütteln des gesunden Menschenverstandes boten. Politische Praktiker wie erfahrene Historiker mußten konstatieren, daß das eigentliche Thema der Geschichte verfehlt und ein recht willkürliches Gedankenspiel an die Stelle getreten sei. Die Willkür ergibt sich aus der Sicherheit der systematischen Konstruktion, die ganz unabhängig von Geschichte aus spekulativen Prinzipien gewonnen ist. Anders als noch jene soeben betrachteten Verständigungsformen der Transzendentalphilosophie über eine Bewußtseinsgeschichte, die sich nicht ableiten, sondern nur erzählen läßt, hat in der nachtranszendentalen Erneuerung der Metaphysik der alte philosophische Absolutheitsanspruch die Führung wieder übernommen. Die idealistischen Systeme zerfallen nach der Grundlegungsarbeit apriorischer Prinzipien in die Realphilosophie der Natur und des Geistes oder der Geschichte. Die Einsicht in die Prinzipien entspringt reiner Vernunft, die nachfolgende Anwendung auf Bereiche der Realität vermag an der einmal gewonnenen Sicherheit des Absoluten nicht mehr zu rütteln. Die Anwendung belegt vielmehr am unterschiedlichen Material die Gültigkeit der Prinzipien, die ohnehin feststeht.

Diese schematische Anlage der Systeme verführt zur Übertragung von Strukturen, die in der Prinzipiensphäre zu Bestimmtheit und Evidenz gebracht sind, auf einen der menschlichen Erfahrung allgemein zugänglichen Bereich. Die Aufschlüsselung dieses Bereichs oder die Deutung des schon verfügbaren Wissens mit Hilfe jener Strukturen gelingt mehr oder weniger überzeugend. Ein besonders umstrittener Fall war seit eh und je die Naturphilosophie Schellings oder Hegels. Wo die Erkenntnis der jeweiligen Sache aus den Strukturen sich nicht einstellen will, mag die suggestive Präsentation oder bildnerische Rede weiterhelfen. Ich will das Problem der Systembildung nicht weiter verfolgen, sondern halte mich zunächst an ein Beispiel, das nicht zu den prominentesten zählt, aber dafür die Problematik idealistischer Geschichtsphilosophie krass beleuchtet. Das Beispiel der Zeitdiagnose des reifen Fichte demonstriert nämlich weitaus extremer als der dafür oft gescholtene Hegel die Vergewaltigung des Themas durch vorgefaßte Begrifflichkeit.

1. Fichtes metaphysische Kontingenzleugnung

Die *Grundzüge des gegenwärtigen Zeitalters* wurden 1804/5 zu Berlin in populären Vorlesungen vorgetragen. Die gewählte Form zeigt, daß Geschichtsphilosophie für *Fichtes* systematisches Interesse keine zentrale Aufgabe war. Sie stellte eher ein Randgebiet dar, wo die längst garantierte Sicherheit der Wissenschaftslehre sich einmal mehr unter Beweis stellen ließ. Gleich eingangs werden die Pflichten klar verteilt: einzig der Philosoph besitzt Einsicht in die Einheit eines Prinzips und nur aus dem kann die Mannigfaltigkeit der Erfahrungen wirklich erklärt werden. Der Empiriker mag mancherlei Phänomene »auffassen und herzählen«, ohne je sicher zu sein, sie alle zu erfassen und einen Zusammenhang herzustellen, der mehr wäre als das tatsächliche Vorkommen in einer Zeit. Der Philosoph entwirft hingegen von aller Erfahrung unabhängig einen Begriff des Zeitalters, um daraus alle Phänomene erschöpfend abzuleiten und die Notwendigkeit ihres

Zusammenhangs darzutun. »Jener wäre der Chronikmacher des Zeitalters, dieser erst hätte einen Historiographen desselben möglich gemacht.«¹ Der Philosoph und nur er allein weiß vor aller Geschichte, was alle Geschichte ist, und nur dies Wissen ermöglicht Wissenschaft.

»Hat der Philosoph die in der Erfahrung möglichen Phänomene aus der Einheit seines vorausgesetzten Begriffs abzuleiten, so ist klar, daß er zu seinem Geschäft durchaus keiner Erfahrung bedürfe und daß er bloß als Philosoph und innerhalb seiner Grenzen streng sich haltend, ohne Rücksicht auf irgendeine Erfahrung und schlechthin apriori ... sein Geschäft betreibe und in Beziehung auf unsern Gegenstand die gesamte Zeit und alle möglichen Epochen derselben apriori müsse beschreiben können. Ganz eine andere Frage aber ist es, ob nun insbesondere die Gegenwart durch diejenigen Phänomene, welche aus dem aufgestellten Grundbegriff fließen, charakterisiert werden. ... Hierüber hat ein jeder bei sich selber die Erfahrung seines Lebens zu befragen und sie mit der Geschichte der Vergangenheit sowie mit seinen Ahnungen von der Zukunft zu vergleichen: indem an dieser Stelle das Geschäft des Philosophen zu Ende ist und das des Welt- und Menschenbeobachters seinen Anfang nimmt.«²

Der Philosoph entwirft einen einheitlichen »Weltplan«, demzufolge die Menschheit ihre Verhältnisse mit Freiheit nach der Vernunft einzurichten hat. Dieses Prinzip, das inhaltlich an die dem Idealismus seit Kants Geschichtsphilosophie gemeinsame Überzeugung anknüpft, tritt hier allerdings durchaus nicht mit der Vorsicht auf, die Kant zufolge der vernünftige Beobachter muß walten lassen hinsichtlich seiner Erwartung einer historischen Erfüllung der sittlichen Vernunftbestimmung. Aller syllogistische Pomp wird aufgeboten, um dem Prinzip schlechthin zwingende Notwendigkeit zu verleihen. Wo die Frage nach der Legitimation der Deduktion auftaucht, zieht Fichte sich hinter die Grenzen möglicher populärer Darstellung zurück und erklärt, »für den höheren Aufschwung der Spekulation« ergäbe sich dies aus dem Überirdischen und Ewigen.³ Die Transzendenz begründet also die ganze Geschichte hienieden und aus dem Einheitsbegriff des »ewigen Lebens« soll folgen, was das irdische Leben an Aufgaben praktischer Selbstverwirklichung übernimmt. Dies alles weiß der Philosoph bereits und so kann er leicht fünf Epochen deduzieren, die den ursprünglichen Einheitsbegriff in Untereinheiten aufspalten. Fichte zufolge steht die Gegenwart in der dritten Epoche, nämlich derjenigen der Aufklärung. Wer etwa noch Fragen nach dem auf die Weise möglichen Zuwachs an historischer Erkenntnis verspürt, dem wird eine verblüffende Auskunft zuteil.

»Ob nun das Ihrem Auge gegenwärtige wirkliche Leben also aussieht, wie dasjenige, welches mir apriori und geleitet lediglich durch die Regeln des Schlusses, aus dem Prinzip erfolgt, diese Beurteilung fällt Ihnen anheim, und Sie urteilen auf Ihre eigne Verantwortung; und was Sie hierüber auch sagen mögen oder nicht sagen mögen, so will ich wenigstens keinen Teil daran haben. Habe ich es nach Ihrem Urteile getroffen, so ist das recht und gut, habe ich's nicht getroffen, so haben wir doch wenigstens philosophiert.«[4] Der Philosoph dekretiert aus einer Prinzipiensphäre heraus, die er sich vorbehält. Ob die der Deduktionslogik genügenden Behauptungen etwas mit Geschichte zu tun haben, schert ihn nicht. Hier mag jeder aufgrund eigener Lebenserfahrung urteilen. Sieht er sich zufällig bestätigt, so ist es recht, andernfalls verschlägt die Enttäuschung wenig; denn auch die Philosophie, die nichts Verständliches zur Geschichte sagt, bleibt doch Philosophie und wer ihr lauscht, dessen Mühe wird nicht verloren sein. Daß solche Kathedererklärungen der Philosophie den guten Willen der Hörer überfordern, ist leicht begreiflich.

Auf begriffliche Weise kommt die tiefe Unfähigkeit der Fichteschen Wissenschaftslehre zur Geschichtsphilosophie an späterer Stelle klar zum Ausdruck. In der neunten Vorlesung beginnt Fichte die »Bestimmung des Wesens der Geschichte mit einem metaphysischen Satz: was da nur wirklich da ist, ist schlechthin notwendig da, und ist schlechthin notwendig also da, wie es da ist, es könnte nicht auch nicht da sein, noch könnte es auch anders da sein, als es da ist.«[5] Werden, Vergehen, Veränderung sind undenkbar, im Reiche des schlechthin notwendigen Seins ist jegliche *Kontingenz* ausgeschlossen. Nun besteht Geschichte aber aus dem ständigen Wandel, in dem nichts bleibt, weil nichts schlechthin notwendig ist, weder in seinem Dasein noch in seinem Sosein. Alles Historische kann eintreten oder ausbleiben und es könnte auch anders ablaufen, als es tatsächlich geschieht. Die Kontingenz ist ein Wesenszug der Geschichte. Wer dies wie Fichte vollständig auf die Seite der Empirie schlägt und in seiner Theorie zu verarbeiten nicht bereit ist, kann philosophisch zur Geschichte gar nichts sagen. »Das faktische Dasein in der Zeit erscheint als anders sein könnend und darum zufällig, aber dieser Schein entspringt aus der Unbegriffenheit.«[6] Die Beseitigung der Unbegriffenheit setzt Begreifen an die Stelle der Empirie, nur ist nichts mehr zu begreifen, wo die kontingente Natur des historischen Geschehens einem falschen Ansatz der *Metaphysik* zum Opfer fiel.

»Der Philosoph, der als Philosoph sich mit der Geschichte befaßt, geht jenem apriori fortlaufenden Faden des Weltplans nach, der ihm klar ist ohne alle Geschichte; und sein Gebrauch der Geschichte ist keineswegs, um durch sie etwas zu erweisen, da seine Sätze schon früher und unabhängig von aller Geschichte erwiesen sind: sondern dieser sein Gebrauch der Geschichte ist nur erläuternd und in der Geschichte darlegend im lebendigen Leben, was auch ohne die Geschichte sich versteht.«[7] Die Geschichte, wofern sie bloß noch der beiläufigen Erläuterung an sich wahrer metaphysischer Sätze dient, hat allen historischen Charakter aufgegeben, der die Kontingenz gerade zum Problem begrifflicher Anstrengung macht. Geschichte verkümmert zur Beispielsammlung einer moralisch gestützten Theologie oder einer theologisch begründeten Forderung vernünftiger, ewig gleicher, absolut geltender Welteinrichtung.[8]

Als Reservoir für plastische Erläuterungen aus dem lebendigen Leben »bedient (der Philosoph) sich der Geschichte allerdings nur, inwiefern sie zu seinem Zwecke dient, und ignoriert alles andere, was dazu nicht dient. . . . Dieses Verfahren, welches in der bloßen empirischen Geschichtsforschung durchaus tadelhaft sein und das Wesen dieser Wissenschaft vernichten würde, ist es nicht an dem Philosophen; – wenn und inwiefern er den Zweck, dem er die Geschichte unterwirft, unabhängig von der Geschichte schon vorher erwiesen hat.«[9] In der Tat löst eine solch radikale Trennung von Begriff und Empirie Geschichte als philosophischen Gegenstand eigenen Rechts auf. Was der Philosoph dazu sagen kann, weiß er ohnehin, so daß auf die beliebige Erläuterung dieses Vorwissens durch passend ausgewählte historische Beispiele ebensogut Verzicht zu leisten wäre. Die Erkenntnis der Geschichte kommt um keinen Schritt voran, wenn der philosophische Begriff sich seinem Gegenstand nicht auszusetzen bereit ist.

2. Hegels methodische Kontingenzverarbeitung

Ein vergleichbares Bedenken ist im Falle *Hegels* fehl am Platze. Hegels Geschichtsphilosophie nimmt innerhalb des Idealismus den höchsten Rang ein, weil Geschichte für sie nicht bloß ein Exerzierfeld apriorischer Wahrheiten aus dem Fundus des Systems darstellt. Die Philosophie Hegels hat sich tiefer als jede andere auf Geschichte eingelassen. Den Grund dafür sollte man nicht allein in einem verfeinerten historischen Sinn des Autors oder in einer verbreiteten Zeitstimmung suchen, die durch die Beobachtung beschleunigten Wandels in den politischen Zuständen irritiert war. Das entscheidende Gewicht, das die Geschichte in der Philosophie Hegels bekommt, erklärt sich gerade aus den systematischen Interessen, die er mit seinen Zeitgenossen teilt. Die vor seinen Augen sich zutragende Überholung der systematischen Absolutheitsansprüche auf dem kurzen Wege von Kant über Reinhold und Fichte zu Schelling offenbarte, daß alle Systematik hinterrücks von Geschichtlichkeit ereilt wird. So endgültig wie jeweils behauptet, kann ein philosophisches System nicht sein, wenn stets die Füße derer, die es hinaustragen, schon vor der Tür stehen.

Blindheit gegenüber den geschichtlichen Bedingungen des Philosophierens ist also ein *Mangel des Systems.* Um der systematischen Verläßlichkeit willen und nicht aus externen Motiven einer historischen Sensibilität muß Philosophie, die ihrer Aufgabe als Vernunftwissenschaft gerecht werden will, selber in ein geklärtes Verhältnis zur Geschichte treten. Die *Phänomenologie des Geistes* erfüllt als erster Teil des Systems diese Funktion, indem sie mit der Durchmusterung der Gestalten des erscheinenden Wissens die historische Dimension des Geistes zum Thema macht. Hier ist kein streng systematisches Vorgehen möglich, denn die Phänomenologie muß im Vorgriff auf den zu erreichenden absoluten Standpunkt allererst jene Erscheinungsformen des Wissens nacheinander abhandeln, die ihrerseits nicht absolut zu nennen sind, weil sie unter ihnen selbst nicht bewußten Bedingungen auftreten. Philosophie, die Wissenschaft sein will, besinnt sich auf Geschichte, die wissenschaftlicher Theorie entzogen ist, zum Zwecke der »Vorbereitung« des Systems. Wieso auf diesem Wege eine Klärung der Rolle transzendentaler Reflexion erreicht wird, ist oben erörtert worden.

Von der phänomenologischen Darstellung des erscheinenden Wissens im Vorfeld des Systems muß die Geschichtsphilosophie als eigenständiger Teil des enzyklopädischen Systems deutlich unterschieden werden. Die Hegel-Lektüre hat die Differenz meist vernachlässigt, seit im 19. Jahrhundert nach Hegels Tod der Streit um den wahren Sinn seiner Philosophie ausbrach. Phänomenologie und Geschichtsphilosophie schienen Hand in Hand zu gehen bei dem Begründer der Historie als Wissenschaft. Marx hat nicht umsonst die Phänomenologie als die »wahre Geburtsstätte und das Geheimnis der hegelschen Philosophie« gepriesen;[10] hierin die »Produktionsgeschichte« der Menschheit obzwar in idealistischer Verkehrung wiederzuerkennen paßt aufs Genauste zu dem neuen Programm: »Wir kennen nur eine einzige Wissenschaft, die Wissenschaft der Geschichte.«[11] Hegels eigene Theoretisierung der Geschichte auf dem erreichten Niveau eines Systems philosophischer Wissenschaft[12] ruht indes auf anderen Grundsätzen als der phänomenologische Durchlauf durch die Erscheinungsformen, in denen der Geist sich nur in historischen Brechungen zu zeigen vermag, weil er noch nicht ganz bei sich ist.

Die Geschichtsphilosophie Hegels steht unter der viel zitierten *Prämisse*, daß »bei allem, was wissenschaftlich sein soll, die Vernunft nicht schlafen (darf) ... Wer die Welt vernünftig ansieht, den sieht sie auch vernünftig an.«[13] Diese Prämisse enthält zunächst keine Aussage über das Wesen der Geschichte. Sie bestimmt nicht inhaltlich den Gegenstand, sondern leitet die Betrachtung in die philosophisch angemessene Richtung. »Der einzige Gedanke, den die Philosophie mitbringt, ist der einfache Gedanke der Vernunft.« Da die Philosophie von Hause aus gar nicht anders könne, als die Welt im Lichte dieses einfachen Gedankens zu betrachten, so folgt daraus die Erwartung, daß es »auch in der Weltgeschichte vernünftig zugegangen sei. Diese Überzeugung und Einsicht ist eine Voraussetzung in Ansehung der Geschichte als solcher überhaupt, in der Philosophie selbst ist dies keine Voraussetzung.«[14] Die spekulative Erkenntnis rein in sich genommen versichert die Philosophie der Identität von Form und Inhalt, worauf das Unternehmen gründet, das mit vernünftigen Mitteln allein die vernünftige Substanz der Welt enthüllen will. Was im Herzen des philosophischen Systems sich als die Wahrheit der Sache selbst erweist[15], muß aber in Ansehung der Geschichte als eines besonderen Gegenstands philosophischer Untersuchung wie eine notwendige Voraussetzung mitgebracht werden.

Der philosophische Blick auf die Geschichte fordert daher, die Spuren der Vernunft im Gange der historischen Entwicklung aufzusuchen. Man kann die Geschichte durchaus anders ansehen, wie die Tradition der Historiographie belegt, die Hegel kurz erwähnt. Es gibt ursprünglich die empirische Geschichte, die Geschehenes im Stile des Herodot, Caesar oder Guicciardini berichtet, es gibt weiterhin die pragmatische Geschichte, die Belehrung aus der historischen Erfahrung zieht, und neuerdings kommt das quellenkritische Verfahren hinzu, das die Fachhistoriker betreiben. All diese Einstellungen haben gegenüber der Geschichte ihr Recht. Sie unterscheiden sich aber von der philosophischen Hinwendung zur Geschichte dadurch, daß in jenen nicht-philosophischen Weisen Vernunft gar keinen Gesichtspunkt bildet. Es ist der von Hause aus an Vernunft orientierte Philosoph, der nicht anders kann, als durch seinen Blick auf Geschichte diese zum Rang eines Vernunftgegenstandes zu erheben.

Soviel hatte auch Fichte behauptet, als er den Philosophen gegen den Empiriker abhob. Die Differenz tritt allerdings klar hervor, wenn man sich vergegenwärtigt, was das voraussetzungsvolle Herangehen an Geschichte mit dem Vernunftgedanken bedeutet. Die wissenschaftliche *Aufgabe* beginnt nämlich nun erst, insofern man die Geschichte begrifflich zu lesen lernen muß. Hegel legt Wert auf die Bescheidung, daß der Philosoph keine apriorische Geschichte erfinden dürfe. An die Stelle tatsächlicher Ereignisse sind keine rationalen Entwürfe zu setzen.[16] Der übliche Einwand, Hegel habe einen logischen Fortschritt der Geschichte aus dem Kopfe herausgesponnen, trifft nicht zu.[17] Wohl aber soll durch das philosophische Interesse aus der unübersichtlichen Fülle der Einzelheiten, aus den zahllosen Partikularitäten, den gegebenen Umständen, ungeregelten Leidenschaften und Verläufen ohne erkennbares Ziel ein sinnvoller Zusammenhang gestiftet werden.

Die philosophische Geschichtsbetrachtung will die im Gange der Welt auffindbaren Vernunftmomente gegenüber der Masse unwesentlicher Ereignisse herausheben. *In* der Geschichte ist die Vernunft geradewegs aufzusuchen, so daß sie in keine transzendente Prinzipiensphäre entschwindet, der gegenüber das historische Material von vornherein beliebig sein muß und höchstens Beispielcharakter annimmt. Geschichte verkümmert nicht wie bei

Fichte zur Exempelsammlung einer moralischen Weltordnung oder eines göttlichen Heilsplans. Die Vernunftmomente in der Geschichte zu entdecken heißt ihrer historischen Wirksamkeit nachspüren. Die historisch wirksam gewordene Vernunft zeichnet sich freilich nur ab, wenn man das an sich Vernunftlose aus der Geschichte eliminiert. Die Philosophie dringt daher mit Konsequenz auf *Vertreibung des Zufalls* aus der Geschichte. Zwar konstruiert sie keine Vernunftgeschichte aus der Machtvollkommenheit eines durch und durch rationalen Systems. Sie vermag aber um ihrer selbst willen das Element der Kontingenz in der Geschichte nicht zu dulden, denn das hieße jeder vernünftigen Ansicht des Weltlaufs sogleich wieder absagen.

»Die philosophische Betrachtung hat keine andere Absicht, als das Zufällige zu entfernen. Zufälligkeit ist dasselbe wie äußere Notwendigkeit, d. h. eine Notwendigkeit, die auf Ursachen zurückgeht, die selbst nur äußerliche Umstände sind. Wir müssen in der Geschichte einen allgemeinen Zweck aufsuchen, den Endzweck der Welt, nicht einen besonderen des subjektiven Geistes oder des Gemüts, ihn müssen wir durch die Vernunft erfassen, die keinen besonderen endlichen Zweck zu ihrem Interesse machen kann, sondern nur den absoluten.«[18] Die Zufälligkeit stört die philosophische Betrachtung als das ihr schlechthin entzogene Andere. Zufällig heißt etwas, dessen Notwendigkeit nicht eingesehen werden kann, weil seine Ursachen nur als äußere Umstände eintreten, aber ebenso auch ausbleiben können, so daß sich das zufällig Eintretende nicht aus selbständig faßbaren und benennbaren Gründen erklären läßt. Zufällig ist dasjenige, dessen Existenz zur Erklärung einlädt, ohne sie je zu befriedigen. Weil es stets auch anders hätte kommen können, bietet das Zufällige keinen bleibenden Gehalt. So gilt es der Vernunft als Skandalon, denn ihre ureigenste Suche nach Gründen kommt bei ihm nicht zur Ruhe.

Die Vertreibung des Zufalls aus der Geschichte ist keineswegs gleichzusetzen mit der *Leugnung* seiner Rolle im historischen Prozeß, sondern mit der Weigerung, sich philosophisch mit dieser Rolle abzufinden. Es genügt der Philosophie nicht festzustellen, daß der Zufall historisch eine Rolle spielt, denn darin erfährt sie die Grenze ihrer eigenen Kompetenz. Wenn die Einräumung des Zufalls bedeutet, daß man gewisse Geschehnisse nur so erklären könne, daß man auf restlose Aufklärung verzichtet, wandelt sich der Zufall von einem Geschichtsfaktor zu einem Problem rationaler Selbstbegrenzung. Die objektive Rolle des Zufalls kann dann zur methodischen Aufforderung an die Geschichtsphilosophie umgedeutet werden, ihrerseits den irrationalen Rest begrifflich aufzulösen.

Hegel findet aus dem Dilemma, den Zufall als störendes Element im verstehbaren Geschichtszusammenhang nicht durchstreichen zu können, aber ebensowenig hinnehmen zu dürfen, einen geschickten Ausweg. Die Vollständigkeit historischer Erklärung ist nicht dadurch zu erkaufen, daß man den Realitätsgehalt des Zufalls wohlfeilen Fiktionen opfert. Der Mangel an objektiver Erklärbarkeit, den der Zufall darstellt, wird vielmehr aufgefaßt als eine *Ergänzungsbedürftigkeit,* die nur durch das *Tun der Theorie selber* erfüllt werden kann. Im Sinne dieser methodischen Umdeutung sind die kühnen Thesen vom Triumph des Weltgeistes oder der Offenbarung Gottes in der Geschichte zu lesen, mit denen Hegel bei nüchternen Lesern soviel Anstoß erregt hat.[19]

Das Zufällige, die Partikularitäten, die kein Ganzes bilden, die endlichen Zwecke der Subjekte, die mit ihren jeweiligen Interessen keinem größeren Plan gehorchen, die zusammenhanglosen Ereignisse, die bloß eintreten und jenseits ihrer Faktizität auf nichts verweisen – dies alles gibt dem philosophischen Betrachter, der mit dem Blick der Vernunft an das historische Material herantritt, zur interpretierenden Verknüpfung Anlaß. Der Endzweck, der die Masse des überschaubaren Materials der Geschichte verständlich zusammenbindet, ist für den Historiker ungreifbar. Ihn bringt der Philosoph bei, der mit einer Vorgabe der im geschichtlichen Material offen gebliebenen Sinnbestimmung arbeitet. Er allein vermag dies, weil er kraft des systematisch erwiesenen Gedankens der Vernunft über eine begriffliche Struktur verfügt, die Einheit gerade aus Unterschieden aufzubauen. »Die Vernunft ist das ganz frei sich selbst bestimmende Denken.«[20]

Entscheidend ist hier das Merkmal der *Selbstbestimmung.* Die Bestimmungen, die sich von der Einheit, die sie alle umfaßt, unterscheiden, unterscheiden sich von ihr nur aufgrund der Einheit selber. Das heißt, es ist Leistung der Einheit, sich von sich so zu distanzieren, daß Bestimmungen überhaupt unterscheidbar werden, statt in einem unerkennbaren Grau-in-Grau zu verschwinden. Die Differenz zwischen der Einheit und den ihr gegenüber ausmachbaren Bestimmungen entspringt keiner äußeren Beobachtung, die beides gegeneinander hält und von einem dritten Standpunkt aus erst Differenzierung zwischen Einheit und Bestimmungen möglich macht. Die Freiheit, von der Hegel spricht, ist das Selbstsetzen der Bestimmungen durch die Vernunft an ihr selber. Sie unterliegt keinen fremden Eingriffen, die ihre ursprüngliche Einheit zersetzen, sondern läßt aus eigener Kraft Bestimmungen zu, die sie in Beziehung auf sich erhält und in denen sie daher nur sich selber konkretisiert. Die selbstgesetzten Bestimmungen sind die Formen, durch die die Vernunft sich verwirklicht und bereichert, ohne ihre ureigenste Einheit aufzugeben.

Dieses Modell einer Selbstbestimmung als Aufbau von Konkretion durch die Vermittlung zwischen der Einheit und ihren Bestimmungen weist zunächst gar *keine spezifisch historischen* Konnotationen auf. Es handelt sich um die dialektische Natur des Begriffs, der sich mit dem ihm Andern vermittelt und in dieser Vermittlung gerade sich selber konstituiert. Vom philosophischen Betrachter der Geschichte wird das Modell der innerlich vermittelten Selbstbestimmung auf die zusammenhanglose Masse der historischen Gegebenheiten übertragen, die nach sinnvoller Verknüpfung rufen. Die historischen Einzelheiten, die je für sich genommen Erscheinungen des Zufalls sind, weil die Ergründung ihrer Existenz an Grenzen des Irrationalen stößt, lassen sich nun auffassen als Bestimmungen, in denen ein großer, alle historischen Ereignisse umfassender Zusammenhang sich selbst konkretisiert und verwirklicht. Die Einzelheiten, Partikularinteressen oder rein faktischen Geschehnisse treten in ein hoch komplexes, aber durchgängiges Muster ein, insofern in ihnen die Bestimmungen erkennbar werden, durch welche die freie Vernunft sich selber Gestalt verleiht. Es ist die Frage nach dem sinnvollen Zusammenhang, der kein philosophischer Betrachter der Geschichte ausweichen kann, welche zu einer Interpretation der Einzelheiten im Rahmen einer sich selbst in bestimmter Konkretion herstellenden Einheit führt.

Die vernünftige Struktur, die das Ganze aller Einzelbestimmungen als Ganzes denken läßt, untersteht nicht noch einmal einer höheren Zwecksetzung. Die Herstellung des sinnvollen Zusammenhangs, der sich in seiner Konkretion selber trägt, ist auch sich selber Zweck. So sind die umstrittenen Äußerungen Hegels zu verstehen, daß die Vernunft der absolute Endzweck der Geschichte sei. Niemand wird übersehen, wie sehr die theologisch-metaphysischen Töne, die von Vorsehung und Theodizee, von Offenbarung und göttlichem Weltregiment reden, die werbende Rhetorik der Anfangsvorlesungen über die Philosophie der Geschichte prägen. Dennoch scheint mir die Auslegung in Richtung auf eine der Philosophie eigentümliche *Methode* angesichts des historischen Faktenmaterials den Kern der hegelschen These zu treffen, ohne Abstriche am Gehalt vorzunehmen. Jedenfalls vermag die methodisch akzentuierte Auslegung den massiven Einwand[21] zu korrigieren, Hegels Geschichtsphilosophie sei schlechterdings »substantialistisch« und versäume bei ihren Aussagen über das Wesen der ganzen Geschichte die logische Analyse der Begriffe, mit denen wir angesichts der Geschichte operieren. Gerade dies ist nämlich ihr Hauptanliegen, wie begrifflich sinnvoll über Geschichte zu reden sei.

Mißverständlich ist in dem Zusammenhang aber die Rede von *Mittel und Zweck*. Hegel sagt[22], daß primär die Geschichte aus Handlungen, Einzelinteressen und privaten Charakteren der tätigen Subjekte besteht, während »diese unermeßliche Masse von Wollen, Interessen und Tätigkeiten die Werkzeuge und Mittel des Weltgeistes (sind), seinen Zweck zu vollbringen«. Die Werkzeuge wissen nichts von dem »Höheren, das sie bewußtlos vollbringen«, wie es nicht zur Natur eines Mittels gehört, daß in ihm der Zweck bereits präsent ist, dem es dient. Mittel eignen sich nämlich zu verschiedenen Zwecken, so daß erst der effiziente Einsatz eines Mittels zu einem bestimmten Zweck über die Bestimmtheit des leitenden Zwecks entscheidet. So gesehen steht aber der Zweck nicht jenseits der Mittel an und für sich fest. Das Zweck-Mittel-Verhältnis stellt sich innerhalb des konkreten Zusammenhangs her, wo die Geltung des Zwecks sich in dem Maße bewährt, wie die Rekrutierung der Mittel gelingt. Es ist mithin der historische Prozeß selber, in dem das Verhältnis von Mittel und Zweck sich bildet. Da dieser Prozeß in allem Geschichtsverlauf im Gange ist, können Richtung und Sinn auch nicht an den primären Elementen bereits abgelesen werden.

Kein mit sich und seinen Interessen beschäftigtes Subjekt, kein Einzelhandeln, kein singuläres Ereignis verrät als solches schon den Beitrag, den es im historischen Fortgang zur Bildung eines größeren Zusammenhangs erbringt. Ähnliches gilt von den großen Individuen, die antiker Vorstellung gemäß als Heroen bezeichnet werden, in moderner Terminologie aber nüchterner »die Geschäftsträger des Weltgeistes« heißen.[23] Indem sie wie Caesar und Napoleon ihre eigenen Pläne verfolgen, verändern sie die Welt auf eine Weise, die an der Zeit war. Daß sie einen historischen Schritt vollbrachten, ohne es zu wollen, weiß man erst im Nachhinein bei der Überschau, die den beteiligten Individuen noch verwehrt war. Die »List der Vernunft« besteht gerade darin, sich nicht ins Weltgetümmel zu stürzen, um den Anspruch der Allgemeingültigkeit in Konkurrenz mit den Partikularitäten unmittelbar durchzusetzen. Die Individualitäten und Besonderheiten arbeiten sich vielmehr solange aneinander ab, bis der größere Zusammenhang vor Augen tritt, der von der Position des ins Geschehen verwickelten Einzelnen gar nicht zu definieren wäre. Indem Einzelnes gegen Einzelnes steht, relativiert es sich wechselweise und fällt so durch sein eigenes Tun dem Reich des Zufälligen anheim.[24]

Die philosophisch betrachtete Geschichte leugnet nicht das Zufällige, sie überhöht es auch nicht künstlich, um dem Irrationalen den falschen Glanz des Vernünftigen zu leihen. Das Opfer der Individualitäten, der Einzelzwecke und Privatinteressen, die je für sich nicht zum Zuge kommen, weil es ihrer zu viele gibt, ist gerade der Tribut, den das Zufällige der Bildung größerer Ordnungen zollt. Indem das Zufällige sich *als zufällig*, d. h. als für sich allein haltlos und unbegründbar erweist, macht es dem Nicht-Zufälligen Platz, das für die Einheit der Geschichte geradesteht. Zwar ist Geschichte mehr als die Häufung bloßer Zufälle, aber sie ist dennoch kein der Sphäre historischer Einzelheiten gegenüber Transzendentes, das der Herrschaft der Kontingenz von Anfang an enthoben wäre. Geschichte ist der Zusammenhang, der sich herstellt, indem das viele Zufällige seine Isolation verliert, so daß eine Unterscheidung von Zufall und Notwendigkeit überhaupt erst möglich wird. Die tatsächlichen Ereignisse geben, indem sie fallweise ihre Begründungsschwäche enthüllen, den Blick frei auf Zusammenhänge, die sich aus der Verknüpfung der Einzelheiten durch Aufhebung von deren vermeintlichem Eigenrecht konstituieren und deshalb gegenüber dem bloß Zufälligen das höhere Recht der organisierenden Zwecke reklamieren. »Das Recht des Weltgeistes geht über alle besonderen Berechtigungen.«[25]

3. Folgeprobleme

In der Einsicht, daß die konkrete Vermittlung eine dem Begriff angesichts des historischen Materials zugemutete Aufgabe stellt, die ihm keine apriorischen Dekrete abzunehmen vermögen, zeigt sich die Überlegenheit der Hegelschen Geschichtsphilosophie gegenüber ihren Vorgängern. Zugleich liegt hier die Gefahr einer Verwechslung des Ganges der Geschichte mit dessen philosophischer Ansicht. Der alte Streit um das Verhältnis von *Theorie und Praxis* im Gefolge des Hegelschen Systems legt davon Zeugnis ab. Zwar ist die Zweck-Mittel-Relation ein logisches Instrument zur Strukturierung von Zusammenhängen derart, daß umfassende Ordnungen sich erst bilden, wenn die Einzelheiten, aus denen sie sich aufbauen, ihre Gleichgültigkeit gegeneinander aufgeben. Ist deshalb aber der zweckhafte Zusammenhang, in welchem der Betrachter den Sinn der Geschichte sucht, der verborgene Zweck der in der Geschichte Handelnden, der sich gegen ihr beschränktes praktisches Selbstverständnis schließlich durchsetzt? Dem Philosophen bietet die Geschichte ein vernünftiges Antlitz, insofern der synthetischen Kraft des Begriffs die historischen Einzelheiten nicht durch das abstrakte Insistieren auf ihrer faktischen Existenz widerstehen können. Ist aber der Zufall aus den historischen Ereignissen schon deshalb vertrieben, weil man ihn im Nachhinein sinnhaft deuten kann?

Der vernünftige Endzweck entspringt der Erwartung des *Theoretikers*. Er war niemals der Zweck, den ein historisches Handeln für sich verfolgte, und konnte das gar nicht sein, weil in keiner praktischen Situation das Wissen der Späteren vorausgesetzt werden kann. Jedes *Handeln* muß in einer gewissen Situation unter verschiedenen Möglichkeiten wählen und läßt unvermeidlich bei der bestimmten Zwecksetzung all das außer Acht, was auch anders hätte sein können. Da das Handeln gemäß unserer Analyse sich in einem Felde bewegt, das vollständiger Bestimmbarkeit entbehrt, weil man nicht handeln könnte, wenn alle Bestimmung schon gesetzt wäre, begleitet der Zufall alles Handeln. Das praktische Setzen einer Bestimmtheit im Verfolgen eines gewählten, besonderen Zwecks beschwört das kontingente Eintreten dessen herauf, was man nicht gewollt hat, was man jedoch ebensowenig ausschließen kann. Daß die praktischen Dinge so und ebensogut anders sein können, bedeutet die Chance des Handelns und das

Schicksal des Handelns ineins.

Sicher verliert der Zufall den Überraschungseffekt, wenn man im Nachhinein aufgrund besseren Wissens den Verlauf im Zusammenhang überblickt. *Unmöglich ist aber die Antizipation dieses Wissens in der jeweiligen Handlungssituation.* Die Vorwegnahme des besseren Wissens ex post wäre nämlich soviel wie der Sprung aus der Handlungssituation heraus. Wüßte man, was man als Handelnder nicht wissen kann, so entfiele die Nötigung, unter der Bedingung, daß alles auch anders sein könnte, bestimmte Zwecke zu verfolgen. Müßte man nicht im Unbestimmten Bestimmungen setzen, wäre man auch jener Kontingenz enthoben, die die Realisierung der einmal gesetzten Zwecke im tätigen Vollzug begleitet und das Ergebnis unerwartet modifiziert. Die Verfügung über das Wissen, das den Theoretiker der Geschichte auszeichnet, ist mehr als die Erweiterung der Information im Sinne weiser Vorausschau über die situationsabhängigen Grenzen hinweg. Die Antizipation dessen, was man nicht wissen kann, weil es erst eintreten muß, spiegelt eine Lage vor, in die ein Handelnder prinzipiell nicht geraten kann.

Falls das zutrifft, verläuft die gängige Theorie-Praxis-Diskussion an der falschen Front. Es geht nicht darum, das geschichtsphilosophische Wissen des Theoretikers in die entschlossene Tat umzusetzen oder die Führungsrolle des Weltgeistes in die Hände der richtigen sozialen Gruppe zu legen. Die Verwechslung, die kritisch aufzuklären ist, besteht nicht zwischen dem Kopf des Denkers und dem Leben der Gesellschaft. Die Verwechslung besteht zwischen der *historischen Handlungssituation* und einer *Sinnstiftung ex post.* Die Zwecke, die der Betrachter im größeren Zusammenhang geschichtlicher Prozesse entdeckt, kann kein Handeln zu seinen eigenen machen, weil Handeln nicht im praktischen Vollzug schon jetzt realisieren kann, was später einmal als historisches Ereignis Epoche machen wird. Die Kontingenz, die dem Handeln in der historischen Dimension anhaftet, löst sich daher auch niemals auf in einen Beitrag zur historischen Konkretisierung allgemeiner Strukturen. Die List der Vernunft, die die Partikularitäten eben deshalb Partikularitäten sein läßt, um an ihnen auf lange Sicht die eigene Souveränität beweisen zu können, ersetzt zu keiner historischen Zeit die praktische Klugheit, die das je fällige Tun anleitet und anleiten muß.

Die Kluft zwischen dem Theoretiker der Geschichte und dem in der Geschichte Handelnden resultiert folglich nicht aus ideologischer Verblendung. Die Kluft wird vom geschichtlichen Prozeß als solchem gerissen und ist innerhalb der Geschichte keinesfalls zu schließen. Eine *zeitliche Distanz* trennt notwendig denjenigen, der über Geschichte nachdenkt, von dem Gegenstand seines Nachdenkens. Die Distanz bleibt erhalten, solange der Gegenstand bleibt, was er ist. Die Geschichte, die begriffen werden soll, muß immer erst eingetreten sein, bevor über sie zu reden ist. Folglich kommt die Theorie immer zu spät. Wenn sie auftritt, weiß sie zwar mehr, als die Praxis wußte, die ihr Thema ist, doch aus demselben Grunde erreicht sie ihr Thema nie wirklich im Stande empirischer Unbefangenheit. Die perspektivische Verzerrung des historischen Gegenstands in der theoretischen Betrachtung markiert die Begrenztheit allen Geschichtswissens. Weil das Thematisierte seinerseits noch in jeden Akt der Thematisierung durch den unüberbrückbaren Zeitabstand eingreift, den die Geschichte selber schafft, bleibt die Theorie der Geschichte, ob sie will oder nicht, der Geschichte ausgeliefert. Sie muß sich das als Mangel an ungeschmälerter Objektivationsfähigkeit eingestehen. *Eine fundamentale Voraussetzung der Angemessenheit des theoretischen Zugriffs auf Geschichte besteht also im Eingeständnis der Unangemessenheit des theoretischen Zugriffs in Ansehung dieses Gegenstands.*

Geschichte muß erst geschehen, bevor man sie begreifen kann. Der Zeitfaktor ist nicht zu vernachlässigen, wie im Falle gesetzmäßig ablaufender Naturereignisse, die zu allen Zeitpunkten vergleichbar und im Prinzip auch experimentell wiederholbar sind. Die wissenschaftliche Erklärung aus Gesetzen betrachtet die in Frage kommenden Ereignisse allesamt als Instanzen einer gültigen Regel. Sollte sich ein historischer Aspekt einstellen, so sinkt er auf die psychologische Ebene der Umstände herab, unter denen ein Forscher ein Protokoll seiner Beobachtung aufschreibt. Bei dem genaueren Vergleich, der oben angestellt wurde, erwies sich der Zeitfaktor in Forscherprotokollen als unbedeutend, der bei der Erzählung oder Niederschrift geschichtlicher Ereignisse gerade wesentlich ist.

Wir werden im nächsten Kapitel sehen, daß die unterschiedlichen Versuche, die Eigenart von Geschichtstheorie auf methodologische Weise zu definieren, dem Problem ebenfalls nicht voll gewachsen sind. Sie stellen nämlich die Möglichkeitsbedingungen eines theoretischen Zugangs zu *Einzelheiten* ins Zentrum, nicht aber den uneliminierbaren *Zeitfaktor*. Innerhalb der Logik der Wissenschaft läßt sich zwar die Differenz des Allgemeinen und Besonderen abgrenzen, wie es seit der neukantianischen Distinktion des Nomothetischen vom Idiographischen Schule gemacht hat. Was sind aber die logischen Mittel zur wissenschaftstheoretischen Kontrolle des zwischen Theorie und Gegenstand anzusetzenden Zeitabstands? Der Abstand muß sich in der Tat erst einstellen, bevor die Theorie aktiv werden kann, und diese faktische Abhängigkeit weicht keiner methodologischen Reflexion auf die formalen Grundlagen des Theoriegeschäfts.

Die Schwierigkeit steckt nicht so sehr in der adäquaten Bestimmung des Gegenstands und der entsprechenden methodologischen Ausrüstung. Die Schwierigkeit liegt tiefer und betrifft die zweifelhafte Eignung der Geschichte zur *Vergegenständlichung* überhaupt. Jede Theorie muß etwas von ihr Unterschiedenes als ihren Gegenstand annehmen, der in diesem Unterschiede während der Arbeit der Theorie festzuhalten ist. Der Zugriff auf das Theorieobjekt darf das Objekt nicht unterderhand verändern oder auflösen. Das Was der Theorie muß im theoretischen Akt nach wie vor benennbar bleiben, andernfalls wäre die theoretische Intention auf Erkenntnis sinnlos oder man liefe bloß Hirngespinsten nach. Die Unterscheidbarkeit von Theorie und Gegenstand gilt es sogar zu erhalten, wenn eine *dialektische* Vermittlung angestrebt ist. Jene Theorien, die sich Erkenntniszuwachs versprechen durch Aufhebung der strikten Grenze von Theorie und Gegenstand können gar nicht umhin, die Grenze vorauszusetzen, um sie dann einer ausdrücklichen Vermittlung zu unterziehen. Nach dialektischem Vorbild verfahren im historischen Felde die verstehende Einfühlung in Personen und Sinngebilde oder die hermeneutische Anverwandlung der Traditionsgehalte. Beides gelingt, wenn die Differenz, die den Gegenstand des Verstehens dem Akt des Verstehens gegenüber stellt, zunächst vorausgesetzt wird, um im Verstehensprozeß sich als vorläufig oder scheinbar zu erweisen.

Die Eignung der Geschichte zum Gegenstand von Theorie wirft aber ein anderes Problem auf. Hier geht es nicht allein darum, abstrakte Grenzen aufzuheben und Erkenntnis in einer Vermittlung dialektischer Art zu suchen. Die ursprüngliche Zusammengehörigkeit von Geschichtsobjekt und erkennendem Subjekt im

Namen des verbindenden Geistes, des strömenden Lebens oder der tragenden Wirksamkeit der Tradition kann nicht das letzte Wort sein. Der Zeitabstand zwischen Geschichtsverlauf und historischem Rückblick schmilzt in keiner Versöhnung oder Anamnesis vollends dahin. Ohne den Zeitabstand, der das historisch Sichzutragende und dessen Vergegenwärtigung scheidet, höbe sich der Gegenstand ganz und gar auf. Es gäbe keine Geschichte mehr, der irgendeine Theorie sich widmen könnte, wenn dem besseren Wissen der Späteren das unsichere Handeln der Früheren nicht vorangegangen wäre. Hätte man damals gewußt, was man jetzt weiß, wäre Praxis unter dem Risiko der Kontingenz gar nicht vollzogen worden. Hätte unter kontingenten Bedingungen niemand gehandelt, wären keine Ereignisse eingetreten, die es zu berichten gibt. Ohne den erzählenden Bericht über Vergangenes fände endlich der Theoretiker an Geschichte kein Thema.

Der wesentliche Zeitabstand gilt umgekehrt auch für die Ausrichtung auf *Zukunft*. Die naheliegende Frage, wie das erworbene historische Wissen der Theorie auf kommende Praxis Anwendung findet, ist zutiefst paradox. Das Handeln der Gegenwart steht jetzt und in aller Zukunft unter denselben grundsätzlichen Bedingungen, unter denen das vergangene Handeln stand, nämlich praktische Setzung von Bestimmtheit im Bereich des Anderssein-könnens zu vollziehen bei Gefahr konstitutiver Kontingenz. Man kann zwar, wie seit eh und je gefordert, »aus der Geschichte lernen«, indem gemachte Erfahrungen von der Urteilskraft des Praktikers passend auf neue Lagen übertragen werden. Solche Analogiebildung hat aber stets nur Wahrscheinlichkeit auf ihrer Seite und gehört zu den Leistungen kluger Überlegung, die die vernünftige Orientierung des praktischen Handelns übernimmt.

Wer hingegen unterstellt, daß das inzwischen angesammelte und sozusagen von Jahr zu Jahr wachsende Wissen der theoretischen Beschäftigung mit Geschichte jenseits der pragmatisch genutzten Geschichtsschreibung weiterhilft, täuscht sich. Die *Theorie* der Geschichte erschließt überhaupt keine *Anwendungsdimension*, denn seit Geschichte ein Gegenstand der Erkenntnis geworden ist, gilt ihr praktischer Nutzen im Sinne der Belehrung als obsolet. Aus der begriffenen Geschichte ist für das konkrete Handeln überhaupt nichts zu lernen. Theorie der Geschichte und historische Praxis stehen Rücken an Rücken. Nur unter einer besonderen Annahme erschiene die Lage gewandelt. Da der extreme Charakter dieser Annahme nach längerer Vertrautheit kaum noch auffällt, verdient er, zu Bewußtsein gebracht zu werden. Erst die Annahme nämlich vom *Ende der Geschichte* im bisher bekannten Sinne würde Theorie ohne Abstriche auf Geschichte übertragbar machen. Könnte man mit dem Abschluß des »naturwüchsigen« Geschichtsprozesses oder der »Vorgeschichte« als eines Übergangsstadiums zu universalen Rechts- und Versöhnungsverhältnissen rechnen, dann freilich bräche das goldne Zeitalter an.

Aus dieser zukünftigen Geschichte neuer Art, wie auch immer man sie sich vorstellen mag, wäre aber die Praxis in ihrer konkreten Gestalt vertrieben. Eine Geschichte, die ohne Rest unter die Botmäßigkeit strenger Theorie geriete, müßte das Historische *technisch* ansehen. Die Metamorphose der Praxis in Planung wäre damit eingeleitet. Der Druck einer Praxisverpflichtung unter Kontingenzbedingungen machte der Realisierung theoretisch begründeter Zukunftsplanung Platz. Die Entlastung von Praxis durch uneingeschränkte Vorausschau, mit anderen Worten die Überlistung der Fortuna gehört schon zu den alten Träumen der Menschheit. Das technische Pathos der Neuzeit hat die Hoffnungen auf Errichtung eines schlechthin rationalen Zustandes auf Erden verstärkt. Die überreizte Geschichtserwartung im Soge historischer Beschleunigungserfahrung schließlich hat dazu verführt, die eschatologische Endzeitperspektive in die Jetztzeit als politische Forderung einzusetzen.

Seither ist uns bis in den Alltag hinein der Glaube selbstverständlich geworden, Geschichte ließe sich steuern, wenn nur die richtige Wissenschaft das Ruder übernähme. Der unaufhaltsame Siegeszug der Sozialwissenschaften im öffentlichen Bewußtsein hinge aufs Engste mit der Aussicht auf technische Erfolge zusammen. Die von der Theorie vollständig erfaßte Geschichte verliert alle Unsicherheit des frei verantworteten und kontingenzbedrohten Handelns, falls sie als Planungsaufgabe neu aufersteht. In dieser Geschichte geschieht nichts mehr, das als Eintreten unerwarteter Ereignisse gedeutet und in Erzählungen zu berichten wäre. Die Ausführung jedes wissenschaftlich entworfenen Plans nimmt einen Schritt für Schritt voraussehbaren, folgerichtigen Gang, der alles genuin historische Interesse verliert. Die geschichtslose Langeweile der geplanten Weltabläufe ist der Preis für die Sicherheit, nicht mehr handeln zu müssen. Nach aller menschlichen Erfah-

rung bleibt das aber ein Traum, dessen ursprünglich hoffnungs-
frohe Farben sich inzwischen weitgehend verdüstert haben.

Diese allgemeinen Überlegungen setzen uns nun instand, die
bereits erwähnte Fortsetzung der Hegelschen Geschichtsphilosophie in den zwei Richtungen zu prüfen, in denen das Konzept
einer theoriefähig gewordenen Geschichte auch nach Verabschiedung des systematischen Vorbilds weiterlebt. Zum einen knüpft
der *Historismus* als die Überzeugung von der wesenhaften Geschichtlichkeit alles Wirklichen an das Konzept an. Besonders
deutlich demonstrieren das die Vertreter einer theoretischen Reflexion des epochebestimmenden historischen Bewußtseins, die
wie Droysen oder Dilthey mit der idealistischen Spekulation
unter Berufung auf die wirkende Realität der Geschichte selber
brechen. Während der Historismus vorwiegend an der Vergangenheit orientiert ist, richtet die andere Fortsetzung des Hegelianismus den Blick nach vorn. Die Theorie von der Geschichte
begründet für die *Junghegelianer* eine klare Zukunftsgestaltung,
indem vom erreichten Standpunkt eines im Hegelschen System
vollendeten historischen Wissens die Konsequenz der Tat verlangt wird.

Der Zusammenhang, den Hegel dem einfachen Gedanken der
Vernunft zutraute, wenn er sich nur auf das vielfältige Material
historischer Fakten und Einzelheiten einließe, kehrt bei Droysen,
dem Methodologen der Geschichtswissenschaft, als die zentrale
Kategorie der *Kontinuität* wieder. Geschichte ist das Schaffen von
Kontinuität durch die Reihe der Tatsachen und die Phasen des
Ablaufs des Geschehens hindurch. Die Kontinuität[26] findet sich
nicht als Wesen der Geschichte im Objekt unserer Betrachtung
vor, sondern ist gerade erst das Ergebnis der Beschäftigung der
Gedanken mit Geschichte. »Die Kontinuität der fortschreitenden
geschichtlichen Arbeit und Schaffung ist das Allgemeine und
Notwendige, welches die einzelnen Tatsachen der Geschichte
verbindet und jeder in ihrer individuellen Art ihren Wert gibt. . . .
Diese Kontinuität ist nicht Entwicklung, denn da wäre die ganze
Folgereihe schon keimhaft in den ersten Anfängen präformiert,
sondern mit der Arbeit erst wachsen die Kräfte. . . . In dieser
Kontinuität und Steigerung hat die geschichtliche Welt ihren Gedanken und ihre Wahrheit.«[27]

Was mit der historischen Arbeit gemeint ist, wird noch klarer,
wenn man beachtet, daß sie nicht einfach aus der Summe der

Taten besteht, die von den ihren Interessen folgenden und ihrer Partikularität gemäß handelnden Individuen ausgehen. Die geschichtliche Arbeit entspringt der Interaktion von Gedanken und Zuständen. Was das geschichtliche Bewußtsein zur geschichtlichen Realität beisteuert, das bringt eigentlich erst jene Kontinuität hervor, die erlaubt, im vollen Sinne von Geschichte zu reden. Unter Berufung auf Hegels Geschichtsdialektik[28] und in Abkehr von den quasi-naturalen Entwicklungsanalogien à la Herder schreibt Droysen: »Die Geschichte ist das Bewußtwerden und Bewußtsein der Menschheit über sich selbst. Die Epochen der Geschichte sind nicht die Lebensalter dieses Ich der Menschheit – empirisch wissen wir nicht, ob es altert oder sich verjüngt, nur daß es nicht bleibt, wie es war oder ist –, sondern Stadien seiner Selbsterkenntnis, Welterkenntnis, Gotterkenntnis.«[29]

Das angemessene Verhalten des methodisch aufgeklärten Historikers angesichts einer Geschichte, die aus der unermüdlichen Arbeit der Gedanken an den Zuständen ihre Kontinuität gewinnt, nennt Droysen das *Verstehen*. Nur im Verstehen erschließe sich dem Menschen das Wesen des Menschen. »Unser historisches Verstehen ist ganz dasselbe wie wir den mit uns Sprechenden verstehen.«[30] Der Historiker bringt so zur Vollendung, was die Geschichte vorantreibt. Die historische Kontinuität, in der die einzelnen Tatsachen zum Ganzen verknüpft werden, ist eine Leistung des Gedankens, der darauf wartet, im korrespondierenden Verstehen des Historikers eine Antwort zu finden. Der in der Geschichte wirksame Gedanke und das nachfolgende Verständnis seiner schließen sich zu einem dialogischen Kreis zusammen. Geschichte gelangt als verstandene Geschichte in ihr Telos. Dieser Grundsatz der Hermeneutik, der über Dilthey bis zu Gadamer weitergereicht wird, hat offenkundig eine Hauptquelle in Hegels Geschichtsphilosophie.

Ebenso vertraut ist die andere Linie, auf der Hegels Geschichtsphilosophie über den junghegelianischen Ruf nach Praxis, die marxsche Übersetzung der Dialektik in eine ökonomische Fortschrittslogik bis in den reflektierten Neomarxismus unserer Tage Erben gefunden hat. Als einer der ersten schwingt *A. von Cieszkowski* sich zum Fortsetzer Hegels und damit sogleich zum Kritiker des Meisters auf. Hegel lasse den letzten und konsequenten Schritt vermissen, der seine Geschichtsphilosophie zur Totalität der gesamten Geschichte ausweite, in die auch die Zukunft miteinbezogen sei. Die behauptete Notwendigkeit der dialektischen Gesetze erzwinge eine Demonstration, die das bisherige Geschehen auf das noch bevorstehende Ende der Geschichte hin überschreite. Der Beweis der Gültigkeit der theoretischen Erkenntnis müsse daher in einer praktischen Gestaltung der Zukunft liegen. Die »Philosophie der Tat« sei an der Zeit.

Hegel hatte der Philosophie dazu verhelfen wollen, ihren alten Namen einer »Liebe zum Wissen« aufzukündigen zugunsten eines entschlossenen Anspruchs auf wirkliche Wissenschaft.[31] Cieszkowski hofft, dieser Wissenschaft, die halbherzig bei der theoretischen Erfassung der Vergangenheit stehen geblieben sei, auf die praktischen Sprünge zu helfen und verkündet die Verschmelzung von Historie und Philosophie zur »Historiosophie«. »Die Gesetze (der Dialektik) tragen in sich selbst das Kriterium ihrer Notwendigkeit; dagegen wird die Geschichte, dieser Prüfstein aller Spekulationen, uns dieselben sub specie aeternitatis in der Sphäre der Taten offenbaren müssen.«[32] Diese Taten der Zukunft sind »nachtheoretische Taten«, denn sie entstammen dem praktischen Umschlag einer die gesamte Geschichte durchdenkenden Theorie.

Die fragliche Theorie ist Hegels Geschichtsphilosophie, die als solche einen historischen Wendepunkt darstellt, weil sich von ihr her die noch offene Zukunft als das Feld der zu vollziehenden Totalität der Geschichte vorweg bestimmen und folgerichtig gestalten läßt. Eine systematisch aufs Ganze zielende Theorie muß den Mut fassen, auch diejenigen Schranken historischer Endlichkeit, die sie selber in ihrem Auftreten begrenzen, durch Einbeziehung der noch ausstehenden Zukunft hinter sich zu lassen. »Wir legen hier hauptsächlich den Akzent auf das *Wesen* (der Zukunft), weil nur dieses und gerade in diesem Falle der Gegenstand der Philosophie sein kann; denn das notwendige Wesen kann sich in einer unendlichen Menge von seienden Zufälligkeiten offenbaren, welche immer willkürlich bleiben müssen und daher in ihren Einzelheiten nicht vorauszusehen sind.«[33]

Mit dieser Unterscheidung von *wesentlicher Tendenz* und *zufälligen Erscheinungen* sichert der Historiosoph sich gegen den naheliegenden Einwand ab, daß niemand das Kommende mit Sicherheit vorherzusagen vermöge. Was im einzelnen geschieht, bleibt zufällig und daher philosophisch irrelevant. Die allgemeine und notwendige Richtung, in der die Weltgeschichte ihrem Telos zustrebt, kann und muß jedoch derjenige wissen, der die Geschichte unter der Voraussetzung des philosophischen Gedankens der Vernunft ansieht. Die Vernunft als absoluter Endzweck im hegelschen Sinne setzt Totalität und die macht in der historischen Dimension zeitlicher Erstreckung die Antizipation der Zukunft unausweichlich.

Cieszkowski denkt auf radikale Weise Hegels Ansatz zu Ende, und er hat bei dem Versuch eine Reihe Nachfolger bis auf den heutigen Tag gefunden. Cieszkowski entzieht sich mit der Unterscheidung notwendiger Tendenzen von zufälligen Ereignissen aber auch dem regelmäßigen Protest derer, die vom tatsächlichen Geschehen die groß angelegte Prognose nicht bestätigt oder gar widerlegt sehen. Damit ist der gängig gewordenen Sophisterei Tür und Tor geöffnet, die die konkrete Realisierung im inzwischen eingetretenen Geschichtsverlauf als uneigentlichen Schein und die wahre Zukunft als noch bevorstehend deklariert. Allerdings verwirklicht sich Geschichte nur in den konkreten Handlungen, denen stets ein kontingentes Element anhaftet. Will man darauf verzichten, bleiben Projekte oder Parolen zurück, die um so leerer werden, je mehr sie aller Erfahrung zuwider die eigentliche Wirklichkeit für sich reklamieren. Schon Kant hatte ironisch die Frage gestellt: »Wie ist eine Geschichte apriori möglich? – Antwort: wenn der Wahrsager die Begebenheiten selber macht und veranstaltet, die er zum voraus verkündet.«[34]

Anmerkungen

1 Fichte, *WW*, Bd. VII, S. 5.
2 A.a.O., S. 6 f. Unter Berufung auf dieses Zitat protestiert Ranke: »Sollte dies Verfahren richtig sein, so würde die Historie alle Selbständigkeit verlieren: sie würde von einem Lehrsatz aus der Philosophie schlechthin regiert werden; aber mit der Wahrheit desselben stehen und fallen. Alles ihr eigentümliche Interesse würde verschwinden....« (*Idee der Universalhistorie*, hg. v. E. Kessel, *Historische Zeitschrift* 178, 1954, S. 293).
3 Vgl. Fichte, a.a.O. S. 240 f.
4 A.a.O. S. 19.
5 A.a.O. S. 129.
6 A.a.O. S. 131.

7 A.a.O. S. 140.

8 In deren Namen sprach schon Schelling gelegentlich einer »historischen Konstruktion des Christentums« sich gegen »die Geschichte als eine Reihe zufälliger Gegebenheiten oder als bloß empirische Notwendigkeit« aus. Solche Ansichten des »gemeinen Verstandes« habe Philosophie zu überwinden, denn »auch die Geschichte kommt aus einer ewigen Einheit und hat ihre Wurzel ebenso im Absoluten wie die Natur oder irgend ein anderer Gegenstand des Wissens.« (Achte Vorlesung *Über die Methode des akademischen Studiums*, WW, Bd. I 5, S. 291 f.)

9 Fichte, a.a.O. S. 141.

10 Marx, *Ökonomisch-philosophische Manuskripte*, a.a.O. S. 641 ff.

11 Marx/Engels, *Die deutsche Ideologie*, MEW Bd. 3, S. 18, Anm.

12 Vgl. E. Angehrn, »Vernunft in der Geschichte?«, in: *Zeitschrift für philosophische Forschung* 35, 1981.

13 Hegel, *Vorlesungen über die Philosophie der Geschichte*, WW Bd. IX, S. 15.

14 A.a.O. S. 12 f.

15 Vgl. dazu R. Bubner, »Die ›Sache selbst‹ in Hegels System«, in: *Zur Sache der Dialektik*, Stuttgart 1980.

16 Hegel, a.a.O. S. 14.

17 Wie früh der Streit um die Methode der Hegelschen Geschichtsphilosophie innerhalb der Schule einsetzte, spiegelt sich bereits im Jahr des Erscheinens der von E. Gans redigierten Vorlesungen bei K. Rosenkranz, »Hegels Philosophie der Geschichte«, (1837) in: *Kritische Erläuterung des Hegelschen Systems*, Königsberg 1840, Nachdruck 1963, S. 155 ff.

18 *Die Vernunft in der Geschichte*, Vorlesung von 1830, Hg. J. Hoffmeister, Hamburg 1955, S. 29; vgl. *Enzyklopädie* § 549 Zus., sowie *Vorlesungen über die Philosophie der Geschichte* (Bd. IX, S. 41, 45, 69 u. ö.) – Parallelen finden sich neuerdings in der von D. Henrich edierten Vorlesungsnachschrift von Hegels *Philosophie des Rechts* (1819/20), Frankfurt/M. 1983, S. 282, 291, die im Begreifen der Weltgeschichte wie folgt endet: »Dies ist nichts anderes als das Grundprinzip der Philosophie, das freie Erkennen der Wahrheit, entkleidet von der Zufälligkeit. – Die Zeit hat gegenwärtig nichts anderes zu tun, als das, was vorhanden ist, zu erkennen und somit dem Gedanken gemäß zu machen. Dies ist der Weg der Philosophie.«

19 Z. B. Hegel, *Vorlesungen über die Vernunft der Geschichte*, a.a.O. S. 17 ff.

20 A.a.O. S. 17.

21 Vgl. dazu A. Danto, *Analytische Philosophie der Geschichte*, Kap. I, a.a.O.

22 Hegel, a.a.O. S. 25 f., 32.

23 A.a.O. S. 37 ff.
24 A.a.O. S. 41. – Sogar Ranke gesteht in einer Aufzeichnung aus den dreißiger Jahren des 19. Jahrhunderts: »Unleugbar ist auch für den Nichteinverstandenen, daß dies Bestreben etwas überaus Großartiges (ja, wenn wir die Kraft, die der Urheber des Systems einsetzt, berücksichtigen, Gigantisches) hat.« Er fügt jedoch hinzu: »Daß die Methode nun aber der historischen Forschung genügen sollte, ließe sich nicht sagen.« *Idee der Universalgeschichte*, a.a.O. S. 306.
25 A.a.O. S. 47; vgl. *Grundlinien der Philosophie des Rechts*, § 340.
26 Zu dieser Kategorie vgl. H. M. Baumgartner, *Kontinuität und Geschichte*, Frankfurt/M. 1972.
27 Droysen, *Historik*, a.a.O. 29.
28 A.a.O. S. 355.
29 A.a.O. S. 357.
30 A.a.O. S. 25.
31 Hegel, *Phänomenologie des Geistes*, a.a.O. S. 12.
32 A. von Cieszkowski, *Prolegomena zur Historiosophie* (1838), Neuausgabe Hamburg 1981, S. 6. – Zum philosophiehistorischen Kontext s. meine Einleitung sowie das Nachwort von J. Garewicz.
33 A.a.O. S. 10.
34 Kant, *Streit der Fakultäten* II, 2 (A 132).

VI. Geschichte als Methodenobjekt

Die moderne Geschichtswissenschaft entwickelt sich im 19. Jahrhundert binnen kurzem zur führenden Disziplin der Geisteswissenschaften. Die wissenschaftliche Beschäftigung mit geistigen Phänomenen wurzelt im historischen Denken, und so gibt Geschichte das Vorbild ab für die Theorie von Kunst und Literatur, von Sprache und Gesellschaft. Alle Erscheinungsformen der Kultur werden anders als die Gegebenheiten der Natur ursprünglich historisch verstanden. Nachdem Geschichte sich vom selbstverständlichen Aktionsrahmen menschlichen Handelns, das in ihr seine Bedingungen erinnert und seine Vorbilder sucht, zum theoriefähigen Gegenstand gewandelt hat, übernimmt sie die Funktion, ganze Theoriekomplexe systematisch gegeneinander abzugrenzen. An der Geschichte beginnen sich nun *wissenschaftliche Grundorientierungen* zu scheiden.

Den Anfang der Geschichtswissenschaft, die als Disziplin die Führung übernimmt, kennzeichnet das Methodenbekenntnis *Rankes,* das sich in einer quellenkritischen Abhandlung zur neueren Geschichtsschreibung seit der Renaissance findet: »Wir unseres Ortes haben einen andern Begriff von Geschichte. Nackte Wahrheit ohne allen Schmuck, gründliche Erforschung des Einzelnen; das übrige Gott befohlen; nur kein Erdichten, auch nicht im Kleinsten, nur kein Hirngespinst.«[1] Dem Diktum Rankes, das einen neu erwachten Glauben an empirische Forschung bekundet, treten manch andere Aussprüche der Historiker zur Seite, die wie *Niebuhr* seine »Römische Geschichte« auf positive Einsichten statt auf leere und trügerische Worte stützen wollen.[2]

Ganz ungebrochen wird von den Forschern auch die methodische Parallele zur erfolgreichen Naturwissenschaft gezogen. So erklärt sich Ranke gelegentlich einer allgemeinen Erörterung der Aufgaben seines Faches bei der Übernahme der ordentlichen Professur für Geschichte in Berlin wie folgt. Während die Naturwissenschaften die Erscheinungen der Dinge nicht nur genau beschrieben, sondern auch auf ewig waltende Gesetze zurückführten, um schließlich in den Schoß der Natur selber forschend vorzudringen, habe die Historie ganz ähnlich die Reihe der Erscheinungen genau darzulegen und darin der jeweiligen Besonderheit gerecht zu werden; sie dürfe sich indes mit dem bloßen Bericht nicht begnügen, sondern müsse die Ursprünge aufsuchen und entlich die innersten Winkel des menschlichen Lebens durchdringen. Wer sich dabei auf philosophische oder theologische Konzepte verlassen wollte, gerät notwendig auf Abwege. Die Enttäuschung darüber darf aber nicht vom wahren Ziel ablenken, dem die Wissenschaft zustrebt.[3] Die Einsicht in die Unzulänglichkeit der metaphysischen Anleihen verstärkt in der Phase der sich konstituierenden Disziplin geradewegs den wissenschaftlichen Ansporn.

Am Ende des Jahrhunderts schließlich spricht der alte *Jacob Burckhardt* seiner eigenen Epoche eine besondere Eignung für die Historie zu. Burckhardt versichert freilich, das »Studium des Geschichtlichen in den verschiedensten Gebieten der geistigen Welt« setze eine Abkehr von der Geschichtsphilosophie, dem »Kentauren« aus Forschung und Spekulation, voraus. Vor allem mit Hegel geht er ins Gericht. »Wir sind nicht eingeweiht in die Zwecke der ewigen Weisheit und kennen sie nicht. Dieses kecke Antizipieren eines Weltplans führt zu Irrtümern. . . . Unser Ausgangspunkt ist der vom einzig bleibenden und für uns möglichen Zentrum, vom duldenden, strebenden und handelnden Menschen, wie er ist und immer war und sein wird; daher unsere Betrachtung gewissermaßen pathologisch sein wird.«[4] Das Stichwort der Pathologie evoziert nüchterne Erfahrungswissenschaft, die sich dem Tun und Leiden der Menschen diesseits allen Vernunftglaubens mit realistischem Blicke zuwendet.

Die Geschichtswissenschaft will also *Tatsachen* erforschen und diese Tatsachen gehören durchweg der *Vergangenheit* an. Die nötige Erfassung des Konkreten und Besonderen aus der Fülle der historischen Einzelheiten hat immer wieder methodologische Überlegungen ausgelöst, denn unter dem Vorzeichen des modernen Wissenschaftsbegriffs mußte diese Aufgabe problematisch erscheinen. Wissenschaft zielt auf die Ordnung der Wirklichkeit nach Gesetzen. Gesetze sind genau genommen hypothetische Allaussagen, die alle Einzelheiten der Empirie unter sich subsumieren und von ihnen bestimmte Verläufe nach der Form »Immer wenn . . ., dann . . .« festlegen. Erkenntnis geht daher auf das Herausarbeiten des Allgemeinen, das immer und unter wechselnden Umständen gleich ist. Die ausnahmslose Durchgängigkeit der Regel, nach der die beobachteten Erscheinungen gesetzmäßig verlaufen, und die Gleichheit der Fälle, für die eine einheitliche Regel den Verlauf jederzeit bestimmt, greifen ineinander, um die Erkenntnisintention zu befriedigen. Die Prognose der zukünftig eintretenden und in ihrem Ablauf vorhersagbaren Ereignisse entspringt aus dem Zusammenwirken der einheitlichen Regel und der angenommenen Gleichheit der Fälle. Die Fähigkeit zur Prognose aufgrund erkannter Regelmäßigkeiten in den wirklichen Abläufen hat stets als das überzeugendste Beweisstück für die Verläßlichkeit wissenschaftlicher Erkenntnis gegolten.

Die Gleichheit der Fälle, die als Fälle einer einheitlichen Regel aufzufassen sind und dieser subsumiert werden können, ist indes keine Naturgegebenheit, sondern ein Produkt methodischer Abstraktion. Von allem Besonderen und Abweichenden muß abgesehen werden, wo es allein darum geht, was die Einzelereignisse miteinander vergleichbar macht. Die konkrete Physiognomie, die ein jedes Ereignis von jedem anderen unterscheidet, bleibt planmäßig außer Betracht, damit überhaupt von einer Mehrzahl von Fällen in bezug auf eine Regel gesprochen werden kann. Das Wissenschaftsethos der Abstraktion im Dienste der Erkenntnis des Allgemeinen steht ersichtlich im Konflikt mit der Konkretion, die für geschichtlich relevante Ereignisse charakteristisch ist. Das Einmalige und Unwiederholbare ist dasjenige, das der Erinnerung und Erzählung würdig ist. Seine Besonderheit lohnt die Überbrückung der zeitlichen Distanz, denn die *Eigentümlichkeit des einmal Geschehenen* lenkt unser Interesse auf die Vergangenheit.

Die Wissenschaftstheorie hat nach Wegen gesucht, den Konflikt zwischen dem Interesse am Allgemeinen und dem Interesse am Besonderen aufzulösen. Wir werden im Folgenden beispielhaft vier Vorschläge dazu untersuchen: die Wertbeziehung Rickerts, die Erklärungsskizze Hempels, Dantos Analyse der narrativen Logik und Luhmanns Evolutionsmodell. Die Auswahl verzichtet auf jegliche Vollständigkeit des Überblicks, denn sie erfolgt wesentlich unter dem Gesichtspunkt, anhand origineller und nicht bloß schulmäßiger Vorschläge die Fähigkeit zu prüfen, wie auf methodologischem Wege der Eigenart des Historischen näherzukommen sei. Es wird sich zeigen, daß bei dem vordringlichen Bemühen um eine Logik des Besonderen der Zeitfaktor außer acht gerät, aufgrund dessen jene Besonderheiten als Tatsachen der Vergangenheit ausgezeichnet sind.

1. Rickerts Wertbeziehung

Der Sache nach spiegelt sich in dem ältesten wissenschaftstheoretischen Versuch einer Begründung historischen Erkennens das Erbe des neunzehnten Jahrhunderts, das zwischen dem Rationalitätsideal der Wissenschaft und dem Historismus vermitteln mußte. Philosophiehistorisch kommt darin der Kampf zwischen Kantianismus und Hegelianismus zum Ausbruch.[5] Die neukantianische Methodologie, die vom »*Faktum der Wissenschaft*« ausging, um der Philosophie die Erarbeitung von dessen logischen Grundlagen zu übertragen, hat auf die Auseinandersetzung mit dem historischen Denken im Gefolge Hegels mit einer Zweiteilung reagiert. Einerseits zielt Wissenschaft gemäß der von Windelband vorgeschlagenen Terminologie auf das nomothetische Aufstellen allgemeiner Gesetze, andererseits kümmert sie sich um die idiographische Beschreibung besonderer Phänomene.[6] Dem methodischen Dualismus entspricht die Spartenabgrenzung der Naturwissenschaften und der Kulturwissenschaften.

Schon Dilthey hatte in der Reaktion auf diesen Versuch behauptet, die Differenz sei nicht bloß eine der methodischen Verfahren, sondern der Gegenstände selber.[7] Die Natur sei der Sache nach dem menschlichen Geiste fremd und müsse dies auch bleiben, während die historischen Hervorbringungen des Geistes im Erkenntnisakt eine Art Anamnesis auslösten. Nur wegen der äußerlichen Entrückung in historische Distanz erscheinen geistige Produkte anfänglich als Objekte. Im Prozeß gelingenden Verstehens geben sie die Fremdheit jedoch auf und enthüllen sich dem Geiste als sein Eigentum. Der Geist kann jeden Ausdruck seiner selbst sich auch wieder aneignen. Diltheys Konzept der ausgezeichneten Leistung historischen Verstehens als einer die Zeitenspanne überwindenden Selbstbegegnung basiert auf einer Grundannahme des strömenden und sich ständig erneuernden Lebens.

Die *lebensphilosophische* Grundlegung wird in Kritik an Hegels spekulativer Geistmetaphysik formuliert. »Leben« erscheint einem wissenschaftsgläubigen Zeitalter als materiell greifbare Instanz. Die synthetische Kraft zur Vermittlung der historisch getrennten Artikulationen des Lebens mit der zugrundeliegenden Lebenseinheit, die in allen Artikulationen als dieselbe nur verschieden zum Ausdruck kommt, dürfte allerdings nicht weniger metaphysisch sein als die Tätigkeit totaler Selbstvermittlung, die

Hegel dem Geist zutrauen wollte. Was Hegel Geist nannte, ist in der Hauptsache ein Strukturprinzip, das aus der reflexiven Durchdringung christlicher Pneumatologie hervorgegangen war. Der Geist äußert sich in allen historischen Erscheinungen und vermag sie deshalb allesamt auf sich zu beziehen, so wie er umgekehrt seine Einheit in ihrer Mannigfaltigkeit durchhält. Die Umbenennung desselben Strukturprinzips in »Leben« evoziert anstelle der theologischen nunmehr biologische Konnotationen. Die Berufung auf die Struktur der Selbstvermittlung ermöglicht aber gleichermaßen, Einheit und Differenz dialektisch zusammenzudenken.

Damit ist eine begriffliche Allgemeinheit in Anschlag gebracht, die dem Besonderen nicht abstrakt gegenübersteht, sondern von Hause aus darauf bezogen ist als das Allgemeine, das sich in die Besonderheit entläßt. Das sich derart selber besondernde Allgemeine überhebt den Theoretiker der Frage, wie denn das Besondere zur Erkenntnis gelangt. Das Besondere zeigt sich nichts anderes als eine Gestalt des Allgemeinen zu sein, so daß dessen Wahrnehmung als das Besondere, das es ist, unmittelbar schon die Erkenntnis des Allgemeinen darstellt, das in ihm zur Erscheinung gelangt. Die dialektische Struktur der Selbstvermittlung – heiße sie nun Geist oder Leben – macht daher unsere Anfangsfrage, wie dem Besonderen erkenntnismäßig gerecht zu werden sei, in Wahrheit überflüssig. Desgleichen erscheint gegenüber der ewigen Aktualität des Lebens die historische Distanz als nebensächlich, die den Betrachter von den vergangenen Phänomenen trennt. Das am Grunde der Geschichte strömende Leben reißt beide mit sich und vernichtet so den Schein ihres verobjektivierten Verhältnisses zueinander.

Will man ohne metaphysische Hypotheken die Frage aufgreifen, was Erkenntnis des Besonderen bedeute, bietet sich eine andere Antwort aus dem neukantianischen Schulfundus an. *Heinrich Rickert* bemängelte an Windelbands dogmatisch angesetzter Zweiteilung der Wissenschaften und Methoden die fehlende Begründung, die er seinerseits mit der These von den »Grenzen der naturwissenschaftlichen Begriffsbildung« zu liefern versprach.[8] Man kann Rickert zufolge nicht einfach damit rechnen, daß es zwei Formen der einen Wissenschaft gibt, man muß erklären, wie es aufgrund der einen Form zur Entwicklung der andern kommt. Alles Wissen geht nämlich auf Vereinfachung aus, wobei die Aufstellung von Gesetzen unter Vernachlässigung der besonderen Züge aller subsumierbaren Einzelheiten die primäre Realisierung bedeutet. Erst die Einsicht in den notwendig eintretenden Verlust, der in der planmäßigen Ausschaltung der Besonderheiten besteht, die die Fülle der Empirie gerade ausmachen, zeigt die Grenzen jenes Verfahrens. Die Grenzen der naturwissenschaftlichen Begriffsbildung, die im Aufstellen allgemeiner Gesetze eigentümlich gelegen sind, können durch keine methodische Verfeinerung weiter hinausgeschoben werden. Sie müssen durch eine andere Erkenntnishaltung überwunden werden, die, statt einer Etablierung von Allgemeinheit jenseits der Einzelheiten zu dienen, sich der Vergegenwärtigung des je Einzelnen und Besonderen widmet.

Freilich kommt nicht jedes beliebige Detail für eine solche Erkenntnis in Frage: nur das Bedeutungsvolle wird Thema. Die Aussonderung des Bedeutungsvollen und Relevanten geschieht durch theoretische »Wertbeziehung«. Ein Besonderes wird dabei vom Erkennenden in einen rein *theoretischen Bezug auf einen allgemein geltenden Wert* gesetzt. Die Wertbeziehung als die Herstellung einer erkenntnismäßigen Relation ist nicht mit der praktischen Wertung zu verwechseln, die einen Inhalt mit der Präferenz für konkretes Handeln besetzt. Die Mühe, die die Theoretiker der Wertbeziehung, insbesondere Rickert und nach ihm Weber, sich geben müssen, um die theoretische Leistung der Herstellung einer Relation vom praktischen Entscheiden für oder gegen einen Inhalt abzusetzen, verrät genug von den Schwierigkeiten des Konzepts.

Die Beziehung einer konkreten historischen Gegebenheit, eines Ereignisses, einer Person, einer Epoche auf einen allgemein kulturbedeutsamen Wert ist eine vollkommen *künstliche* Operation. Der Wert muß den Status des Allgemeinen haben, wenn er nicht mit der konkreten Gegebenheit schlechterdings zusammenfallen soll und mithin einer Relation keinen Raum mehr ließe. Man sagt, daß der Wert »gilt«, und das heißt, daß er als derselbe Wert hinsichtlich verschiedener Gegebenheiten muß fungieren können. Geltende Werte werden nicht auf dem Wege induktiver Abstraktion erzeugt, so wie man von vielen Einzelbeobachtungen zur Aufstellung allgemeiner Gesetze gelangt. Über Werte muß der Theoretiker bereits verfügen. Sie sind ihm in einem traditionsbedingten Wertekosmos aufgrund seiner kulturellen Orientierung fraglos gegeben. Die herzustellende Relation zwischen Wert und konkretem Phänomen bedeutet also auch nicht die Subsumtion des Besonderen als eines Falles unter das Allgemeine, sondern die selegierende Wahrnehmung des Besonderen im Lichte des existierenden Wertes oder die unmittelbare Erhebung des Besonderen in den Rang des allgemein Geltenden.

Zwar sind Wert und Phänomen nach Herstellung der Wertbeziehung nicht identisch, aber es ist schwer anzugeben, was der Wert als solcher bedeutet, wenn man ihn nicht sogleich veranschaulicht durch bedeutsame Kulturerscheinungen. Die Veranschaulichung müßte mißlingen, wenn sie nicht auf Phänomene zurückgreifen könnte, die jedermann so bekannt sind, daß deren Relevanz unmittelbar einleuchtet und nicht bestritten wird. Zur Bestreitung wären alternative Wertvorgaben nötig, die ebenfalls nur an Phänomenen anschaulich und überzeugend werden können. Wertbeziehung schließt daher *unmittelbare Plausibilität* ein. Sie kann schwerlich zum Gegenstand von Diskussionen gemacht werden, da unabhängig von den strittigen Werten, auf die die Teilnehmer einer Diskussion sich einlassen müßten, keine verbindlichen Kriterien der Beurteilung sichtbar sind. Solche Kriterien könnten höchstens einer auf das konkrete Material der Geschichte, der Kultur oder Gesellschaft bezogenen, jedoch im Namen reiner Vernunft auftretenden Geschichtsphilosophie entstammen. Die hochfahrenden Ansprüche der klassischen Geschichtsphilosophie des Idealismus, die universale Entwicklungstendenzen auf dem Boden der Geschichte ausmachen wollten, sollten aber gerade im Namen der Wertbeziehung durch eine nüchterne Methodologie solider wissenschaftlicher Erkenntnis abgelöst werden.[9]

Das methodische Instrument der Wertbeziehung steht ganz allein für sich ein. Seine Legitimität kann von nirgendwoher abgeleitet werden, wenn seine Anwendung den nötigen Grad der Plausibilität versagt. Dem Verfahren der Wertbeziehung haftet daher etwas Rhetorisches an. Die Überzeugungskraft muß im Akt erfolgreicher Anwendung von selbst entspringen, indem die hergestellte Beziehung einer Erscheinung auf einen Wert dem Publikum eben einleuchtet oder nicht. Bei genauer Analyse zeigt sich, daß die Wertbeziehung ihrerseits Ausdruck einer kulturellen Lage ist, in der die Tradition und die eingeübte Sicht auf die eigene Vergangenheit dasjenige bereits aus dem Überlieferungsschatz der

Geschichte als bedeutsam ausfiltert, was das explizite Verfahren der Wertbeziehung dann als Referenzpol benennt. Die vorgängige Vertrautheit mit der verbindlichen Geschichte, die das Kulturgefühl eines bestimmten Zeitalters prägt, kehrt beim methodisch angeleiteten Umgang mit Geschichte bloß wieder. Im Rücken der vermeintlich Erkenntnis fördernden Wertbeziehung ist der hermeneutische Zirkel längst am Werke, der das ausdrückliche Thema und das unausdrückliche Vorverständnis wechselseitig miteinander verbindet. Der Akt der Wertbeziehung spricht bloß die *latent vorhandene historisch-kulturelle Orientierung* aus. Insofern beweist Rickert durchaus Konsequenz, wenn seine Logik der historischen Wissenschaft in eine Weltanschauungslehre mündet.[10]

Zweifelhaft ist insbesondere die in den Werten vorgenommene Einkapselung solch vorgängiger Orientierung. Der Terminus des Wertes weist eine viel verhandelte Vorgeschichte in der *Ökonomie* auf, wo Wert diejenige Kennzeichnung eines Gegenstands meint, die ihm in der Sphäre gesellschaftlicher Praxis als Tausch oder Konsumtion zukommt. Etwas hat Wert entweder, weil es gebraucht wird, oder weil es getauscht wird, wobei der Tausch nur den aufgeschobenen und intersubjektiv vermittelten Gebrauch darstellt. Was man nicht selbst gebraucht, was aber fremdem Gebrauch nützlich ist, tauscht man gegen das für eigenen Gebrauch Benötigte. Die Urdifferenz zwischen Tauschwert und Gebrauchswert sieht in aller Klarheit bereits Aristoteles.[11] Die spätere Ökonomie, die die aus der Antike stammende »Hauswirtschaftslehre« auf die gesamtgesellschaftliche Ebene einer »politischen« Ökonomie erhebt, benutzt die Urdifferenz zwischen unmittelbarem und vermitteltem Wert zur Aufschlüsselung komplexer gesellschaftlicher Verhältnisse. Der Vorgang vollendet sich in Marx' Analyse der rationalen kapitalistischen Produktionsweise mit Hilfe des Schemas der beiden Grundkategorien Gebrauchswert und Tauschwert.

Offenkundig hat der Wertbegriff *praktische* Wurzeln im zweckbestimmten Umgang mit Dingen. Die ökonomische Theorie präpariert den Begriff zur Anwendung auf bestimmte gesellschaftliche Zusammenhänge, bis schließlich die Übertragung der ursprünglich ökonomischen Kategorie in die allgemeine Erkenntnis- und Wissenschaftstheorie erfolgt. Der bislang wenig durchleuchtete Vorgang der Ausweitung des Begriffs macht ihn tauglich zu jeglichem praxisentlasteten Umgang mit der geschichtlichen und sozial-kulturellen Lebenswelt als Gegenstand theoretischer Erkenntnis. Es ist wohl *Hermann Lotze* gewesen, der zunächst im ästhetischen Felde den Wertbegriff neu einsetzt[12], um mit mehr realistischem Gehalt dasjenige zu bezeichnen, was der Idealismus mit dem Geistbegriff meinte. Von dort ist dann der Wertbegriff frei disponibel geworden für weitere Bereiche der Erkenntnistheorie. Der Blick auf die Herkunft des Begriffs lehrt immerhin, daß die praktische Verankerung in einem Prozeß theoretischer Sublimierung verloren ging, so daß Werte schließlich wie rein ideale Allgemeinheiten des Praktischen verselbständigt werden und dem theoretischen Zugriff offenstehen.

Der *Wertekosmos*, in dem eine aus Tradition gewachsene und durch kulturelle Übereinstimmung in Geltung gehaltene Gesamtorientierung sich herausbildet, erscheint wie eine Art platonischer Ideenhimmel, zu dem jeder Erkennende aufblicken muß, wenn er das Konkrete, vor den Füßen Liegende wirklich begreifen will. Die idealen Gehalte stellen nun freilich der Praxis entstammende Werte und nicht länger sachhaltige Begriffe dar. *Plato* selber hat in einer komplizierten Dialektik das Verhältnis von Theorie und Praxis einer ganz anderen Bestimmung unterzogen. Er kennt nur Ideen von theoretischer Allgemeinheit, die allesamt noch einmal unter der obersten Idee des Guten organisiert sind. Die Idee des Guten umschließt allein den ursprünglichen Praxisbezug[13], indem sie das Worumwillen angibt, das alles Handeln leitet und das derjenige zu wissen hat, dem die immanente Ordnung unter den vielen theoretischen Ideen überantwortet ist. In der Figur des Philosophenkönigs faßt dieses höchste Wissen als das Wissen um das Worumwillen sich zusammen. Die oberste Idee ist nur noch eine, die als »das Gute« schlechthin der Vielzahl inhaltlich bestimmter Ideen des theoretischen Wissens gegenübertritt. So bildet sich eine immanente Gliederung des mannigfachen Wissens inhaltlicher Art auf einen obersten Fluchtpunkt sinnvoller Ordnung hin. Allein diese dialektische Gliederung des Wissens ermöglicht eine alles Handeln politisch leitende Verhältnisbestimmung zur Praxis.

Der Wertekosmos der Kulturwissenschaftler verdinglicht hingegen auf unmittelbare Weise praktische Handlungsdispositionen in ihrer inhaltlichen Vielfalt zu einer Reihe quasi-platonischer Ideen. Gleichzeitig unterbindet die Sublimation ins Ideale den Praxisbezug, den der klassische Wertbegriff durchaus noch enthält. Die Werte, zu denen die theoretische Wertbeziehung historische Gegebenheiten in Relation setzt, haben mit der Praxis des Theoretikers nur noch vermittelt über den weitläufigen Zusammenhang seines historischen Vorverständnisses und seiner kulturellen Gesamtorientierung zu tun. Letzteres ist aber kein Gegenstand der Theorie, sondern bildet den Hintergrund, vor dem die Akte historischer Vergegenwärtigung von Besonderheiten Kontur annehmen. Die theoretische Wertbeziehung selber spielt also zwischen mitgebrachtem Hintergrund und thematischer Auszeichnung hin und her, während der dabei erworbene Erkenntnisgewinn sich auf die Spiegelung der bereits existierenden *Vorurteile* reduziert.

Die durch kein Kriterium mehr zu prüfende, von keinem Wissen geordnete Mannigfalt der als Werte empfundenen Inhalte, die der Praxis entstammen, ohne in ihr noch verwirklicht zu werden, führt zu einer Anarchie, die im aktualen Handeln unerträglich wäre und alsbald einer praktischen Präferenzsetzung weichen müßte. Max Weber hat für diesen unauflöslichen Polytheismus der Werte einen berühmten Vergleich mit dem Götterkampf der antiken Tragödie gewählt. Was im Leben tragische Aspekte hat, entfaltet sich in der abgehobenen theoretischen Sphäre zum Spiel mit Wertbeziehungen. Davon geht ein nahezu ästhetischer Reiz aus, der in der selbstgenügsamen Vergegenwärtigung der kulturellen Weltbilder an markanten Einzelfällen besteht. Die vorgängige Orientierung und die wertbeziehende Selektion stützen sich wechselseitig ohne praktische Folgen und ohne wirklichen Gewinn an Erkenntnis.

Was die Geschichte angeht, so ist wiederum erstaunlich, wie wenig Aufmerksamkeit in der Methode der Wertbeziehung dem Vergangenheitscharakter der historischen Gegebenheiten gewidmet wird.[14] Der *Zeitfaktor* verliert vollkommen an Bedeutung, da die methodische Anstrengung sich auf die logische Auszeichnung des Einzelnen als wissenschaftlichen Gegenstand konzentriert. Ob die Individualitäten – Personen, Ereignisse, Sinngebilde – vergangen oder gegenwärtig sind, beeinträchtigt das Verfahren nicht. Die Wertbeziehung hat sich daher sogleich angeboten zur methodischen Ausrüstung der als Realwissenschaft neu etablierten *Soziologie*. Max Weber konnte Rickerts Vorschlag ohne wesentliche Umformung adoptieren, obwohl die Wissenschaft von der Gesellschaft nicht primär auf historische Objekte zielt. Seither ist jener Streit um die Werturteilsfreiheit der Sozialwissenschaften im Gange, der das methodisch geforderte Absehen vom historischen Rahmen der jeweiligen Forschung immer neu in Frage stellt.

Geschichtsschreibung unterscheidet sich von den Sozialwissenschaften ganz allgemein dadurch, daß sie nicht den verstehenden Zugang zu Einzelphänomenen über theoretische Wertbeziehung vermittelt, sondern von Erzählungen als elementarem Material der Historie ausgeht. In Erzählungen sind historisch relevante Einzelheiten bereits insofern verarbeitet, als der Bericht von Ereignissen mitsamt dem Kontext sich aus rückwärtsgewandten Erinnerungen aufbaut. Jede Erzählung impliziert die Dimension der Zeitlichkeit, denn sie gibt von vornherein zu verstehen, daß es sich beim Erzählten um Vergangenes handelt. Die Einmaligkeit, die hier festgehalten wird, ist schon deshalb kein zeitlos Individuelles, weil das Moment der Kontingenz unabweisbar einfließt.

Das Kontingente tritt faktisch ein, ohne daß dieser Umstand sich weiter in Erklärungen auflösen ließe, die das Eintreten aus gewissen Anfangsbedingungen ableiten und daher auch vorhersagen können. Das Kontingente bildet den gegen Erklärung resistenten Rest purer Faktizität, der als solcher unmittelbar auf Zeitlichkeit verweist. Dieser Rest ist dasjenige, das nie ebenso unter ähnlichen Bedingungen nach denselben Gesetzmäßigkeiten eintritt. Also kann man bloß das Eintreten konstatieren, das einmalig ist und sich als solches nie wiederholen wird. Damit ist der Zeitfaktor mitgesetzt, ohne den das Kontingente nicht nur unvollständig beschrieben wäre, ohne den es überhaupt nicht faßbar ist. Das Kontingente als das nur faktisch Eintretende tritt naturgemäß auch nur einmal zu seinem ganz bestimmten Zeitpunkt ein. Wenn man überhaupt etwas Allgemeines über das Kontingente sagen kann, so kann man dies sagen. Folglich ist die *Zeitlichkeit beim Kontingenten,* anders als beim Individuellen, das die Wertbeziehung zur Erkenntnis bringt, nicht zu eliminieren.

2. Hempels Erklärungsmodell

Die Methodiker der Wertbeziehung wollen die individuelle Besonderheit, die dem generalisierenden Gesetzesdenken als irrational vorkommt, zum Gegenstand rationaler Erkenntnis erheben. Die wissenschaftstheoretische Orthodoxie, die am naturwissenschaftlich geprägten Vorbild der Erklärung von Ereignissen aufgrund allgemeiner Gesetze festhält, hat das Problem lange gar nicht sehen wollen. Vom Wiener Kreis der Positivisten bis in die Gegenwart[15] wird unverändert ein wissenschaftliches Einheitsideal beschworen, das die fragliche Distinktion schlechthin leugnet. Der Tribut, der dem Problem schließlich doch gezollt wird, läuft auf eine Trivialisierung hinaus. Ich wähle als klassisches Beispiel Carl Hempels Untersuchung »The Function of General Laws in History«.[16]

Für Hempel steht gänzlich außer Frage, daß Wissenschaft es mit Erklärungen zu tun hat. *Erklärung* ist die Subsumtion eines Besonderen unter ein Allgemeines oder die Deduktion eines Ereignisses aus einem Gesetz. Die Fälle der Natur und der Geschichte differieren hinsichtlich der einheitlichen Erklärungsabsicht der Wissenschaft nur nach dem Grade der Vollständigkeit. Geschichtsereignisse enthalten eine Detailfülle, die jede möglicherweise angebotene Erklärung zu einer »Erklärungsskizze« herabsetzt. An sich müßte die Gesamtheit der Details sich aber restlos aus Gesetzen oder besser aus Hypothesen von gutem Bestätigungsgrad herleiten lassen.[17]

Der verstehende Bezug eines Forschers zu seinem Gegenstand, auf den die Geisteswissenschaften bauen, genießt in Wahrheit keinen wissenschaftlichen Status. Er wird der vorwissenschaftlichen *Heuristik* zugeschlagen, die aus der laienhaften Annäherung erste Wege zum Ansatz des eigentlich wissenschaftlichen Verfahrens der Erklärung bahnt. Ein weiterer Aspekt, der für unwesentlich gehalten wird, umfaßt die sogenannten Randbedingungen, die den jeweiligen Fall charakteristisch von anderen Fällen abheben, bei der strengen Erklärung aus Gesetzen aber keine Berücksichtigung verdienen sollen. Nun entscheiden für historische Fälle aber gerade die *Randbedingungen,* die in bestimmter Weise auftreten, über den unverwechselbaren Verlauf der Ereignisse, den es zu erklären gilt. Klammert man die besonderen Randbedingungen ein, behält man einen austauschbaren oder typischen Verlauf zurück, der zu verschiedenen Zeiten gleich aussieht. Das heißt, das Geschichtliche an der Geschichte per definitionem streichen.

Übrig bleibt mithin die Anweisung, die *Erklärungsskizze* sei fallweise so zu ergänzen, daß alle relevanten Details erfaßt und ihrerseits aus Gesetzen abgeleitet sind. Dieses Ideal der Vervollständigung der Erklärung unterstellt, daß die historischen Fälle nur Fälle gesetzlicher Determination von hoher Komplexität sind. Gerade diese Annahme führt jedoch in die Irre, insofern alle Beschreibungen, die die Erzählung enthält und zu sinnvoller Einheit verbindet, aus dieser durch Erzählung konstituierten Einheit gelöst und auf Ableitbarkeit aus Gesetzeshypothesen überprüft werden müssen. Dabei kommt es zu einer verfälschenden Stilisierung pragmatischer Alltagserfahrung, an die die Erzählung umstandslos bei jedem Hörer appellieren kann, zu einem willkürlichen Aggregat mehr oder weniger trivialer Quasi-Gesetze. Die schlichtesten Vorgänge und Selbstverständlichkeiten erscheinen zu Allaussagen hypostasiert, die niemand jemals aussprechen würde, weil ihre Formulierung keinen Erkenntnisfortschritt bedeutet.

Es wird in Erzählungen als bekannt vorausgesetzt, daß jedermann, wenn das und das eintritt, sich leicht so und so verhält, daß unter den und den Voraussetzungen die und die Bedürfnisse, Zwecksetzungen oder Befürchtungen die Regel sind, daß normalerweise zur Erreichung von Vorhaben folgerichtig gehandelt wird usw. All dies darf man gut bestätigte Hypothesen nennen, die freilich nirgends niedergelegt sind und deren Verifikation oder Falsifikation sich kein Mensch zur Aufgabe machen würde.[18] Es liegt nämlich ganz einfach der Common-sense des allgemein verbreiteten und jedermann zugänglichen *Handlungswissens* zugrunde, von dem wir früher aus Anlaß der Erzählhaltung und Verstehenserwartung beim Bericht über simple Ereignisse sprachen. Daran vermögen historische Darstellungen aller Art zu appellieren. Die Konkretion historisch interessanter Ereignisse besteht also keineswegs in der Verkürzung auf eine bloße Erklärungsskizze, die der Vervollständigung harrt. Solche Analyse treibt eine verwirrende Vielzahl von Allaussagen hervor, unter denen sich der Wissenschaftler kaum noch zurechtfindet. Die Intention jeder Erkenntnis, die auf Vereinfachung zielt, verkehrt sich ins Gegenteil. Was als erzählter Fall mitsamt dem Kontext durchaus verständlich war, verschwindet in der Unübersichtlichkeit der künstlichen ad-hoc-Projektionen.

Hempels These von der ergänzungsbedürftigen Erklärungs-skizze erzeugt den Schein, als sei historische Konkretion ohne den konstitutiven Rest des Kontingenten total in allgemeinen Termini zu rekonstruieren. Das Historische zeigt sich dann unter der Maske der Komplexität, die nur unvollständig erfaßt wird. Für die Methodiker der Wertbeziehung bildet das Historische eine der Vergegenwärtigung würdige Einzelheit aus der Vielzahl der Einzelheiten, die den allgemein geltenden Werten zunächst fremd gegenüberstehen, um durch eigens hergestellte Relationen aufgrund einer kulturbedingten Auswahl dann hervorgehoben zu werden. Für den Vertreter streng generalisierender Gesetzeserklärung ist das Historische nur als *Kreuzungspunkt zahlloser Einzelgesetze* zu begreifen. In beiden Fällen richtet sich der Versuch auf die Einkreisung des Konkreten mit Mitteln allgemeiner Begrifflichkeit. Bei der Wertbeziehung bleibt das Problem der Vermittlung zwischen allgemeinem Wert und Individuum offen. Es wird im Grunde der weltanschaulichen Disposition des jeweiligen Forschers anheimgestellt. Im Erklärungsmodell ersetzt die Hypertrophie der künstlichen Verallgemeinerung relevanter Aspekte zu Quasi-Gesetzen das fragliche Konkrete selber.

3. Dantos Erzählungslogik

Die moderne Sprachanalyse hat sich schrittweise vom engstirnigen Dogma des Empirismus gelöst, indem sie der logischen Untersuchung mehr als nur die Bedingungen wahrer Aussagen über objektiv prüfbare Sachverhalte überantwortete. Mit der Erweiterung des Bereichs sinnvollen Sprachgebrauchs auf alle Modi intersubjektiver Verständigung ist eine ehedem verpönte Form inzwischen wieder zu Ehren gekommen: *die Erzählung.* Arthur Danto hat auf diese Kategorie im wesentlichen seine *Analytische Philosophie der Geschichte*[19] aufgebaut. Dem strengen Szientismus mußte die Erzählung ganz unseriös vorkommen, während die historiographische Tradition bis zu Droysen gar kein Bedenken getragen hatte, das darstellerische Tun des Historikers als Erzählung zu definieren. Es überrascht daher nicht, daß Dantos wohl überlegte Analyse im hermeneutischen Klima der deutschen Philosophie alsbald lebhafte Resonanz fand.[20]

Im Gegensatz zu den bisher genannten Theoretikern steht für Danto der *Zeitfaktor* von Erzählungen im Vordergrund. Eine eindringliche Auseinandersetzung mit Ayer um die Verifizierbarkeit zeitabhängiger Aussagen führt zur Rehabilitierung der besonderen Sprachgestalt narrativer Sätze. Danto sagt: »Jede Erzählung ist eine den Ereignissen unterlegte Struktur, die einige von ihnen mit andern gruppiert, einige andere wiederum aussondert, weil es ihnen an Relevanz fehlt.«[21] Die Relevanz hängt vom Grade der Bedeutsamkeit ab, die der Historiker einem Ereignis beimißt. Die in der Retrospektive gebildete Erzählung enthält notwendig Elemente einer Interpretation, die auch für die temporale Struktur heranzuziehen ist, die der Erzähler dem im Kontext berichteten und in bestimmter Weise gruppierten Ereignis zugrundelegt. So findet die herkömmliche Frage nach den Möglichkeiten wertbezogener Selektion aus der Materialfülle historischer Details zusammen mit dem üblicherweise vernachlässigten Zeitfaktor eine sprachanalytische Antwort.

Freilich widmet sich Danto der Erzählung nicht, weil er literaturtheoretische oder hermeneutische Interessen verfolgt. Von einer angeblichen Sonderrolle des »Verstehens« im historischen Felde hält er wenig, da ihm die Kausalitätsanalyse Humes bei geschickter Formulierung für historische Sachverhalte durchaus angemessen scheint.[22] In dieser Betrachtung wird deutlich, daß Dantos ausführliche Analyse der Erzählstruktur in Wahrheit dem methodologischen Zweck dient, das erwähnte *Hempelsche Modell* historischer Erklärung zu stützen. In der Zustimmung, die Danto bei Kritikern des Szientismus oft erfahren hat, ist dieser wichtige Gesichtspunkt nicht genügend berücksichtigt. Streng genommen kennzeichnet die Erzählung gar keine Besonderheit in der Behandlung historischer Gegenstände, sie kann ebensogut bei naturwissenschaftlichen Erklärungsversuchen als detaillierte Fallbeschreibung vorkommen.[23] Die Erzählung stellt nämlich eine erklärungsbedürftige Veränderung so dar, daß sie »in der geeigneten kausalen Perspektive« erscheint.

Damit werden die Auswahlprinzipien, die die Erzählung leiten, zu einer Angelegenheit der Urteilskraft des jeweiligen Forschers, der seine Gegenstände so zubereitet, daß das kausale Erklären, auf das er abzielt, auch Erfolg verspricht. Es sind nicht die Phänomene selber, sondern gewisse Beschreibungen von ihnen, die in Hempels Modell der Ableitung aus Gesetzen einer Erklärung unterzogen werden. Der erklärungsbedürftige Fall muß so beschrieben werden, daß er unter ein allgemeines Gesetz subsumierbar wird. Wie kommen aber Beschreibungen zustande, in denen die beobachtbaren Phänomene sich einer passenden Erklärung fügen? Durch eine Erzählung, die die Phänomene in der Form einer Veränderung präsentiert, auf die ein bekanntes *Kausalgesetz* Anwendung finden kann! Gerade dies hatte Hempel eine Erklärungsskizze genannt, die in verkürzter Gestalt das allgemein geltende Modell wissenschaftlicher Erklärung wiederholte. Danto geht über Hempel hinaus, insofern er die Erklärungsskizze als besonderen Teil noch einbaut in das eigentliche Modell.

Er meint, »daß Erzählungen, anstatt lediglich Erklärungsskizzen zu sein, die die Stelle markieren, an der Gesetze eingefügt werden sollen, vielmehr als Resultat der Verwendung einer Erklärungsskizze aufgefaßt werden können, die bereits Gebrauch von allgemeinen Gesetzen macht, die ihrerseits die Stelle angeben, wo die Erklärung eines Ereignisses eingefügt werden muß.«[24] Plötzlich zeigt sich die Erzählung als *heuristische Verfeinerung* der Erklärung mit dem Ziel, der Gesetzesanwendung den Weg zu ebnen. Die Individuationsleistung der Erzählung, die ein einmaliges Ereignis in einem ganz bestimmten Ablauf mittels temporaler Strukturen präsentiert, rückt wieder unter das Vorzeichen allgemeiner Gesetze, denen ihrerseits die Aussonderung des Einzelnen gar nicht zugemutet werden kann. Welches Gesetz ist es denn, das einschlägig zu Rate zu ziehen wäre bei der erzählenden Darstellung eines konkreten Ereignisses? Weil diese Frage nicht eindeutig zu beantworten ist, hatte Hempel die Offenheit einer bloßen Skizze des Erklärens einräumen müssen.

Die offen bleibende Erklärungsskizze bedeutete den Tribut von Hempels nomologisch-deduktivem Modell an die irreduzible Besonderheit von Ereignissen, die wir als historisch registrieren. Danto verspielt in gewisser Weise den theoretischen Gewinn, den seine Analyse der Erzählstruktur zunächst erbracht hatte, indem er Erzählungen auf das Beschreiben von *Veränderungen* zuschneidet und so als umgangssprachliche Fallspezifikation für den Einsatz kausaler Gesetzeserklärungen instrumentiert.[25] Nach Dantos eigener Analyse zwingt aber gar nichts, Erzählungen bloß auf den Bericht über Veränderungen zu beschränken. Die temporale Struktur einer Erzählung bringt mannigfache Elemente in einen vom Erzählenden gestifteten Zusammenhang, in dem sie als mehr oder weniger komplexes Geschehen Sinn machen. Die Erzählung der Erlebnisse auf einer Wanderung beispielsweise oder der wechselvollen Geschicke einer Stadt oder des Heraufziehens einer politischen Krise setzt sich nicht aus der Aneinanderreihung von Veränderungen zusammen, die jede für sich nach kausaler Erklärung rufen. Die Einheit der Erzählung ordnet sich um den je gewählten Komplex der erzählenswerten oder historisch bedeutsamen Informationen, die Zustände und deren Wechsel ebenso umfassen wie eintretende Ereignisse, neu hinzukommende Rahmenbedingungen, langsam ablaufende Prozesse usw. All das auf das Schema der Veränderung zu reduzieren, hieße die Erzähleinheit auflösen, die selber Anfang, Mitte und Ende eines sinnvollen Zusammenhangs festlegt.

Der von Danto wegen der Erklärungsmöglichkeit bevorzugte Gesichtspunkt der Veränderung hat eine weitere Schwierigkeit zur Folge, die dem Autor sehr wohl bewußt ist.[26] Veränderungen lassen sich nur an Identischem ablesen, so daß ganz wie bei den Billardkugeln in Humes Schulbeispiel, die dieselben bleiben, ob sie nun ruhen oder in Bewegung versetzt sind, auch für die historischen Veränderungen, von denen eine Erzählung berichtet, »ein kontinuierliches Subjekt« angenommen werden muß. Sicher gibt es viele Erzählungen, die sich gerade um ein Subjekt drehen und daraus historisches Interesse begründen. Nicht umsonst hat die hermeneutische Schule etwa bei Dilthey die Biographie für einen Paradefall historischen Verstehens gehalten, weil die um eine Person zentrierten Geschehnisse wegen des Identitätspols in ihrer Gesamtheit durchsichtig bleiben. Allerdings geht Danto nicht vom Vorzug der Verständlichkeit aus, sondern von der Notwendigkeit, Veränderungen als solche überhaupt zu bestimmen und das heißt einen Vergleich von Vorher und Nachher hinsichtlich derselben Entität anzustellen. In beiden Fällen ist die Präferenz des *identischen Subjekts* sichtlich von methodischen Bedürfnissen her diktiert.

Es scheint indes höchst zweifelhaft, ob man damit der Geschichte gerecht wird. Die Ereignisse des peloponnesischen Krieges, der französischen Revolution oder des neunzehnten Jahrhunderts lassen sich vernünftigerweise nicht auf ein Subjekt beziehen. Auch die Erweiterung des Subjektbegriffs auf eine Gruppe von Personen, eine Klasse oder eine Nation hilft kaum weiter, da sie eine Diffusität mit sich bringt, die die erforderliche Bestimmtheit der zu erzählenden Veränderung entgleiten läßt. Die Geschichte eines Krieges oder einer Revolution enthüllt sich im Kern nicht als die Feststellung, daß von zwei Konkurrenten einer als Sieger hervorgeht oder daß eine frühere Monarchie nun Demokratie oder Parteiendiktatur geworden ist. Was die Kriegs- oder Revolutionsgeschichte in Wahrheit darstellt, ist ein höchst verwickeltes Geflecht von Einzelpersonen, Gruppen, Mächten, Umständen und Ereignissen, die sich nur dank und in der historischen Wiedergabe zu einer Einheit fügen, welche ihrerseits nicht der Identität eines benennbaren Subjekts entlehnt ist. Die Einheit ist die *Einheit eines Handlungszusammenhangs,* der als dieser bestimmte gerade wegen der dabei waltenden Bedingungen der Kontingenz nur in historischer Vergegenwärtigung faßbar wird. Der Handlungszusammenhang schließt viele Handlungssubjekte mitsamt ihren Akten, Reaktionen auf und Antizipationen von anderen Akten unter bestimmten Konstellationen und in bestimmter Abfolge ein. Der historisch relevante Zusammenhang findet seine Einheit, ebenso wie seine Besonderheit, allererst in der Darstellung selber.

Wenn die Darstellung erzählend die fragliche Einheit konstituiert, gibt es vor der Erzählung gar nichts, das sich als Veränderung aussprechen ließe, um durch die Erzählung auf ein zuständiges Gesetz der Erklärung jener Veränderung bezogen zu werden. Die Erzählung vermag nur dann als heuristischer Kunstgriff zu fungieren, wenn sie eine von ihr unabhängige Gegebenheit auf den Gesichtspunkt möglicher Gesetzeserklärung hin interpretiert. Da der die Erzählung leitende Gesichtspunkt aber die Einheitsstiftung selber ist, kann keinesfalls dieselbe Erzählung, ohne die es nichts gäbe, das sich möglicherweise als Veränderung erklären ließe, neben der Gegenstandskonstitution auch die Orientierung auf ein Erklärungsmodell hin übernehmen. Der Gesichtspunkt der Einheitsstiftung und die Interpretation dieses einheitlich Konstituierten mit Rücksicht auf Kausalität sind zweierlei.

Danto erliegt daher einem Mißverständnis, wenn er seine Erzählanalyse umstandslos in das nomologisch-deduktive Modell einbauen will. Weder kann dargetan werden, daß Erzählungen immer schon Resultate von Erklärungsskizzen sein müssen, insofern in der Struktur temporaler Einheit sich nichts erzählen läßt, das nicht als Fall von Veränderung erschiene und sich deshalb bereits auf mögliche Gesetzeserklärung bezöge. Noch ist mit der erneuten Unterwerfung der Erzählanalyse unter das Erklärungsmodell sichergestellt, daß die Erzählung ihre Aufgabe historischer Vergegenwärtigung des Besonderen erfüllt und ohne Verkürzung heranreicht an die Konkretion berichtenswerten Geschehens.

4. Luhmanns Systemevolution

Einen anderen Vorschlag, des Konkreten begrifflich Herr zu werden, ohne es durch Allgemeinheit zu ersetzen oder generalisierend zu verfälschen, hat Niklas Luhmann unterbreitet. Luhmann geht vom *funktionalistischen Systembegriff* der Soziologie von Parsons aus, um diesen Ansatz auf ingeniöse und fruchtbare Weise fortzuführen. Das Konzept eines Systems, das sich gegen eine komplexe Umwelt absetzt und so auf Dauer stabilisiert, wird denkbar weit gefaßt. Sogar dasjenige, was in dem durch das System definierten Funktionszusammenhang aller Elemente keinen Platz findet, läßt sich noch funktionalistisch interpretieren. Die offenen Maschen des Systems, die Zonen des Unbestimmten geraten nicht außer Betracht, sondern werden theoretisch noch einmal im Begriff der Kontingenz aufgefangen.

Kontingent heißt das, was sich so bestimmen läßt, daß es unter Rückgriff auf das System unbestimmt bleiben muß. Luhmann folgt der ontologischen Tradition, die dasjenige als kontingent bezeichnet, was sich auch anders verhalten kann. Die genauere Analyse zeigt[27] allerdings, daß zwischen dem Bereich des Anderssein-könnens und dem kontingenten Eintreten eines Ereignisses innerhalb dieses Bereichs zu unterscheiden ist. Im ursprünglichen Sinne kontingent ist das Eintreten von etwas, das nicht notwendig ist oder regelmäßig vorkommt, so daß sein Grund beliebig zu nennen ist. Solche Ereignisse fallen in den Bereich des Unbestimmbaren, wo jegliches auch anders sein kann.

Luhmann geht nun einen Schritt weiter und bezieht das Anderssein-können noch einmal auf das zunächst fest bestimmte System zurück. Kontingenz eröffnet so die Möglichkeit, dem System eine höhere Komplexität im Selbstaufbau zuzuweisen, indem die offenbleibende Unbestimmtheit nicht nur das aus der Bestimmtheit Herausfallende meint, sondern als Unbestimmtheit vom System eigens vorgesehen ist. Diese systematisch eingebaute Kontingenz steckt einen Horizont freigehaltener Selektionen ab. Damit steigert das System seine Adaptionsfähigkeit, die in eine zeitliche Dimension verweist. Die alte Grenzbestimmung des ontologisch Faßbaren bekommt in der verfeinerten Logik des Systems eine Funktion hinsichtlich einer inneren Verzeitlichung. Kontingenz ist für das System die funktional eingesetzte Möglichkeit, andere Möglichkeiten seiner selbst so zu entwerfen, daß verschiedene Selektionen gleichermaßen denkbar werden und sich eventuell auch nacheinander verwirklichen lassen.

Das Instrumentarium scheint Luhmann geeignet, ein *System als Prozeß* zu interpretieren. Damit wird nicht die Vorstellung erneuert, der Prozeß sei etwas, das an einer bestehenden Sache einfach abläuft und daran gewisse Veränderungen vornimmt, die ihrerseits wieder den Prozeß als Prozeß ablesbar machen. Der Prozeß ist das System selber, das sich erhält, indem es sich verändert. Die dem System zuzuschreibenden Veränderungen sind nicht länger Bedrohungen seines Bestandes, sie sind die raffinierten Mittel seines Bestehens, das über die von unbewältigter Komplexität ausgehenden Bedrohungen hinweg gesichert wird. Das System, das Komplexität als Latenz von Möglichkeiten integriert, sichert sein Weiterexistieren mit größerer Aussicht auf Erfolg. Die vom System vorgenommene Verzeitlichung seiner selbst durch Benutzung jener Kontingenz, die traditionellerweise aus dem Bestimmungsrahmen herausfällt, bietet Luhmann der Historie als kategorialen Vorschlag an. Die Kategorie soll geeignet sein, mit der Eigenart historischer Prozesse fertig zu werden, ohne die Konkretion dabei methodisch zu verzerren, bevor sie überhaupt zum theoriefähigen Gegenstand wird. Vor allem tritt der *Zeitfaktor* ins Spiel, den die meisten Methodenkonzepte wie gezeigt vernachlässigen.

»Kontingenz bezeichnet eine Zwei-Ebenen-Erfahrung, die Erfahrung des Wirklichen im Horizont des Möglichen. Diese Doppelerfahrung der historischen Vorlage ist Voraussetzung dafür, daß Anschlüsse selektiv sein und sich selbst als Selektion, als Träger der Alternative von Kontinuität und Diskontinuität begreifen können. ... Gesamthistorische Kontingenz ist also die Form, in der sie für sich selbst ursächlich wird – und nicht nur die Tatsache der Abhängigkeit von früheren Ursachen, von früheren Weichenstellungen.«[28] Das Nichtgesetzmäßige, weil nicht Verallgemeinerbare der konkreten geschichtlichen Ereignisse wird somit doch auf die Gesamtheit eines Prozesses bezogen. Das kontingente Anders-sein-können in jedem Moment bildet keinen Gegensatz zur herkömmlichen Ursachenforschung. Die Möglichkeit verschiedener Anschlüsse an gegebene Lagen, die auch die offenkundige Diskontinuität noch zu einem Fall von Selektion macht, schafft einen hohen Grad von Komplexität, der gleichwohl der Analyse zugänglich bleibt.

Der bestechende Vorschlag von Luhmann, der allerdings in wechselnden Formulierungen bislang auf Hinweise beschränkt ist[29], kostet seinen Preis. Die Kategorie erfährt eine Anwendung im historischen Felde nur, wenn von Anfang an auf *Weltgeschichte* vorgegriffen wird. Ohne die Ausgangsbedingung der Einheit aller Zeiten, die ehedem universalhistorisch gedacht war und inzwischen als Evolutionslehre wiederkehrt, ist Kontingenz nicht systemtheoretisch einzuordnen. Das wird auf den ersten Blick nicht sichtbar, und Luhmann glaubt, ohne solche massiven Annahmen auszukommen.[30] Die Argumentation stützt sich in der Tat auf strategische statt auf inhaltliche Aspekte. Dennoch ist der Ausgriff auf die allumfassende Einheit eines Systemprozesses unvermeidlich.

Kontingenz erscheint nämlich erst dann als Sinngestalt eines durch Selektion selbstentworfener Möglichkeiten sich prolongierenden Prozesses, wenn außerhalb dieser Vermittlung nicht nochmals Kontingenz auftauchen kann. Wo alles funktional auf den Systembegriff hin ausgerichtet ist, bekommt auch Kontingenz einen eigenen funktionalistischen Stellenwert. Das setzt voraus, daß Kontingenz als Bedrohung des Systems eliminiert ist, indem sie auf die genannte Weise verarbeitet wird. Man muß also sicher sein, daß die systemtheoretische Kontingenzverarbeitung nicht ihrerseits einen Fall von Kontingenz darstellt, das heißt im Prinzip auch anders möglich wäre. Die Zähmung der Kontingenz hat zur Bedingung das Verbot, Kontingenz anders als systemimmanent wirken zu lassen. Auf dem Versuch lastet die Hypothek, daß das Anders-sein-können das Modell nicht mehr ereilt. Will man sich dessen vergewissern, muß man auf eine neue Ebene wechseln, wo nicht nur systemtheoretisch argumentiert, sondern die Systemtheorie selber thematisiert wird.

Hier deutet sich eine *universalistische* Konsequenz an, die Luhmann mit seiner umfassend ausgelegten Version von Systemtheorie durchaus intendiert. Nichts soll der Systemtheorie entgehen. Die Überzeugung freilich, daß sich schlechthin jedes Thema dem entwickelten Begriffsapparat fügen müsse, berührt in fundamentaler Weise den Wahrheitsanspruch des Konzepts. Die Anwendung einer Begrifflichkeit muß dem Gegenstand angemessen sein, andernfalls verfehlt sie ihn und führt nicht zur Erkenntnis. Der naheliegenden Frage, ob die Dinge sich nicht auch anders verhalten können als in der Systemtheorie vorgesehen, ist Luhmann regelmäßig dadurch ausgewichen, daß er die in der Frage unterstellte Differenz leugnet. Die Differenz, die festlegt, daß etwas sich so verhält und nicht anders, entscheidet aber zwischen Wahr und Falsch. Deshalb hatte schon Aristoteles bemerkt, daß dort, wo alles stets auch anders sein kann, theoretische Erkenntnis ihr Recht verliert.

Theorien, die sich der wahrheitsträchtigen Differenz des So-und-nicht-anders verweigern, tendieren zum Selbstzweck.[31] Es wird zur Hauptsache, daß man mit der Theorie angesichts jedweder Fragen und unter allen Umständen weiterkommt. Der Verzicht auf die Wahrheitsdifferenz hat eine *Tautologisierung* zum Resultat, die den Erfolg der Theorie von ihrer Probe bei der Anwendung auf wechselnde Gegenstände unabhängig macht. Zu dem Behuf muß es für gleichgültig angesehen werden, ob die behandelten Dinge sich wirklich so, wie behauptet, verhalten, wenn sie sich nur in der fraglichen Weise behandeln lassen. Ein An-sich-sein der Dinge jenseits ihrer theoretischen Behandlung unterstellte ein metaphysisches Datum, von dem wir nichts wissen. Dieses überholte Erbe im altmodischen Wahrheitsbegriff wird von der Systemtheorie verabschiedet, nachdem die Wahrheitsfrage sich mit systemtheoretischen Mitteln neu fassen läßt.

Die Flexibilität des Modells ist so weit auszudehnen, daß die Theorie *Selbstanwendung* ermöglicht. Was die Theorie ist und was sie will, wird dank der von ihr bereitgestellten Mittel noch begreiflich. Theorien sind als Formen jener Reduktion von Komplexität anzusehen, die das Modell der Systembildung gerade namhaft macht. Solche Theorien aber, die als Reduktion von Umweltkomplexität fungieren, bemessen sich nicht länger nach den Kriterien der Wahrheit, sondern des Erfolgs der angestrebten Reduktion. Am erfolgreichsten dürfte nun die Komplexitätsreduktion sein, deren Systemgestalt durch gar keine äußeren Faktoren mehr beeinträchtigt werden kann. Der totale Abbau der systembedrohenden Kontingenz gilt unmittelbar als Beweis der Überlegenheit des Systems. Der universalistische Sog der Systemtheorie erklärt sich mithin aus der Anlage des Ganzen.

Das Angebot der Systemtheorie an der Historie, mit der Kontingenzkategorie das historische Material in funktionaler Hinsicht aufzuschlüsseln, eröffnet die Aussicht, dem spezifischen Gegenstand der Geschichtswissenschaft nicht im Sinne der Wahrheit, wohl aber nach Maßgabe *erfolgreicher* theoretischer Bewältigung gerecht zu werden. Daß Theorieleistungen auf Wahrheit im Sinne einer Adäquation an den Gegenstand zu verpflichten seien, ist als traditionsbelastete Ansicht ausdrücklich verworfen. Die kategoriale Offerte an die Geschichtswissenschaft stellt demnach mehr dar als eine Art logischer Grundlegung empirischer Einzelwissenschaften nach dem Vorbild der neukantianischen oder positivistischen Wissenschaftstheorie. Sie ist der Akt substantieller Integration eines Gegenstandbereichs in ein umfassendes Theoriegebäude. Die übliche Arbeitsteilung zwischen Methodologie und Empirie, zwischen Ermöglichung wahrer Aussagen und Erstellung wahrer Aussagen entfällt. Mit der eigentümlichen Fassung des Kontingenzbegriffs eignet sich die Systemtheorie, die bereits die meisten der sozialwissenschaftlichen Disziplinen abdeckt, auch noch die Geschichte an. Dieser strategische Gewinn stärkt den Universalanspruch erneut.

Das hochgemute Selbstvertrauen der Systemtheorie dürfte der eigentliche Grund dafür sein, daß mit der neu eingeführten Deutung der Kontingenz sich die alten universalhistorischen Perspektiven auf unerwartete Weise beleben. Der Sache nach ist nämlich spätestens seit dem Historismus das Konzept einer Weltgeschichte problematisch geworden.[32] Die Entkoppelung der historischen Wirklichkeit von allen transhistorischen Voraussetzungen einer säkularisierten Theologie oder spekulativen Philosophie hatte die Grundlagen aufgelöst, die wie Anfang und Ende der Welt, Plan der Vorsehung, Logik der Epochen, Einheit der Gattung, Selbstverwirklichung zur Humanität, Fortschritt im Bewußtsein der Freiheit usw. die Gesamtheit allen Geschehens unter definitiver Einbeziehung der Zukunft denkbar machten. Wo der Historismus anhebt, die Wirklichkeit des Menschen in seiner geschichtlichen Bedingtheit zu begreifen, erweist sich der Sprung aus dieser Bedingtheit als fiktiv, und damit schwindet die Möglichkeit, die Gesamtheit der Geschichte von außerhalb der Geschichte zu betrachten. An der substantiellen Problematik einer Weltgeschichte ändert auch der systemtheoretische Konzeptualisierungsvorschlag nichts, wohl aber wird eine eigene Evolution des Systems aufgrund seiner inneren Verzeitlichung als Strategie der Selbsterhaltung faßbar. Strittig bleibt jedoch, ob man die *Systemzeit zum Substitut der Weltgeschichte* machen darf.

Die Antwort muß eindeutig negativ ausfallen. Indem Kontingenz vom System funktionalistisch verarbeitet ist, stellt sie nicht mehr das konstitutive Moment unverfügbaren Schicksals dar, dem historisches Handeln ausgeliefert war. Statt daß Kontingenz parasitär an Praxis eintritt, entschärft sie sich zum Systemtrick: eine List der Vernunft in nüchtern-funktionalistischem Gewande. Indem ferner Zeit zur Leistung des Systems wird, gibt sie nicht dem Vollzug konkreten Handelns und dem Eintreten faktischer Ereignisse die Form vor, von der kein an Praxis gebundenes Subjekt abstrahieren kann. Die für die Gegenstandskonstitution der Geschichtswissenschaft unvermeidliche Zeitdistanz, die, wie wir sahen, ein Geschehen vom späteren Rückblick der Erinnerung oder des Berichts trennt, erscheint überbrückt im Evolutionszusammenhang eines sich selber verzeitlichenden Systems. Innerhalb des Systemprozesses ist zu jedem Zeitpunkt auf jeden früheren Zeitpunkt beliebig zurückzukommen. Weil funktional gesehen alles auch anders möglich ist, verhindert das Offenhalten diverser Möglichkeiten tatsächliches Geschehen. Geschichte löst sich auf in die Rationalität verfeinerter Systembezüge, wo nichts mehr zu erzählen lohnt, weil alles schon irgendwie vorgesehen ist.

Dann haben die theoretischen Vorzüge über die Widerspenstigkeit des Gegenstands gesiegt und Erkenntnis ist wohlfeil geworden. Wenn nirgends mehr die Anstrengung des Begriffs herausgefordert wird, sind die sachlichen Probleme der theoretischen Routine geopfert. Die Theorie, der mehr an der eigenen Selbstbestätigung als am Lösen von Erkenntnisproblemen liegt, dürfte sich indes kaum zur kategorialen Unterstützung der Geschichtswissenschaft eignen.

Anmerkungen

1 Ranke, *Zur Kritik neuerer Geschichtsschreiber*, Leipzig/Berlin 1824, S. 28.

2 Im Vorwort zur zweiten Auflage der *Römischen Geschichte*, Berlin

1826, schreibt Niebuhr: »Gegen den Anfang des gegenwärtigen Jahrhunderts erwachte für unsere Nation wieder ein neues Zeitalter. Das Oberflächliche befriedigte nirgends; halbverstandene leere Worte galten nicht mehr ... Wir strebten nach Bestimmtheit, nach positiver Einsicht wie die Vorfahren, aber nach einer wahren, statt der vernichteten wahnhaften« (S. IX). Des weiteren bekennt er, die Grundsätze seiner politischen Beurteilung seien keine anderen als die von Montesquieu oder Burke (S. XIII). – Inzwischen hat A. Heuß, *B. G. Niebuhrs wissenschaftliche Anfänge*, Göttingen 1981, S. 384 ff., S. 468 ff., sehr klar gezeigt, daß sich Niebuhrs Geschichtsschreibung wesentlich an einem traditionellen Politikbegriff orientiert, für den neben den genannten Autoren auch Aristoteles und Machiavelli Kronzeugenschaft übernehmen. In dieser Hinsicht gehöre Niebuhr noch einer vorhistoristischen Epoche an (S. 472 ff.).

3 Ranke, »De historiae et politices cognatione atque discrimine« (1836), in: *Abhandlungen und Versuche*, 1. Sammlung, Leipzig 1872, S. 272 f.: »Quemadmodum enim scientia naturalis, quantumvis rerum naturalium formam accurate delineare conetur, tamen altiora expetit legesque aeternas quae mundo ipsi et singulis quibusque ejus partibus et membris scriptae sunt investigare studet, dein ad internos naturae sinus unde omnia oriuntur descendit: ita historia, quantumvis rerum gestarum seriem quam exactissime pertexere ac velut colorem et speciem reddere gestiat idque in summa laude ponat, in eo tamen opere non acquiescit, sed ad origines cognoscendas pergit et ad intimos ejus vitae quam vivit genus humanum recessus penetrare studet. [...]«

4 J. Burckhardt, *Weltgeschichtliche Betrachtungen* (1905 posthum veröffentlicht), München 1978, S. 1 ff.

5 Siehe W. Windelband, *Die Erneuerung des Hegelianismus*, Festrede Akademie der Wissenschaften, Heidelberg 1910.

6 W. Windelband, *Geschichte und Naturwissenschaft*, Straßburg 1900.

7 W. Dilthey, *Gesammelte Schriften*, Bd. V, Göttingen 1957, S. 242 ff., bes. S. 253.

8 Rickert, *Die Grenzen der naturwissenschaftlichen Begriffsbildung*, Tübingen ⁵1929, z. B. S. 270. – Vgl. auch Rickerts Brief an Georg Lukács vom 3.9. 1917, in: Georg Lukács, *Briefwechsel 1902-17*, Stuttgart 1982.

9 Zu diesem Dilemma vgl. E. Troeltsch, *Der Historismus und seine Probleme*, *Gesammelte Schriften*, Bd. III 1, Tübingen 1922, S. 155 ff.

10 A.a.O. S. 697 ff.

11 Aristoteles, *Politik*, I 9.

12 H. Lotze, »Über den Begriff der Schönheit« (1845), in: *Kleine Schriften*, Bd. I, Leipzig 1885, S. 300 ff., S. 333 f.; »Seele und Seelenleben« (1846), ibid. Bd. II, S. 175. – Der *kantische* Sprachgebrauch, der gelegentlich auftritt (z. B. *Grundlegung zur Metaphysik der Sitten*, A 65,

77), scheint noch recht unterminologisch.

13 Vgl. Plato, *Politeia*, 505 d/e.

14 Vgl. Rickert, a.a.O. S. 219 f.

15 Z. B. K. Acham, *Analytische Geschichtsphilosophie*, Freiburg 1974, S. 160: »Es ist nicht einzusehen, warum im Bereich der gesellschaftlichen Forschung apriori unmöglich sein soll, was im Bereich der Naturwissenschaften bereits Wirklichkeit geworden ist.«

16 1942 veröffentlicht, jetzt in: C. G. Hempel, *Aspects of Scientific Explanation*, New York 1965.

17 A.a.O. S. 238 ff. Eine spätere Modifikation (»Reasons and Covering Laws in Historical Explanation«, in: P. Gardiner, (Hg.), *The Philosophy of History*, Oxford 1974, S. 96) schränkt Erklärung auf Aspekte konkreter Ereignisse ein, hält aber am Erklärungsanspruch unvermindert fest.

18 Vgl. M. Scriven, »Truisms as the Grounds for Historical Explanations«, in: P. Gardiner (Hg.), *Theories of History*, New York 1959, bes. S. 454 ff.

19 A. Danto, *Analytische Philosophie der Geschichte* (1965), Frankfurt/M. 1974.

20 Beginnend mit J. Habermas, »Zur Logik der Sozialwissenschaften«, *Philosophische Rundschau* 1967, Beiheft 5.

21 Danto, a.a.O. S. 215 ff., 227.

22 A.a.O. S. 384 f.

23 A.a.O. S. 376 f.

24 A.a.O. S. 378.

25 A.a.O. S. 371.

26 A.a.O. S. 375 f., 396.

27 Siehe oben, A, I 3: Handlungskontingenz.

28 N. Luhmann, »Evolution und Geschichte«, in: *Geschichte und Gesellschaft*, 1976, S. 295. Vgl. »Weltzeit und Systemgeschichte« (1973), in: Baumgartner/Rüsen (Hg.), *Geschichte und Theorie*, Frankfurt/M. 1976.

29 Neuerdings: N. Luhmann, »Temporalisierung von Komplexität. Zur Semantik neuzeitlicher Zeitbegriffe«, in: *Gesellschaftsstruktur und Semantik* 1, Frankfurt/M. 1980, bes. Abschnitt III-V.

30 N. Luhmann, »Geschichte als Prozeß und die Theorie sozio-kultureller Evolution«, in: Faber/Meier (Hg.), *Historische Prozesse*, München 1978, bes. S. 423.

31 Vgl. R. Bubner, »Wissenschaftstheorie und Systembegriff«, in: *Dialektik und Wissenschaft*, Frankfurt/M. 1973.

32 Vgl. A. Heuß, *Zur Theorie der Weltgeschichte*, Berlin 1968.

VII. Zusammenfassung und Überleitung

Die Prüfung einiger prominenter Beispiele für eine methodologische Erfassung des Eigentümlichen von Geschichte hat die Schwierigkeiten gezeigt, denen eine Theorie sich gegenübersieht, die mit allgemeinen Mitteln des einmalig Besonderen der Vergangenheit habhaft werden will. Methoden müssen intersubjektiv nachvollziehbar sein, indem sie eindeutige Verfahren an die Hand geben, die immer wieder in einem gewissen Gegenstandsbereich Anwendung finden können, weil sie den fraglichen Objekten angemessen sind und einer prozeduralen Logik gehorchen. Ohne Zweifel gibt es im Rahmen der inzwischen hoch entwickelten Geschichtswissenschaft eine Reihe solcher Methoden, die der Evidenzbeschaffung, Materialsichtung, Urkundenauslegung, Quellenkritik, Rekonstruktion usw. dienen. Nicht alle diese Methoden sind ausschließlich historischer Art, manche kehren in verwandten Disziplinen wie Literaturwissenschaften oder Archäologie wieder. Darüber hinaus reichen die sogenannten Hilfswissenschaften, die die Echtheit von Dokumenten, das Alter von Baustoffen, die geologische Zusammensetzung von Fundstätten, archaische Praktiken des Handwerks usw. untersuchen, weit in den Bereich von Naturwissenschaft und Technik hinein.

Die entscheidende Frage galt aber der Möglichkeit einer einschlägigen Methode für das, was Geschichte ausmacht, weil es ihr so typisch ist, daß sie es nicht mit andern Fächern teilt. Wenn Geschichte nun das *Erzählen vergangener Ereignisse im Kontext* betreibt, wieso eignet sie sich als solche überhaupt zum Methodenobjekt? Was sollte angesichts des Erzählens die Methode sein, wenn die literarisch-rhetorischen Kunstregeln nicht mehr genügen für strenge Wissenschaftsforderungen? Eine Konsequenz aus der Frage kann lauten, die erzählerische Darstellungsform mehr und mehr aus der wissenschaftlichen Geschichtsschreibung zu verbannen. Das wird freilich eine allmähliche Entfernung vom Thema zur Folge haben oder die unbemerkte Vertauschung historischer Konkretion durch sozialwissenschaftliche Modelle, Strukturen, Systeme, Funktionen usw. Offenbar schießt der Methodenehrgeiz über das Ziel hinaus, wenn die angestrebte Erhebung zur vollgültigen Wissenschaft mit dem Verlust der eigentümlichen

Gegenstände bezahlt wird.

Der *Gegenstand* der historischen Wissenschaft existiert von vornherein in jener Darstellungsform, die sich den unwägbaren Wechselfällen des tatsächlichen Eintretens sowie den Um- und Abwegen des Verlaufs flexibel anschmiegt. Der erzählende Bericht schafft die Gegenstände erst, auf die eine Methode sich zu richten hätte. Der schwankenden Gestalt von Erzählungen fehlt jedoch die zweifelsfreie Gegebenheit, intersubjektive Verläßlichkeit und prozedurale Bearbeitbarkeit von Gegenständen, auf die jede wissenschaftliche Methodenanwendung pochen muß. Die Methode weiß mithin nicht, wo sie ansetzen, was sie behandeln sollte, da der Zugang zu historisch relevanten Ereignissen wesentlich über den erzählenden Bericht vermittelt ist.

Der Kanon hermeneutischer Methoden hilft nicht weiter, weil es nicht um die Erzählungen als solche geht, die bei allen Schwankungen im auszulegenden Sinn doch als *Texte* Bestand haben. Daran besitzt die Hermeneutik immerhin ihren festen Gegenstand, während die Historie hinter die Textgestalt zurück zu Ereignisverläufen vordringen muß. Die Ereignisse sind nirgends sonst als in Dokumenten, Berichten und Quellen festgehalten, gleichwohl stellen die Texte, die sie wiedergeben, nicht den gesuchten Gegenstand selber dar. Wegen der Vermittlung der gesuchten Gegenstände in Erzählungen kann die Methode, die objektivierbare Gegenstände voraussetzt, sich nicht einfach an Textbestände halten. Noch die trockensten Datensammlungen, wie Kirchenbücher, Steuererhebungen oder Statistiken, müssen vom Historiker als Spiegel von Ereignissen und ihrer besonderen Verläufe gelesen werden. Die Aporie, eine einschlägige Methode für die empirisch eingestellte Geschichtswissenschaft zu benennen, die den fraglichen Gegenständen im Sinne historisch relevanter und erzählerisch überlieferter Ereignisse der Vergangenheit entspricht, hat sich an der Prüfung der Beispiele erwiesen.

Die theoretische Wertbeziehung Rickerts spiegelt am historischen Material bloß das jeweilige Kulturbewußtsein der Forscher und vermag die durch zeitliche Distanz in die Vergangenheit entrückten Ereignisse der Geschichte nicht von anderen verstehbaren Sinngebilden zu unterscheiden. Das nomologisch-deduktive Modell Hempels versinkt im Falle geschichtlicher Instanzen in einer Flut von Quasi-Gesetzen, die zur Ableitung aller relevanten Details benötigt werden, so daß die beabsichtigte Erklärung durch

Trivialisierung und Unübersichtlichkeit zunichte gemacht wird. Die willkommene Rehabilitierung der Erzählung bei Danto dient letztlich dem höheren Ziel einer heuristischen Stützung von Hempels Erklärungsmodell und erliegt dem unerschütterlichen Glauben an die Tugend der Kausalanalyse in historischen Zusammenhängen. Der Einbau von Kontingenzmomenten in Luhmanns Evolutionskonzept besticht durch Eleganz, löst aber das konkrete Material der Geschichte ins Spiel der funktionalen Beziehungen eines über alle Gefährdung sich selbst erhaltenden Systems auf, so daß das kategoriale Angebot an die Historie in Wahrheit der Unterwerfung einer weiteren Disziplin unter die Botmäßigkeit der universalistisch ausgelegten Systemtheorie dient.

Die betrachteten Versuche einer methodischen Bewältigung des konstitutiven Kontingenzmoments in historisch relevanten Ereignissen scheitern. So behält die alte Einordnung der Historie als Teil der Literatur ihr Recht, die sogar den größten Historikern im Hochgefühl fachlichen Triumphes während des 19. Jahrhunderts noch geläufig war, wenn sie bekannten, Geschichtsschreibung sei mindestens so sehr *Kunst wie Wissenschaft*. Gegenwärtig bestätigt dies deutlich ein neu erwachtes Interesse an den narrativen Elementen der Historie. Man täusche sich nicht: die Aufmerksamkeit, die in der Grundlagendebatte den Erzählformen gewidmet wird, ist kein weiterer Schritt voran auf dem Wege der Methodisierung von Geschichte, sondern ein Schritt zurück vom übersteigerten Methodenbewußtsein, das durch Anknüpfen an literarische Kategorien korrigiert wird. Wenn die Literarisierung der Geschichtsschreibung unter Fachleuten nicht länger verrufen ist, so weist das auf ein Nachlassen der Anspannung hin, unter welcher eine methodologisch angeleitete Geschichtswissenschaft lange stand. Freilich ist es nicht Aufgabe der Historikerzunft, die Gründe dafür zu benennen; denn der Konstitution der modernen Disziplin liegt eine Entwicklung im Rücken, die die *Philosophie* rekonstruieren muß, weil die Philosophie wesentlich daran beteiligt war.

Die Theoriefähigkeit der Geschichte endet dort, wo der Struktur der Praxis, aus der historische Ereignisse unleugbar entstehen, Rechnung zu tragen ist. Geschichte, die die Menschen machen, ohne sie lückenlos beherrschen zu können, erwächst aus verwickelten und schrittweise in größere Komplexe sich ausweitenden Handlungen. Daß gehandelt wird, obwohl die Resultate den Akteuren entgehen, verlangt nach Aufklärung. Wie es zum tatsächlichen Eintritt bestimmter Ereignisse gekommen ist, läßt sich unter Rückgriff auf das *elementare Handlungswissen* der Zuhörer darstellen. Wird das Geschehen solcherart verständlich, öffnet sich auch eine beispielhafte Übertragung auf neue praktische Lagen. Wo diese Vermittlung nicht mehr genügt, soll eine möglichst vollständige Durchsichtigkeit der Abläufe, eine Herleitung aus voranliegenden Ursachen und eine kausale Erklärung nach allgemeinen Gesetzmäßigkeiten an die Stelle treten. Dann wird die pragmatische Historiographie von der wissenschaftlichen Erkenntnis abgelöst und die theoretische Forschung dringt in die Domäne des elementaren Handlungswissens ein.

Das jedermann zugängliche Verständnis praktischer Zusammenhänge, das ursprünglich die Grundlage allen historischen Interesses abgab, wird verlassen, indem Geschichte sich zum Gegenstand einer angesehenen Einzelwissenschaft wandelt. Entsprechend mißlingt nun die Rückübertragung der Ergebnisse historischer Forschung in das Leben des aktuell Handelnden. Die Wissenschaftler schreiben für Kollegen, während der Wunsch des breiten Publikums nach historischer Aufklärung trotz bedeutender Ausnahmen mit Surrogaten bedient wird. Das mag bei Spezialdisziplinen wie Astrophysik oder Biochemie natürlich und unanstößig sein. Im Felde der Geschichtsschreibung, die neben Kunst und Mythos eine der ältesten Formen der Verständigung der Menschheit über sich darstellt, erwachsen aus der Autonomisierung zur wissenschaftlichen Theorie und der Ablösung vom Wissen der Handelnden allerdings bedenkenswerte Probleme, die unbesehen der methodischen Zurüstung tief in die inhaltliche Gegenstandsbestimmung hineinreichen.

Eine genauere Betrachtung des Prozesses, in dem Geschichte zum Gegenstand einer Einzelwissenschaft wird, hatte erwiesen, daß dieser Fortschritt nicht umstandslos im Zuge der *Verwissenschaftlichung* aller Bereiche der Welt und des Lebens stattfand. Geschichte ist im Gegensatz zu den wohl abgegrenzten Sphären der Phänomene von Natur und Kultur nicht irgendwann einmal zum Wissenschaftsobjekt erhoben worden, als das neuzeitliche Methodendenken seinen Eroberungszug fortsetzte. Spätestens seit der Methodenreflexion des Descartes ist die äußere Welt, seit dem Konstruktionsideal von Hobbes ist auch die soziale Welt der Wissenschaftsgesinnung unterworfen worden. Auf diese Linie, so meint man, sei in der Epoche des Historismus endlich auch die Geschichte eingeschwenkt, die als eine der letzten Bastionen altmodischer Überzeugungen dem szientifischen Ansturm lange widerstanden hatte. Die Erfolgschronik neuzeitlicher Wissenschaftsentwicklung suggeriert damit eine Geradlinigkeit, die so nicht existiert.

Die Verwissenschaftlichung von Geschichte hat den merkwürdigen *Umweg über die Philosophie* genommen, den wir skizzierten. Die Beschäftigung der begrifflichen Spekulation mit dem alten Erbe von Rhetorik und Poetik war nötig, um der Gattung des Erzählens von Vergangenem die Weihe der Theorie zu verleihen. Erst nachdem die Historiographie Eingang in philosophische Systeme gefunden hatte, und nachdem Geschichte für die Selbsterhellung des Begriffs eine wesentliche Rolle zu spielen begann, waren die Wege geebnet für eine wissenschaftliche Beschäftigung mit der Vergangenheit. Das Sicheinlassen der Philosophie auf Geschichte bildete die historische und sachliche Voraussetzung für die Übernahme der Geschichte in die Verantwortung einer Fachdisziplin, deren methodisches Ethos mit der Verabschiedung jener prätendierten Zuständigkeit der Spekulation wuchs. Für diesen Umweg kann die Philosophie Gründe angeben.

Die schwierigste Hürde, die bei dem geschilderten Prozeß von der pragmatischen Historiographie über die philosophische Spekulation zur verwissenschaftlichten Geschichte zu überwinden war, lag nämlich darin, daß *Praxis kein geborener Gegenstand für Theorie* ist. Die philosophische Überlieferung beweist selber zur Genüge, ein wie schwieriges Feld die Handlungstheorie ist. Von der großen Ausnahme des Aristoteles mit seinen Fernwirkungen abgesehen hat es kaum je ernsthafte Bemühungen um einen Begriff der Praxis gegeben. Meist tritt ein Substitut an die Stelle, so etwa der Kausalbegriff im Gefolge neuzeitlicher Naturwissenschaften oder der Sinnbegriff auf den Spuren heutiger Soziologie und Sprachphilosophie. Die Aristotelische Analyse eines eigenständigen Handlungsbegriffs geht folgerichtig mit der tiefgreifenden Unterscheidung der theoretischen von der praktischen Philosophie einher. Praxis verlangt ein differentes Rationalitätskonzept: neben theoretische Erkenntnis rückt gleichberechtigt praktische Klugheit.

Akzeptiert man einmal, daß Geschichte sich aus Handlungen, ihren kollektiven Verwicklungen und kontingenten Verläufen im einzelnen aufbaut, so scheint die theoretische Intention aufs Allgemeine ursprünglich ganz fehl am Platze. Verwirft man dazu noch die literarisch-rhetorische Gattung des Erzählens, so muß Geschichte zuallererst mit Theorie getränkt werden, um auf theoretische Fragestellungen antworten zu können. Die philosophische *Intellektualisierung* der Geschichte, die in die Folge historischer Ereignisse etwas hineinliest, was die konkreten Handlungen, die zugrundeliegen, von sich aus gar nicht enthalten, bedeutet den unerläßlichen Schritt, der vorausgehen mußte, damit die Wissenschaft überhaupt Zuständigkeit anmelden konnte. Die begriffliche Überfrachtung des Themas, die der nüchterne Methodiker beklagt, stellt, ohne daß er es merkt, in Wahrheit die Bedingung dafür dar, Geschichte zum theoretischen Thema zu erklären.

Wer dieses Bedingungsverhältnis eingesehen hat, dem wird es schwerfallen, in den Ruf nach dem perfekten Griff der Wissenschaft auf Geschichte einzustimmen. Seit dem Aufkommen der Quellenkritik bis zur heutigen Kooperation mit anerkannten Sozialwissenschaften ist der Ruf nicht verstummt. Warum sollte in einem Felde, das durch Politik und Ideologie, durch Wertsetzungen und Weltanschauungen, durch Metaphysik und Tradition so vorgeprägt ist wie die Geschichte, die Vertreibung all dieser Irrtümer nicht durch eine methodisch abgesicherte Wissenschaft möglich sein? Daß ein definitives Regiment der Wissenschaft über die Geschichte jedoch eine Chimäre bleiben muß, liegt nicht allein in den bekannten *forschungslogischen* Voraussetzungen begründet, die das Geschäft der Historiker begleiten. Diese Voraussetzungen scheinen unbestreitbar, sie stellen aber nicht den Haupteinwand dar.

Lange Zeit hat die Skepsis gegen totale Verwissenschaftlichung der Geschichte die methodologische Eigenart historischer Forschung herausgestellt und auf die erkenntnisleitenden Interessen, die selektive Wahrnehmung, das hermeneutische Vorverständnis oder die zweckgebundene Interpretation verwiesen. All das ist von der neueren Wissenschaftstheorie so nachhaltig ins allgemeine Bewußtsein gehoben worden, daß die positivistische Gefahr eines naiven Faktenglaubens inzwischen gebannt scheint. Wohl mag der einzelne Historiker sich bei seinen spezialisierten Untersuchungen unbeirrt auf der sicheren Fährte empirischer »Daten« wähnen. In einer ernsthaften Reflexion auf sein Tun wird er jedoch zugeben müssen, daß er mindestens so sehr Zusammenhänge deutet, wie Gegebenheiten feststellt. Hinzu kommt auf Seiten der naturwissenschaftlichen Forschung nun umgekehrt eine historistische Relativierung, die im Gefolge von Kuhn und Feyerabend die einstmals scharf gezogene Scheidelinie zur geisteswissenschaftlichen Hermeneutik auflöst.[1] Nachdem die interne Abhängigkeit empirischer Einzelaussagen von jeweils vorgegebenen und zudem wechselnden Paradigmen oder Sprachrahmen entdeckt ist, hat die vermeintlich neutrale Beobachtung sich zu einem semantischen Kontextproblem unter der Vorgabe von Forschungstraditionen gewandelt. Mithin kann an der schulbildenden Unterscheidung zwischen Naturwissenschaft und Historie, die früher mit dem Empiriebegriff operierte, nicht umstandslos festgehalten werden. Hier liegen folglich nicht mehr die Probleme, denen philosophisches Nachdenken sich vordringlich widmen müßte.

Die *philosophische* Betrachtung von Geschichte gehört unter die Kategorie des Praktischen. Entsprechend hat die Analyse mit einem *Handlungsbegriff* einzusetzen, der seiner Struktur nach so gedeutet werden muß, daß Kontingenz als Schicksal des Handelns im Bereich dessen, was stets auch anders sein kann, nicht zu unterdrücken ist. Kontingenz folgt wie ein Schatten dem konkreten Tun, das gar nicht umhin kann, aus dem Spielraum seiner Möglichkeiten bestimmte Ziele zu realisieren. In der unvorhergesehen auftauchenden Kontingenz drückt sich die Endlichkeit eines Handelns aus, das, weil es immer zugleich Handelnmüssen ist, im Setzen eines Ziels andere Möglichkeiten notwendig ausschließt. Aus dem Horizont unrealisierter Möglichkeiten tritt kontingenterweise ein, was ungewollt doch Wirklichkeit wird. So entstehen historisch relevante Ereignisse, die in der Eigenart ihres Verlaufs wiederzugeben sind, weil man wissen will, wie es gerade dazu kam. Die retrospektive Prozeßbildung liefert den unerschöpflichen Stoff, ohne den auch unter dem Vorzeichen der Wissenschaft Historie nicht auskommt.

Wenn der Stoff aber von solcher Art ist, kann die theoretische Bewältigung dieses Stoffes in Gestalt einer Einzelwissenschaft sich nicht auf die üblichen Regeln methodischer Empirieverarbeitung stützen. In die Bestimmung des Stoffes der Geschichte geht philosophische Begrifflichkeit bereits so weit ein, daß die Rolle der Philosophie sich unmöglich auf die forschungslogische Metaebene reduzieren läßt. Da der Stoff nicht einfach vorliegt, um aufgegriffen und gemäß wissenschaftlicher Regeln behandelt zu werden, kann die Gegenstandsdefinition auf der Primärebene auch nicht ohne weiteres der zuständigen Fachdisziplin überlassen werden, so, als träte, nachdem die Historie gesagt hat, was Geschichte ist, die Philosophie als logische Prüfungsinstanz korrekter Vorgehensweise auf einer zweiten Ebene erst hinzu. Vielmehr nimmt die Philosophie dank ihrer Konzeptualisierungsleistung im Bereich des Praktischen ursprünglich teil an der Klärung dessen, was wir Geschichte nennen. Sie erzählt weder Geschichte, noch behandelt sie erzählte Geschichte wissenschaftlich, aber sie verhilft dazu, grundsätzlich und mit begrifflicher Präzision auszusprechen, was Geschichte ist.

Die praktische Philosophie, die sich auf die *Lebensbedeutsamkeit der Geschichte*[2] besinnt, muß nicht nur die angestammte Rollenverteilung abweisen, derzufolge begriffliche Reflexion auf Methodologie verkürzt wird, die unter den Prämissen eines verselbständigten Wissenschaftsbetriebs steht. Praktische Philosophie hat darüber hinaus auch den Eliminationsversuch zu revidieren, mit dem herkömmliche Geschichtsphilosophie auf den Stachel der Kontingenz antwortete. Seit es Geschichtsphilosophie gibt, ist zwar das Moment des Zufalls registriert worden; dabei war aber die Absicht leitend, den Zufall auf verschiedene Weise aus der Betrachtung auszuschließen. Angefangen mit den Bildungsprogrammen von Herder und Kant zielten die Philosophen darauf, das störend Irrationale des Geschichtsprozesses als Stimulans einer höheren Gattungsentwicklung umzudeuten und daraus Antriebskräfte für einen aufs Ganze gesehen vernünftigen Gang der Weltgeschichte zu beziehen.

Das lehrreichste Exempel einer gesamtgeschichtlichen Kontingenzverarbeitung haben wir in *Hegels* Vernunftgeschichte kennengelernt, die sich der List bedient, gerade die grundlosen Partikularitäten in der Vielfalt historischer Prozesse zur unwiderleglichen Durchsetzung des überlegenen Rechts geistiger Allgemeinheit zu nutzen. An der Nutzung des Zufalls zur Beseitigung seiner selbst wird eine historisch orientierte Philosophie der Praxis neu ansetzen müssen, um die systembedingte Rolle kritisch abzuwägen, die solchen Geschichtsmomenten eingeräumt wird, deren Vernunftbedeutung nicht von vornherein klar ist. Das impliziert auch eine Auseinandersetzung mit der Ortsbestimmung von Geschichtsphilosophie, die in Hegels *Enzyklopädie* unter das Rubrum des Rechts gerät. Die *Rechtsphilosophie* läßt deshalb geschichtliche Betrachtungen zu, weil die dem Recht innewohnende Vernünftigkeit die irrationalen Geschichtsmomente domestiziert. Fraglich ist aber, ob die systematische Vorordnung des Rechts vor der Geschichte zwingend begründet ist und nicht umgekehrt die Rechtsphilosophie gerade an Geschichte auszurichten wäre.

Die von Hegel als Weltgericht angesehene Weltgeschichte verhilft dem Geist am Ende zum Sieg, weil er sich nicht gegen die kontingenten Phänomene sperrt, sondern in den Niederungen des weltlichen Getümmels, das keine Vernunft zu lenken scheint, mit dem Anspruch vernünftig gestalteter Ordnung auftritt. Wo alles so und auch anders sein kann, bedarf das Handeln praktischer Subjektivität gewisser institutioneller Absicherungen, um sich kollektiv überhaupt realisieren zu können. Diese Strukturen geistiger Objektivation bilden sich in der Geschichte und stehen ihr nicht fremd gegenüber. Hegel nennt sie das Recht, das weder einer willkürlichen Setzung entspringt und mithin wieder eine Erscheinung der Kontingenz wäre, noch aus einem transhistorischen Naturrecht abzuleiten ist, dem vor der wandelbaren Wirklichkeit der Geschichte nur der abstrakte Prinzipienstatus bliebe.

Bekanntlich hat Hegel die Durchsetzung des Rechts *in* der Geschichte zum Leitfaden einer wirklichkeitsgetreuen Interpretation *der* Geschichte ernannt. Am Schluß seiner *Rechtsphilosophie* taucht die einheitliche Weltgeschichte als Perspektive auf, die aus den institutionellen Formationen des *objektiv* gewordenen Geistes überleitet in die Selbstgewißheit des *absoluten Geistes*. Die in der Sphäre praktischer Intersubjektivität sedimentierte Vernünftigkeit erfährt ihre letzte Krönung durch den bruchlos vollzogenen Übergang in die uneingeschränkte Vernünftigkeit der Philosophie selber, während diese sich ihrerseits bestätigt sieht durch den welthistorischen Werdeprozeß des Geistes im Ganzen. »Unter dem wechselnden Schauspiele ihrer Geschichten« zeige die Universalhistorie sich als die »wahrhafte Theodizee«, wie es am Ende der Hegelschen Vorlesung über Geschichtsphilosophie heißt.

Den Höhepunkt des Nachdenkens über Geschichte bildet das Bemühen, zwischen Rechtsphilosophie und Weltgeschichte einen rational zwingenden Zusammenhang herzustellen, so daß die praktischen Normen eine universalhistorische Legitimation erfahren, und das vernünftige Normengefüge als Passepartout der gesamten Geschichte fungiert. Ein solcher Zusammenhang, der die seit Aristoteles getrennten Bereiche der theoretischen und praktischen Vernunft nicht bloß in äußere Beziehung setzt, sondern auf eine bis dahin unerhörte Weise systematisch miteinander verknüpft, weckt heute mehr Staunen als Zustimmung. Von allen inhaltlichen Zweifeln an der Normenlehre oder der Geschichtsdeutung im einzelnen abgesehen, ist es die prätendierte *Logik des Übergangs* selber, die einzusehen schwerfällt.

Kant hatte bei vergleichbaren Fragen von Hoffnungen gesprochen, Fichte hatte sich auf dogmatische Metaphysik zurückgezogen, Marx beschwor einen absehbaren Fortschritt auf der diagnostischen Basis gesellschaftlicher Widersprüche. Nur Hegel behauptet, daß die Geschicke der Menschheit geradewegs in die Philosophie führen. Er kann deshalb auch vom Podest der philosophischen Erkenntnis aus Philosophiegeschichte und Menschengeschichte zur Konvergenz bringen. Es ist nicht die idealistisch erträumte Verwechslung der Taten und Leiden praktischer Subjekte mit dem schwerelosen Reich des Gedankens, die korrigiert werden muß. Eine derartige Kritik unterschätzt, obwohl sie gang und gäbe ist, das hegelsche Unternehmen bei weitem. Es ist der systematisch wohl überlegte Begründungsanspruch für den über Geschichte hergestellten *Zusammenhang von praktischer Philosophie und höchster Wissenschaft* im metaphysischen Sinne, vor dem unser Verständnis versagt. Die rationalen Gründe nämlich, die den Zusammenhang ausdrücklich zu tragen vermöchten, können nur der absoluten Sphäre entstammen, die als Telos des geschichtlichen Prozesses ausgegeben wird.

In der Tat läßt sich von einem *Telos* her die Genese erläutern, die folgerichtig zu jenem Ende des Werdeprozesses geführt hat. Die analytischen Mittel jedoch, mit denen eine solche teleologische Erklärung arbeitet, dürfen nicht ihrerseits das Ziel der Entwicklung sein. Nur wenn die begrifflichen Mittel nicht Teil des Prozesses sind, kann man auf ihre analytische Kraft bauen. Entstünden die Mittel der Analyse eines sinnvollen Prozesses hingegen selber im Laufe dieses Prozesses, unterlägen sie der Kontingenz. Der Prozeß könnte sich nämlich durchaus anders entwickeln, ohne als Prozeß sinnlos zu werden, auch wenn an seinem Ende nicht just die Mittel heraussprängen, die ihn zu begreifen erlauben. Allein vom Ende her ist der folgerichtige Charakter eines Prozesses zu definieren, während unterwegs niemand weiß, wohin die Reise wirklich geht. Obwohl also nach dem Abschluß erst ein Urteil über Sinn und Unsinn des Verlaufs möglich wird, darf die Feststellung des Endes nicht mit der Verfügung über die entsprechenden begrifflichen Mittel verwechselt werden. Denn ein differenter Verlauf mit einem demgemäß unterschiedlichen Ende wäre mit den gleichen begrifflichen Mitteln als sinnvoll oder sinnlos zu beurteilen. Wenn also auf verschiedene Prozeßabschlüsse dieselben Mittel passen, ist das Bereitstehen der Mittel noch kein Zeichen für das erreichte Ende eines Prozesses. Ebensowenig ist ein Prozeßende mit der Erwartung zu belasten, es möge die passenden Mittel des Begreifens gleich mit herbeischaffen.

Eine einzige Annahme würde den fraglichen Zusammenfall von Faktum und Erkenntnis legitimieren: die Annahme eines *schlechthin definitiven Endes*, hinter dem nichts mehr kommt, so daß auch ein anderer Gang der Dinge ausgeschlossen ist. Zu einer solchen Annahme wiederum berechtigt uns nichts, solange die Sicherheit, das Ende eines Prozesses sei das unwiderruflich Letzte, in einem Prozeß selber gewonnen werden muß, von dem wir unterwegs nie wissen, wie er ausgeht. Solange wir das nicht wissen – und wir können es während des laufenden Prozesses unter keinen Umständen wissen –, haben alle erreichten Prozeßabschlüsse jeweils als vorläufig und überholbar zu gelten. Daß ein bestimmter Prozeß verständlich wird, impliziert eben nicht, daß der Prozeß zu nichts anderem als seinem eigenen Begreifen führte. Das Faktum einer verstehbar gemachten Genese genügt nicht zur Begründung dieser Genese als der einzig sinnvollen im Unterschied zu allen anderen, die ebenso möglich und insofern verstehbar wären. Ein Vergleich möge das verdeutlichen.

Die *pragmatische* Aufgabenstellung der alten Historiographie und das *hermeneutische* Bewußtsein des modernen Historismus kommen darin überein, daß unterhalb des allumfassenden Konzepts vernünftiger Weltgeschichte historische Prozesse von ihrem Abschluß her verstanden werden können. Weil sich im Rückblick die Bedeutsamkeit herausstellt, sind im Lichte der Folgen die eigentümlichen Verläufe beurteilbar geworden. Es ändert nichts an der Funktion dieser epochalen Einschnitte, daß die auf praktische Belehrung zielende Tradition den Blick nach vorn in die Zukunft bevorstehenden Handelns richtet, während unter der Last wachsender Erinnerung das zeitgenössische Selbstverständnis mehr im Blick zurück auf die eigene Herkunft gewonnen wird. Mit der Veränderlichkeit und Fortsetzbarkeit jener Prozesse rechnen beide Einstellungen. Absolute Notwendigkeit kann dem Verlauf allein zugesprochen werden, falls der zu deutende Prozeß als der unüberschreitbare Gesamtprozeß gilt, das Telos des Verlaufs im Begreifen selber liegt und das Verstehen deshalb das Letzte ist. Ein solches Verstehen würde von Kontingenz nie mehr eingeholt, aber diese Erfahrung machen wir eben nicht. Was muß also hinzukommen, um die Kluft zwischen Anspruch und Erfahrung zu schließen?

Überläßt man sich nicht der Faszination durch den systematischen Konstruktionsansatz, so wird die Frage auf die Eigenart jener *begrifflichen Mittel* gelenkt, die den universalen Geschichtsprozeß als Triumph des Geistes über den Zufall faßbar machen. Zweifellos ist Hegel zuzustimmen, wenn er im Recht eine Objektivationsleistung der Vernunft sehen will. Auch liefert die zunehmende Gestaltung der Lebenswelt durch verbindliche Regelung und ein eng geflochtenes Netz von Institutionen erstaunliche Belege für die historische Durchsetzungskraft des Geistes. Was die rechtstheoretischen Einsichten Hegels unter dem Stichwort der »Sittlichkeit« angeht, so wird die Tragfähigkeit für Probleme kollektiver Praxis unter rationalen Subjekten in den nächsten Kapiteln zu prüfen sein. Der welthistorischen Ausweitung des Rechtsprinzips, das nicht nur unser Handeln lenken, sondern zugleich alles vergangene Handeln begreiflich machen soll, ist jedoch nachdrücklich zu widersprechen, wenn damit Unüberholbarkeit prätendiert wird.

Geltung besitzt das *Recht*, soweit intersubjektives Handeln als solches der Regelung bedarf. Eine Vernunft, die auf diesem Wege praktisch wird, darf getrost Vernunft in der Geschichte heißen. Vergangenes Handeln von Subjekten, die der Vernunftanleitung schon deshalb entraten, weil ihr Handeln längst zu berichtenswerten Ereignissen geronnen ist, unterliegt nicht der Geltung des Rechts, sondern verlangt nach verständlicher Interpretation, die den eigentümlichen Verlauf des Prozesses sinnvoll erscheinen läßt. Was kann das Rechtsprinzip dazu beitragen? Vom Recht her motiviert sich ein Interesse an vergangenem Handeln höchstens, soweit das kollektive Tun ehedem die aktuelle Rechtsgeltung bestätigt, weil eine über den Zeitenabstand perennierte Geltung mehr praktische Überzeugungskraft auf ihrer Seite hat. Damit ist aber die eigentlich historische Differenz zwischen Vergangenheit und Gegenwart weitgehend ausgelöscht.

Man kann freilich dieselbe Betrachtung auch umkehren und nun die Distanz vergangenen Handelns vom vollendeten Rechtszustand abschätzen. Dann treten in der Tiefe der Geschichte eher die Abweichungen hervor, das Unvernünftige und die Hindernisse unbeschränkter Geltung, gegen die sich das Recht allmählich durchsetzt. Der Kampf mit den Umständen läßt die Herausarbeitung einer allgemein verbindlichen Ordnung als die Aufgabe sukzessiver Zurückdrängung irrationaler Faktoren erscheinen. Vor dem Hintergrund des verbindlichen Rechts versinkt alles Geschichtliche also im Vagen der Unverstehbarkeit und des Nochnicht-Vernünftigen. Wenn man allerdings vom Rechtsstandpunkt über die Geschichte wesentlich dies erfährt, wie wenig rechtlich es in ihr zugegangen sei, ist der Beitrag zur Erkenntnis bescheiden. Über vergangenes Handeln will man mehr erfahren als eine Affirmation der gegenwärtigen Rechtsgeltung durch Vergleich mit den früher mangelhaften Realisierungen.

Das Interesse an der Vergangenheit speist sich aus dem Bedürfnis zu verstehen, was schwer verständlich ist: wieso die kontingenzbeladenen Verläufe konkreter Ereignisse im Rückblick von den Folgen her sich doch gehaltvoller darstellen denn als eine nackte Häufung des Beliebigen. Die Auskunft, daß die Zufälle der Weltgeschichte bloß Stationen auf dem Wege der endgültigen Durchsetzung des Rechts sind, beseitigt das Rätsel nicht. Denn das begriffliche Instrumentarium der *Rechtsphilosophie* versagt gegenüber einer Kontingenz, die historisch wirksam wird, aber rechtlich ortlos bleiben muß. Recht soll die Macht der Kontingenz über unser Handeln brechen, indem Institutionen erfolgreich die sonst ungeregelten Verläufe regeln. Wird unter institutionellen Bedingungen Kontingenz dennoch historisch relevant, so demonstriert sie nichts anderes als die Grenzen des Rechts. Eine Betrachtungsweise der Geschichte vom Blickwinkel des Rechts, dem Kontingenz das schlechthin Andere bedeutet, geht systematisch an der Substanz der Geschichte vorbei. Wenn das Recht also wie im Falle Hegels zur Meßlatte historischer Prozesse dient, wird ein Thema mit Mitteln behandelt, die wesentlich auf den Ausschluß konstitutiver Momente des Themas hinarbeiten. Das beiderseitige Verhältnis von Recht und Geschichte ist dann falsch bestimmt. Geschichtsphilosophie gehört nicht als integrativer Bestandteil an den Schluß der Rechtsphilosophie, sondern im Rahmen einer umfassend angelegten praktischen Philosophie ist die Normenlehre ursprünglich am Geschichtsbegriff zu orientieren.

Anmerkungen

1 Vgl. R. Bubner, »Dialektische Elemente einer Forschungslogik«, in: *Dialektik und Wissenschaft*, Frankfurt/M. 1973, S. 129 ff.

2 J. Rüsen hat den Vorschlag unterbreitet, die »Historik« als Theorie der Geschichtswissenschaft auf eine »Pragmatik« zu beziehen, die dem historischen Denken seinen »Sitz im Leben« anweist. Dieser an sich überzeugende und dringend der Wiederherstellung bedürftige Zusammenhang steht allerdings unter der Einschränkung, daß unumwunden »die Vernunftfrage eine Wissenschaftsfrage« genannt wird. Folgerichtig läge die lebenspraktische Bedeutung der Geschichte gerade in Händen der Wissenschaft, der außerdem noch die ursprünglich philosophische Frage nach der Vernunft in der Geschichte zugemutet wird. Vgl. *Historische Vernunft*, Göttingen 1983, S. 8 f., 47 ff., 86 ff.

Damit dürfte die Gegenstandsauffassung der Fachdisziplin überfordert sein. Kein Teilnehmer am spezialisierten Forschungsbetrieb wird leichten Herzens die Größe solcher Verantwortung übernehmen, und auf dem Wege der Methodisierung wird man ihm den von Rüsen geforderten, eindeutig normativen Geltungsanspruch kaum zur Pflicht machen können. Diese Historik verlagert auf eine methodologische Ebene im Namen der unbestrittenen Wissenschaft von der Geschichte substantielle Fragen, die sich dort nicht verhandeln lassen. Zum einen hat das Wissenschaftsmodell sie im Zuge seiner Etablierung systematisch längst ausgeklammert, zum andern ist kein Grund zu sehen, warum Vernunftfragen sich allein im wissenschaftlichen Horizont stellen lassen.

B. Handlungsnormen

I. Normen und Geschichte: die Bedeutung des Ethos

> Nicht überfliegen soll die Philosophie ihre Zeit; sie steht
> in ihr, sie erkennt das Gegenwärtige.
> *Hegel, Philosophie des Rechts* (Vorlesung von 1819/20)

Philosophische Ethik ist zumeist ohne historische Reflexion ausgekommen. Die professionelle Berufung auf Vernunft hat dieser Abstraktion das gute Gewissen verliehen. Die Normen, die die Vernunft setzt, brauchen offenbar keine Rücksicht zu nehmen auf die wechselnden Umstände historischer Gegebenheiten. Was alle Menschen aus einsehbaren Gründen verpflichtet, gilt uneingeschränkt zu allen Zeiten. Der Wandel, der von Epoche zu Epoche und von Gesellschaft zu Gesellschaft eintreten mag, tut dem nicht nur keinen Abbruch; eine Ethik, die sich darauf einließe, ist von vornherein des Relativismus verdächtig. Wenn die Normen in Relation auf bestimmte Zeiten gelten sollen, scheint der Geltungsanspruch selber limitiert. Also müssen die Gründe normativer Verpflichtung über solch externe Faktoren erhaben sein, sonst stehen die Normen auf schwankendem Boden. Im folgenden wird es darum gehen, Zweifel an dieser herrschenden Auffassung zu säen.

Anzusetzen ist beim *Geltungsbegriff,* der besagt, daß Normen in bezug auf etwas Bestimmtes, das nicht mit der Norm zusammenfällt, Geltung beanspruchen. Damit ein derartiger Anspruch überhaupt erhoben werden kann, muß dasjenige, das normiert werden soll, so geartet sein, daß Normen die ihnen zukommende Funktion auch erfüllen können. Nehmen wir an, daß Normen unser Handeln verbindlich regeln, so kommt den Normen ihre Geltung nur im Blick auf einen ebenso regelungsbedürftigen wie regelungsfähigen Charakter unserer Praxis zu. Regelungsbedürftigkeit und Regelungsfähigkeit indizieren den besonderen Zusammenhang, der zwischen den Geltung beanspruchenden Normen und dem Bereich besteht, für den der Geltungsanspruch erhoben wird. Wenn alles Handeln im bloßen Vollzug sich selbst genügt, wenn das menschliche Leben anstandslos und konfliktfrei verläuft, sind Normen überflüssig, weil es nichts gibt, das ausdrücklicher Regelung bedarf. Wenn hingegen Normen gar keinen Angriffspunkt finden, weil es nichts gibt, das ihnen unterwerfbar wäre, schweben sie in der Luft und ermangeln aller Wirkung. Normen setzen mithin, um als solche verstanden werden zu können, etwas nicht Normiertes, aber Normierbares voraus.

Zwei Gedankenexperimente mögen das verdeutlichen. In einem *reinen Vernunftreich* intelligibler Entitäten herrscht bereits aufgrund der Eingangsbedingungen eine unproblematische Koexistenz. Da hier Vernunft restlos regiert, bleibt nichts mehr zu regeln. Rationalität ist verwirklicht ohne die Notwendigkeit einer Übersetzung in Normen, die vorschrieben, wie man sich vernünftig zu verhalten hätte, wo man dies nicht ohnehin bereits tut. Die Festlegung der richtigen Weise des Verhaltens durch Normen erscheint überflüssig. Anders liegen die Dinge im Falle einer Utopie endgültig *gelungener Versöhnung,* wo die Menschen spielerisch entlastet miteinander umgehen. Die ästhetische Harmonie einer ungezwungenen Vereinigung nimmt den Normen jeglichen Wirkungsbereich. Man wüßte nicht, worauf sie noch anzuwenden wären. Weil sich keine Dimension des Lebens mehr findet, die idealen Anforderungen nicht längst genügte, prallt die Normierung an der ins Werk gesetzten Vollkommenheit ab. Jede normative Festlegung verliert hier ihren Griff.

Die beiden Extreme, in denen Normen überflüssig oder in denen sie wirkungslos werden, widersprechen dem anfänglich eingeführten Geltungsbegriff. Gelten kann etwas nur in bezug auf etwas anderes und zwar so, daß das letztere weder bereits von dem geprägt ist, das gerade zur Geltung kommen soll, noch einer solchen Geltung überhaupt den Boden entzieht. Damit wird es unvermeidlich, auch den Bereich anzugeben, in bezug worauf die Geltung beansprucht wird. Normen sind ohne diesen Bezugspol unterbestimmt, so daß man nicht konsistent von Normen reden, ihre Begründung prüfen, ihre Rationalität bewerten kann, und gleichzeitig die Auskunft darüber verweigern, wovon die Normen Normen sind. Der Bezugspol, ohne den Normen funktionslos wären, ist die *menschliche Praxis* im weitesten Sinne.

Von ihr muß nach dem Gesagten angenommen werden, daß sie das Bedürfnis nach Normierung sowohl weckt, wie auch, daß sie einer etwa erfolgenden Festlegung durch Normen sich in der Tat zu fügen vermag. Beides, die *Regelungsbedürftigkeit* und die *Regelungsfähigkeit*, ergeben sich nun unmittelbar aus der Struktur des Handelns. Jeder praktische Akt steht unter den Bedingungen der Unbestimmtheit und des Wechsels, die seinen Vollzug ermöglichen und begleiten. Die konsequente Verfolgung eines Ziels zeitigt nur dann ein Ergebnis, wenn sie auf die Verwirklichung von etwas hinausläuft, das nicht schon gesetzt ist, aber gesetzt werden kann. Gerade dort, wo nicht alles längst festliegt und endgültig bestimmt ist, lassen sich Ziele realisieren, so daß nach erfolgreichem Abschluß des Handelns eine Bestimmtheit mehr existiert. Der Vollzug des Handelns bewegt sich notwendig in einem Felde, wo die Dinge so aber auch anders sein können. Eben dies ist zugleich der ursprüngliche Ort jeder Normierung, denn die Norm stellt den Versuch dar, das ordnungslos Wechselnde ein für allemal festzulegen. Dasjenige, was so aber ebensogut auch anders sein kann, ruft nach einer Regelung, in der eine bestimmte unter den gleichermaßen möglichen Seinsweisen fixiert und auf Dauer gestellt wird. Die normative Festlegung erscheint nötig und aussichtsreich angesichts der Struktur von Praxis, sich im Felde des unbestimmt Wechselnden zu bewegen. Regelungsbedürftigkeit und Regelungsfähigkeit entspringen aus ein und derselben Quelle.

Mit dieser Beschreibung treffen wir in Wahrheit den Konkretionscharakter menschlichen Handelns. Alle Praxis, die nicht bloß ein Wort, eine soziologische Größe oder die dialektische Gegenvokabel zu Theorie darstellt, vollzieht sich konkret hic et nunc. Wenn Praxis aber als konkret vollzogene zu denken ist, verweist sie dank der Konkretion bereits auf *historische* Zusammenhänge. Geschichte muß keineswegs äußerlich hinzugebracht werden, um den umfassenden Rahmen zu liefern, innerhalb dessen konkrete Praxis sich vollzieht. Die praktische Konkretion stiftet von sich aus die historische Vermittlung des Handelns, weil alle Konkretion auf wechselnde Bedingungen antwortet, die sich letztlich nur im Rahmen der Geschichte verstehen lassen. Es scheint daher erforderlich, daß philosophische Ethik nicht unter Absehung von Geschichte argumentiert, sondern auf Geschichte gerade Rücksicht nimmt. Die Lehre der Normen würde auf den nötigen Bezugspol verzichten und ihr Thema verfehlen, wenn sie die Normen nicht in historischer Dimension erörterte.

Um so mehr muß es überraschen, wie systematisch die herkömmliche Ethik Geschichte übersprungen hat. Sie berief sich entweder auf *anthropologische Konstanten* oder legte *naturrechtliche Konzepte* zugrunde. In beiden Fällen läßt sich dem historischen Wandel mit der Überlegenheit einer kosmischen Ordnung

begegnen. Die Spannung bricht auf in der sophistischen Gegenüberstellung von Physis und Thesis, wo hinsichtlich politisch-
rechtlicher Verhältnisse Notwendigkeit und Dauer gegen Beliebigkeit und Willkür stehen. Plato überwindet den Gegensatz mit
seiner kühnen Parallelisierung von idealem Staat und Wesen der
Seele. Nachdem Norm und Natur eins geworden sind, bleibt für
den historischen Wandel nur in der Abfolge der Verfallsformen
noch Raum, wie sie die platonische *Politeia* auf dem Hintergrund
des Paradigmas wahrer politischer Einheit studiert. Aristoteles
begegnet zwar der Idealisierung des Politischen mit einer empirischen Untersuchung vorhandener Staatsformen. Dennoch wird
ihm nirgends zweifelhaft, daß der Mensch von Hause aus ein
politisches Lebewesen sei, dessen grundsätzlich soziale Orientierung sich bloß in mannigfachen Verfassungen niederschlägt. Die
stoische Lebensregel schließlich, die das Befangensein in jeweils
gegebenen Gesellschaftsordnungen durch Kosmopolitismus
überwindet, verlangt unerschütterliche Übereinstimmung mit
dem Logos der Welt (ὁμολογουμένως τῇ φύσει ζῆν).

Das moderne Naturrecht bringt bei Hobbes oder Rousseau unter der Kategorie der Natur anthropologische Bestimmungen neben wildwüchsigen historischen Entwicklungen unter. Der »Naturzustand« wird indes hinsichtlich der gattungsspezifischen und
evolutionären Elemente nicht weiter geprüft, denn er dient nur als
Gegenbild für das Modell des vernunftentworfenen Gesellschaftsvertrags, der den Zustand einer durch keine historischen Prozesse
mehr überholbaren Ordnung installieren soll. Kant nimmt den
Gedanken auf und verbindet ihn mit der inzwischen einsetzenden
geschichtsphilosophischen Reflexion. So projiziert er den der
Vernunftnatur des Menschen adäquaten Rechtszustand im welt-
bürgerlichen Maßstab an das Ende der uns bekannten Geschichte
einer antagonistischen Gattungsentfaltung.[1]

Dies sind klassische Beispiele dafür, daß Philosophie die Normen der Moral und des Rechts unabhängig von Geschichte oder
gar gegen das Hin und Her historischer Bewegungen zu entwerfen pflegt. Das Reich der Geschichte bringt die Unsicherheit stän-
diger Veränderung mit sich, wogegen die Geltung von Normen
gefeit sein muß. Der Grund für die *ahistorische* Anlage der Normenlehre liegt in der Abwehr der Gefährdung, die der historische
Wandel für den erhobenen Geltungsanspruch bedeutet. Je ent-
schiedener die Normen dem Einfluß der Geschichte entzogen

werden, um so stabiler scheint ihre Geltung. Je weniger die in Normen zum Ausdruck gelangte Vernunft mit historischen Umständen in Berührung gerät, um so ungebrochener dominiert Rationalität. Es ist also das der Philosophie eigentümliche Interesse an der Vernunft selber, das die Abwendung von allem Geschichtlichen motiviert.

Die durch historische Umstände unbeeinträchtigte Vernunft bewahrt ihre Autonomie allerdings auf Kosten einer praxisfernen *Abstraktion*. Das planmäßige Ausblenden historischer Momente läßt auch jene Praxis dem Blick entschwinden, auf die Normen doch gemünzt sind. Soll die Vernunft normativ zur Wirksamkeit gelangen, muß sie sich auf den Bereich einlassen, für den Normen Geltung beanspruchen. Geltung kann aber einzig dort beansprucht werden, wo noch nicht existiert, was erst gelten soll. Der Bereich menschlicher Praxis, sofern er noch nicht unter die restlose Botmäßigkeit der Vernunft fällt, geht der Aufstellung von Normen unverzichtbar voran. Das zu normierende, weil noch nicht vernunftgetragene Handeln bietet der Geschichte eine offene Seite.

Zur Stützung dieser Überlegung hilft eine Beobachtung, die den Philosophen der Tradition mit der bedeutenden Ausnahme des Aristoteles kaum jemals Kopfzerbrechen bereitet hat, von den Sozialwissenschaften aber durchaus ernst genommen wird. Gemeint ist die historisch ganz unzweifelhafte Beobachtung, daß alle menschlichen Gesellschaften, soweit unsere Erinnerung reicht, *Ethos* ausgebildet haben. Das Ethos, wofür das ältere deutsche Wort »Sitte«[2] aus der Mode gekommen ist, stellt eine Institution dar, die vor aller Philosophie von geschichtlich aufgetretenen Gesellschaften im Sinne ihrer Organisation hervorgebracht worden ist. Das Ethos entstammt den jeweils gegebenen Lebensbedingungen, es unterliegt dem Wandel der Umstände, verändert sich in neuen sozialen Lagen und bewährt doch wieder und wieder seine Leistung der Ermöglichung kollektiven Handelns. Als Ethos wollen wir die bestimmten Formen der eingelebten, von Erziehung und Tradition weitergereichten, im konkreten Tun bestätigten Regelungen des gemeinsamen Handelns bezeichnen, die alle oder doch eine weit überwiegende Mehrzahl der Handelnden eint.

Diese gesellschaftliche Institution ist weder bewußt geschaffen noch von zuständigen Instanzen weise ins Werk gesetzt worden. Dennoch stellt sie eine Kulturleistung dar, ohne welche ein gesellschaftliches Miteinander unmöglich wäre. Die Menschen haben offenbar aufgrund von Erfahrungen im Gange einer bis in die Anfänge zurückreichenden Geschichte das Bedürfnis gespürt, solche Formen auszuprägen. Weitgehend unabhängig von der biologischen Ausstattung und auch nicht schlechterdings determiniert von der natürlichen Umwelt wird darin das gemeinsame Handeln geregelt. Das Ethos spiegelt also nicht bloß auf kulturellem Niveau gewisse Konstanten der Gattung Mensch oder verleiht explizit der ewig gleichen *condition humaine* Ausdruck. Jene modernen Anthropologen, die ein ahistorisches Menschenwesen als Ursprung aller Kulturleistung annehmen, gehen an der eigentlichen Bedeutung des Ethos als einer ihrerseits wandelbaren Regelung unserer unbestimmten Praxisvollzüge vorbei. Die Wandelbarkeit der Regelung und d. h. die Historizität des Ethos hängt mit der Eigenart des Geltungsbereichs als dem Bezugsfeld der Normen zusammen.

Eine Regelung greift dort ein, wo das Geregelte sich nicht von selbst versteht, weil es entweder zwangsläufig eintritt oder jedenfalls, wenn es geschieht, ohne Spielraum der Alternativen abläuft. Diese Bedingungen erfüllt das Handeln, das, obwohl stets von Einzelnen vollzogen, doch auf einen sozialen Kontext verweist. Beherrschten die Praxis durchweg zwingende Mechanismen einer natürlichen oder sozialen Gesetzlichkeit, so fielen die fraglichen Regeln entweder damit zusammen und hätten also nichts, das eigens zu regeln wäre, oder sie verlören sich in einem illusorischen Überbau, wo blutleere Vorschriften bloß die Sicht auf den realen Sachverhalt trüben. Wäre es andererseits so, daß zwar keine Zwangsläufigkeit die Praxis regierte, daß aber, wenn überhaupt gehandelt wird, keine mehrfachen Weisen des Vollzugs offenstünden, dann ginge der Normierungsversuch wiederum ins Leere, weil der nackte Selbstlauf jeglicher Regel spottet. Die Konkretionsbasis allen Handelns schließt jedoch die genannten Erwartungen aus und macht Regelung sinnvoll.

Die Konkretion, in der praktische Akte sich vollziehen, hat ein doppeltes Gesicht. Daß die Dinge so aber auch anders ausfallen können, bedeutet nämlich die *Chance des Handelns* und zugleich die *Bedrohung des Vollzugs*. Was so und ebensogut auch anders sein kann, öffnet dem praktischen Akt einen Weg, durch konsequente Zielverwirklichung eine neue Realität zu setzen oder den vorhandenen Bestimmtheiten eine weitere hinzuzufügen. Die

Unbestimmtheit, die den Akt praktischer Setzung herausfordert, vermag aber zugleich dessen Vollzug zu beeinträchtigen, insofern das unerwartete Auftreten hinderlicher, fördernder oder gleichgültiger Umstände den gesamten Handlungsvollzug begleitet. Der ständige Wechsel der Bedingungen, unter denen das konkrete Handeln erfolgt, ist handelnd gar nicht abzuschaffen. Freilich darf die beiherspielende Kontingenz den zielstrebigen Handlungsvollzug nicht so weit beirren, daß der Wandel der Umstände das durch allen Wandel hindurch konsequent zu verfolgende Ziel ersetzt. Derjenige handelt gar nicht mehr, der sich von Augenblick zu Augenblick die Richtung seines Tuns von den Begleitumständen diktieren läßt. Was eben noch ein praktisches Ziel bildete, erscheint sogleich als überholt, bis in der atemlosen Anpassung an die jeweilige Lage das Handeln sich selbst schließlich aufgibt.

Solche Beirrung des eigenständigen Handlungsvollzugs durch die nicht zu bannende Kontingenz bedeutet eine Gefahr, mit der das Handeln aus eigener Kraft fertig werden muß. Die unbewältigte Kontingenz ist nämlich nichts anderes als die Kehrseite jener Konkretion, der das Handeln in der Tat entspringt. Die tätige Nutzung der Umstände im Dienste konsequenter Zielverwirklichung schlägt um in die Bedrohung der Praxis, wenn die erfolgreiche Eingliederung des Gegebenen zu Momenten des Aktes nicht mehr gelingt. Soll Handeln noch Handeln bleiben, muß bei aller Verwurzelung im Hier und Jetzt der Praxis die Möglichkeit konsequenter Vollzüge gesichert werden. Dazu ist es nötig, die Kontingenzgefährdung der Einzelakte herabzusetzen, wenn schon im praktischen Felde mit dem steten Wechsel der Umstände und Lagen gerechnet werden muß. Diese Aufgabe übernimmt die *gesellschaftliche Institution des Ethos*.

Die Ausbildung des Ethos sorgt dafür, daß die durch Wiederholung eingeschliffenen Handlungsvollzüge im großen und ganzen der Kontingenz trotzen, der sie im Einzelfall nie zu entrinnen vermögen. Indem die Praxis sich zu gewissen Formen des Ethos organisiert, macht sie die Kontingenz zu einer vernachlässigungswerten Größe. Im Schutze jener biegsamen Formen wird Praxisvollzug wieder und wieder möglich, gleichgültig wie die unabsehbare Konstellation der Randbedingungen von Fall zu Fall aussehen mag. *Ethos depotenziert Kontingenz.* Wie die Fiktion des Naturzustands vor aller Einrichtung von Normen suggeriert, käme menschliches Handeln durchaus zurecht, auch wenn die Ausbildung des Ethos fehlt. Handeln liefe dann ohne jegliche Regelung gleichsam naturwüchsig ab oder pendelte sich je nach den Kräfteverhältnissen ein, wo die isolierte Verwirklichung von Einzelinteressen an Hindernisse stieße. Dieser Zustand wäre vielleicht nicht wünschenswert und hat wohl zu keiner Zeit uneingeschränkt existiert, er wäre aber nicht unmöglich.

Daß statt dessen das Ethos ausgebildet wurde, dürfte seinen Grund in einem weiterreichenden Verlangen nach *Identität* haben, das sich auf der Ebene konkreten Handelns meldet, ohne durch den einfachen Vollzug von Praxis bereits befriedigt zu sein. Mit Identität ist keineswegs die Struktur eines Subjekts im Sinne von Selbstbewußtsein und Eigenverantwortlichkeit gemeint, auch ist nicht an eine soziale Analogie zum Ich in Gestalt eines gruppenspezifischen oder gattungsmäßigen Kollektivsubjekts zu denken. Subjektivitätstheoretische Annahmen können ganz außer Betracht bleiben, indem die fragliche Identität aus der Struktur des Handelns selber entwickelt wird.

Das konkret vollzogene Handeln hält sich von Haus aus im ungewissen Feld der Möglichkeiten, Umstände und diskontinuierlichen Situationen auf. Kein Handeln erfüllt sich im vereinzelten Akt, sondern steht mitten in einem unablässigen Handlungsfluß, wo mehrere Akte einander ablösen, teilweise überlagern, parallel verlaufen, miteinander konkurrieren oder sich gestaffelt anreichern. Kein Handelnder ist bei seinem Tun allein, sondern befindet sich in einer mehr oder weniger überschaubaren Verwicklung mit anderen Akteuren, die ihre Handlungen je für sich, gegen den jeweils Anderen oder in bezug aufeinander vollziehen. In dieser Sphäre praktischer Vielfalt, worein alles Handeln seiner konkreten Eigenart nach eingebettet ist, entsteht wie von selbst die Forderung nach Identität.

Die immer wieder nötige Realisierung gleicher Akte, die ungehinderte Sequenz verschiedener Akte, die Abstimmung zwischen den Handlungen mehrerer Akteure, die Erwartung ihrer Reaktionen, die Antizipation ihrer künftigen Taten – dies alles verlangt nach flexibler, aber stetiger Vereinheitlichung. Der Gewinn liegt in der festen Gewöhnung und Stabilisierung zum Selbstverständlichen, in der Flüssigkeit des Ablaufs ohne Stocken oder Sprünge, in der Aussicht auf strategische Synthetisierung, in intersubjektiver Berechenbarkeit und Verläßlichkeit. Der unerträgliche, weil handlungshemmende Druck ewig ungewisser Situationsabhängigkeit schwindet mit der Ausbildung des Ethos. Die Herstellung von Identität im Praktischen erst macht jedermanns Tun und das gemeinsame Handeln aller immanent verträglich, bei hoher Komplexität faktisch vollziehbar und damit auf lange Sicht erfolgreich.

Die Vielfalt, aus welcher das Handeln niemals ausscheren kann, muß bewältigt werden, um den folgerichtigen Handlungsvollzug möglich zu machen, und darf doch nicht vollends getilgt werden, wenn Handeln weiterhin an praktischer Verwirklichung interessiert ist. Ein Handeln, das sich als konkreter Vollzug nicht selber preisgeben will, bleibt auf die Vielfalt der praktischen Sphäre angewiesen. Will es vor der verwirrenden Fülle der Immer-Anderen und Nie-Gleichen nicht kapitulieren, muß es eine Schneise durch die Vielfalt legen. Diese Leistung, mit der das Handeln seine eigenen Vollzüge anbahnt und deren reibungslosen Fortgang garantiert, besteht in der Ausbildung des Ethos. Das *Ethos schafft Identität in der Vielfalt,* indem es regelmäßige Formen für bestimmte Handlungsvollzüge vorsieht, ohne die Vielfalt abzuschaffen und damit praktische Konkretion an einen quasi-gesetzlichen Mechanismus zu verraten. Das Ethos ersetzt nicht Handlung durch apriori lenkbare Prozesse. Es prägt auf der Basis praktischer Konkretion dasjenige Maß an Identität aus, das der Ermöglichung des sozial orientierten Handlungsvollzugs unerläßlich ist. Weil das Ethos auf jener Basis aufruht, ist es bis zu einem gewissen Grade ebenso wandelbar und läßt sich, wie oben angedeutet, durch anthropologische oder naturrechtliche Barrieren nicht gegen Geschichte abschotten.

So betrachtet ist das Ethos ein gesellschaftliches und historisches *Faktum vor aller philosophischen Reflexion.* Das Ethos ist nicht das Produkt philosophischer Ethik, umgekehrt hat phiolosophische Ethik am vorfindlichen Faktum des Ethos anzuknüpfen. Eine Ethik, die sich dieser Grundlage nicht versichert, spekuliert ebenso problemfern wie unverbindlich ins Blaue hinein. Falls sie nur für die argumentativ hochgezüchtete und dialogisch abgeschottete Atmosphäre des philosophischen Seminars taugt, verdient sie den Namen nicht. Ethik soll mit Praxis zu tun haben, statt artifiziellen Scharfsinn zu üben. Der von der Sache geforderte Kontakt mit der Praxis stellt sich aber weder durch Appelle, noch durch Reizwörter oder Zukunftsgemälde ein. Er ist nur um den Preis zu haben, daß die Reflexion sich auf das Faktum des

Ethos einläßt. Tut sie das, kann sie sich aber der *Geschichte* nicht länger entziehen.

Es ist kein Wunder, daß die Beschäftigung mit dem Ethos vorwiegend den *Sozialwissenschaften* überlassen bleibt. Immerhin gilt auch dort die Untersuchung des Ethos nicht gerade als vordringliche oder ehrenvolle Aufgabe. Einige ältere Autoren haben sich damit beschäftigt[3], bevor der Funktionalismus des vollkommen durchstrukturierten Gesellschaftssystems die theoretische Führung übernahm. Der Funktionalismus kam mit seiner lückenlosen Rationalität dem Wunsch nach strenger Wissenschaftlichkeit eher entgegen als die Nachzeichnung von Lebenswirklichkeiten existierender oder vergangener Gesellschaften. Das Bezugssystem der Soziologen tendierte sogar in der funktionalistischen Schule von Parsons zeitweilig dazu, sich an die Stelle des realen Objekts zu setzen. Erst nachdem die Zweifel am Ertrag einer immer perfekter ausgestalteten Systemtheorie wuchsen, begann die Gegenbewegung einer phänomenologisch operierenden Soziologie an Boden zu gewinnen. Seither haben die Sozialwissenschaften nicht zuletzt unter Berufung auf Schütz gelernt, ihren Blick wieder stärker den Lebensformen wirklicher Gesellschaften zu öffnen.

Der Philosophie gereicht es jedenfalls nicht zum Schaden, wenn sie statt der Beschränkung auf die Üblichkeiten des Fachs Anregungen der Nachbarwissenschaften aufgreift. Der ernüchternde Blick der Soziologen auf das Tun und Treiben der Menschen hat den philosophisch fruchtbaren Nebeneffekt, die ausschließliche Konzentration auf das Vernunftpostulat in allen Normen durch Erinnerung an das Faktum des Ethos zu korrigieren. Das heißt keineswegs, Philosophie durch soziologische Beobachtung zu ersetzen, sondern einer begrifflichen Verengung entgegenzuwirken, die der philosophischen Reflexion eigentümlich, der Klärung der Sache aber abträglich ist. Eine Normenlehre, die auf menschliche Praxis keine Rücksicht nimmt, verfehlt, wie oben gezeigt, ihren Gegenstand, weil Normen ohne Angabe des Bereichs, für den sie gelten, gar nicht in ihrem Geltungsanspruch begriffen werden können.

Normen in Beziehung auf menschliche Praxis zu setzen bedeutet aber, historische Überlegungen nicht zu scheuen. *Normen und Geschichte* müssen als ein sachlicher Zusammenhang gedacht werden. Dazu gibt die Überlieferung der philosophischen Ethik kaum Hinweise an die Hand. Die einzige Ausnahme, die nicht von ungefähr an die aristotelische Einsicht einer Herkunft der Ethik aus dem Ethos anknüpft, ist die hegelsche Konzeption der »Sittlichkeit«. Hegels Nachdenken über den Zusammenhang von Normen und Geschichte bietet auch der heutigen Bemühung um diese Problematik einen geeigneten Leitfaden. Hegels systematische Lösung in seiner Rechtsphilosophie und Staatsauffassung ist freilich nicht zu wiederholen. Hat man indes einmal gesehen warum, dann ist man mit der Unterscheidung des sachlichen Gehalts von konzeptuellen Zwängen bereits ein Stück weit in der Erkenntnis vorangekommen.

Anmerkungen

1 Siehe oben A III 2.
2 Siehe die gründliche begriffsgeschichtliche Studie von K. H. Ilting, *Naturrecht und Sittlichkeit*, Stuttgart 1983, Kap. C.
3 Z. B. R. v. Ihering, *Der Zweck im Recht*, Bd. II, 1883; F. Tönnies, *Die Sitte*, Frankfurt/M. 1909; M. Weber, *Wirtschaft und Gesellschaft*, Köln 1964, S. 21 ff., 240 ff.; vgl. auch im Blick auf Hegels »objektiven Geist«: H. Heller, *Staatslehre*, Leiden 1934, ⁴1970, S. 83 ff.

II. Wegweisung und Grenze der praktischen Philosophie Hegels

1. Zur Genese des Konzepts von Sittlichkeit

Hegels früheste Studien widmen sich unter dem an Rousseau[1] gemahnenden Titel der »Volksreligion« einem Konzept des versöhnten Lebens, worin philosophische Anstöße und geschichtliche Erfahrung produktiv zusammenwirken. Die in reiner Vernunft gründende Freiheit der Kantischen Moralphilosophie wird unter dem Eindruck der französischen Revolution auf die tatsächliche Gestaltung des menschlichen Lebens bezogen. Die abstrakte Sollensforderung eines kategorischen Imperativs muß ihren Ort im Schoß der Gesellschaft finden, statt auf ein transzendentes Reich der Zwecke zu verweisen. Eine solche *Verwirklichung der Moral,* die das Diesseits gestaltet, beleuchtet um so greller die politischen Zustände der Gegenwart. Der Zerfall des alten deutschen Reiches scheint unaufhaltsam und weckt die Erinnerung an die versunkene Griechenwelt einer schönen Einheit des politischen Ganzen. Hegel glaubt an eine Erneuerung aus dem Geiste des Christentums, in dem sich der verloren gegangene Zusammenhalt wiederherstellen könnte.

Das Christentum, das im Laufe seiner Entwicklung dem Schicksal zunehmender »Positivität« erlegen war, muß dazu aus der theologischen Erstarrung in Verstandesdogmen und Tatsachenwissen befreit werden. Eine Religion, die das Herz rührt und die Sinne nicht verdorren läßt, vermag auch eine Gemeinschaft zu stiften, die sich in Festen, im Rechtsbewußtsein, in der freien Zugehörigkeit aller zu einem Volk bewährt. Hegel schwärmt von dieser Möglichkeit, die, wenn sie historische Gestalt annähme, die *neue Sittlichkeit* heißen dürfte. Das Schwärmerische einer Vorstellung, die zwischen Religion und Politik, zwischen Innerlichkeit und Sozialleben gar nicht scheiden mag, liegt in der Erwartung, alles ließe sich in einem Akte geistiger Erneuerung verschmelzen.

Weil Hegel so vielerlei mit der Volksreligion verbindet, ist der vom Herausgeber für jene frühen Manuskripte gewählte Titel

Theologische Jugendschriften[2] ebenso einseitig wie der von Lukács aus Protest gegen diese »reaktionäre Legende« hervorgekehrte politisch-revolutionäre Charakter der Texte.[3] Hegels Ideal einer Volksreligion reiht sich am ehesten ein in die Versuche, die rigide Vernunftethik Kants zu vermenschlichen. In zeitlicher wie inhaltlicher Nähe zu Hegel hatte *Schiller* dasselbe auf ästhetischem Wege versucht.[4] Diese Bemühungen der beginnenden idealistischen Philosophie stellen eine intellektuelle Antwort auf die ambivalenten Erfahrungen dar, die das europäische Publikum mit der fortschreitenden französischen Revolution machte. Die anfängliche Faszination war dem Schauder über den im Namen der Vernunft aufbrechenden Terror gewichen. Eine abstrakte Vernunft, deren tätige Umsetzung in Zwang endet, muß fehlgeleitet sein, wo es um die Verbesserung der menschlichen Verhältnisse gehen soll. Der Kantianismus und die französische Revolution stellen die Herausforderungen dar, auf die Hegels »Volksreligion« zu antworten sucht.

»So genau in einem System der Moral reine Moralität von Sinnlichkeit in abstracto gesondert werden muß, so sehr diese unter jene erniedrigt wird – so sehr müssen wir bei Betrachtung des Menschen überhaupt und seines Lebens seine Sinnlichkeit, seine Abhängigkeit von der äußeren und inneren Natur – von dem, was ihn umgibt und in dem er lebt, und von den sinnlichen Neigungen und dem blinden Instinkt vorzüglich in Anschlag bringen – die Natur des Menschen ist mit den Ideen der Vernunft gleichsam nur geschwängert – wie das Salz ein Gericht durchdringt, aber, wenn es gut bereitet ist, nirgends in einem Klumpen sich zeigen darf, aber seinen Geschmack doch dem Ganzen mitteilt. . . .

Es liegt in dem Begriff der Religion, daß sie nicht bloße Wissenschaft von Gott, seinen Eigenschaften, unserem Verhältnis und dem Verhältnis der Welt zu ihm und der Fortdauer unserer Seele, was uns allenfalls entweder durch bloße Vernunft annehmbar oder auch auf einem anderen Wege uns bekannt wäre – nicht eine bloß historische oder räsonnierte Kenntnis ist, sondern daß sie das Herz interessiert, daß sie einen Einfluß auf unsere Empfindungen und auf die Bestimmung unseres Willens hat. . . . Die Religion gibt also der Moralität und ihren Beweggründen einen neuen erhabeneren Schwung, sie gibt einen neuen stärkeren Damm gegen die Gewalt der sinnlichen Antriebe ab. Bei sinnlichen Menschen ist auch die Religion sinnlich – die religiösen Triebfedern zum

Guthandeln müssen sinnliche sein, um auf die Sinnlichkeit wirken zu können; sie verlieren dadurch freilich gewöhnlich an ihrer Würde, sofern sie moralische Triebfedern sind – aber sie haben dadurch ein um so menschlicheres Ansehen erhalten. . . .«[5]

Es ist offenkundig, daß die Religion hier zur Milderung der scharfen Entgegensetzung von Moralität und Sinnlichkeit dient, ohne welche *Kant* seinen Imperativ gar nicht formulieren konnte. Ebenso modifiziert Hegel in deutlicher Anspielung auf die metaphysischen Postulate der kantischen Dialektik der reinen praktischen Vernunft den Begriff der Religion zu einem Mittel der gefühlsmäßigen Verstärkung der Moralität. Die Würde der moralischen Triebfedern, in denen Vernunft rein als solche und, gerade weil sie nichts als Vernunft ist, motivierend wirken soll, hatte es Kant verboten, auf ein Interesse des Herzens oder irgendwelche Neigungen zum Guthandeln zurückzugreifen. Die Lehre vom »moral sense«, die Kant aus der englischen Moralistik von Hutcheson und anderen bekannt war, und die er wegen ihrer empirischen Bedingtheit ablehnen mußte[6], feiert paradoxerweise unter dem Titel der Religion Wiederauferstehung.

Die von Hegel zitierten metaphysischen Postulate einer Existenz Gottes und der Unsterblichkeit der Seele hatte Kant, obwohl er sie nach seiner Metaphysikkritik gar nicht denken durfte, dennoch annehmen müssen, wenn er die natürliche Erwartung jedes praktischen Subjekts auf eine in Proportion zur geleisteten Moralität stehende Glückseligkeit nicht schlechterdings enttäuschen wollte. Die Dialektik innerhalb der praktischen Philosophie treibt Kant folglich auf ganz andere Weise über seine transzendentale Reflexion hinaus, als die theoretische Dialektik es tat. Während die letztere in der Antithese von totaler Kausaldetermination und der Möglichkeit von Freiheit kulminiert, eröffnet sich so der Ausweg ins Feld des Praktischen. Hingegen übersteigt die postulatorische Benutzung von Metaphysik die Kapazität der Transzendentalphilosophie grundsätzlich. Wenn die Ethik damit endet, daß zum Zwecke der unabweislichen Verbindung von vernunftentsprungener Moralität und praxisbezogener Eudämonie nur der Ausweg in Metaphysik offensteht, wird deutlich, wie wenig sie ihrem Gegenstand gerecht zu werden vermochte.

Im Rahmen einer Religion, wie Hegel sie auffaßt, entfallen diese systematischen Spannungen, weil sie von vornherein auf die Aufhebung des Gegensatzes zwischen Sinnlichkeit und Vernunft zielt, an der die Begründung der kantischen Ethik festhalten mußte. Glückseligkeit und Sittlichkeit dürfen nicht als zwei »spezifisch ganz verschiedene Elemente«[7] erscheinen, die wegen der Trennung in unser empirisches Dasein und unser höheres Ich sich eigentlich nie vereinigen lassen, so daß Kant für deren Verbindung zur Einheit des »höchsten Gutes« etwas unterstellen muß, das der praktischen Philosophie so fern liegt wie Gott und Unsterblichkeit. Das »gute Leben« muß in Wahrheit mit »Sittlichkeit« zusammenfallen, erst dann ist das Rätsel der Ethik gelöst.

Als Hegel daran geht, das »Ideal des Jünglingsalters« in die »Reflexionsform« des wissenschaftlichen Systems umzugießen[8], differenzieren sich notwendig die in der Vorstellung einer »Volksreligion« vermischten Elemente. Die religiöse Kraft der Überwindung endlicher Entzweiung wird nun als die eigentliche philosophische Aufgabe der Konstruktion des Absoluten bestimmt. Solange Hegel in Jena noch im Banne seines Freundes Schelling stand, bedient er sich dazu der terminologischen Mittel von dessen Identitätsphilosophie. Was bei Schelling als absolute Identität des Subjektiven und Objektiven in der unmittelbaren Anschauung gefeiert wurde, nennt Hegel, nachdem er sich im Zuge der Fundierung des eigenen Systems einer angemesseneren Begrifflichkeit versichert hatte, die totale Selbstvermittlung des *Geistes*. Jene inhaltlichen Aspekte der Religion, die das Gemeinschaftsleben eines Volkes betreffen, können nun genauer als der »objektive Geist« ausgesondert werden.

Die systematische Untersuchung der Sphäre des objektiven Geistes bereitet Hegel zu jener Zeit durch intensive Auseinandersetzung mit der Tradition der praktischen Philosophie von Plato und Aristoteles einerseits, von Hobbes und dem modernen Naturrecht andererseits, sowie der Aneignung der damals einsetzenden politischen Ökonomie vor.[9] Ersten Ausdruck findet die neue Konzeption in den Entwürfen der *Jenenser Realphilosophie*[10] und dem »System der Sittlichkeit«. Vieles geht in die *Phänomenologie des Geistes* ein, die das reife Ergebnis der Jenenser Jahre bildet, und manches kehrt noch in den Vorlesungen zur Philosophiegeschichte wieder, die teilweise auf jene Jahre zurückzudatieren sind, obwohl sie nach Hegels Tod veröffentlicht wurden.

Die Hauptquelle stellt der *Naturrechtsaufsatz* dar, der 1802/3 in dem von Schelling und Hegel gemeinsam herausgegebenen *Kritischen Journal* erschien. Die Überschrift verspricht dreierlei:

»Über die wissenschaftlichen Behandlungsarten des Naturrechts, seine Stelle in der praktischen Philosophie und sein Verhältnis zu den positiven Rechtswissenschaften«. Grundsätzlich erweist sich dies alles aber als ein und dieselbe Sache, denn die wissenschaftliche Behandlung rückt das überlieferte Naturrecht in den Zusammenhang eines absoluten Systems, wo den praktischen Gegenständen eine wohl bestimmte Stelle zukommt, so daß von dorther auch das Verhältnis zur Jurisprudenz Klärung finden kann. Im wesentlichen enthält der Aufsatz eine tiefgreifende Kritik an der praktischen Philosophie Kants und Fichtes, die auf eine Linie rücken, insofern sie die Entgegensetzung der Reflexion verabsolutieren, und denen die gehaltvollen Ansichten des Plato und Aristoteles kontrastieren, die ihrerseits als Ausdruck griechischer Sittlichkeit gleich behandelt werden.

Die erheblichen Unterschiede zwischen Platos Idealstaat und der demgegenüber am Handlungsbegriff orientierten Ethik und Politik des Aristoteles verschwinden ebenso wie die zwischen der kritischen Moralphilosophie Kants und dem Naturrecht, das die Fichtesche Wissenschaftslehre als Vollendung Kants ausgibt. Doxographische Distinktionen verlieren an Gewicht, wo es um die prinzipielle Antithese der substantiellen Sittlichkeit der Antike und der modernen Zuspitzung der Subjektivität geht. In gewisser Weise bedeutet die Messung des von Rousseau über Kant bis zu Fichte vertretenen Standpunkts eines vernünftigen Willens am objektiven Institutionengefüge der Polis und umgekehrt die Durchdringung des Ständestaates mit dem Geist ausgebildeter Subjektivität den Beitrag Hegels zur herkömmlichen *Querelle des anciens et des modernes*. Hegel ergreift freilich im Gegensatz zu seinen Vorgängern in dieser Debatte weder einseitig für die Alten, noch für die Modernen Partei, sondern korrigiert die Einseitigkeiten beider Einstellungen aneinander.

Die eingelebte Sitte eines Volkes, in der die Einzelnen vollkommen aufgehen, hat zu existieren aufgehört, seit das Prinzip des Subjekts auf dem historischen Wege über die römische Welt, das Christentum und die moderne Reflexionskultur zum Siegeslauf angetreten ist. Dieser historische Prozeß, der die substantiell verankerte Ethik auflöste, kann keineswegs rückgängig gemacht werden. Dem retrospektiven Traum einer wiederauferstandenen Griechenwelt seines Jugendfreundes Hölderlin hat Hegels nüchterner Sinn abgesagt. Mehr noch: die Reflexion muß den Fortschritt begrüßen, den die im Prozeß der Moderne aufgetretene Differenzierung als solche bedeutet; denn diese Stufe der Rationalität fehlte der Geschlossenheit des Lebens in der Polis.

Andererseits ist aber das Hervortreten eines vom kollektiven Leben abgespaltenen, ja dagegen nur durchsetzbaren Einzelsubjekts zu relativieren angesichts des Substanzverlustes, der als Preis auf der Ebene gesellschaftlicher Organisation entrichtet werden muß. Die auf die Individualität des Willens konzentrierte Vernunft hat die Atomisierung des lebendigen Ganzen in eine Vielzahl von Individuen zur Folge, die alle miteinander an ihrer Vereinzelung leiden. Aus der bloßen Pluralität Gleicher führt kein Weg zurück in die Konstitution eines wirklichen Zusammenhangs sittlicher Gemeinsamkeit und politischer Einheit. Der eingetretene Zustand der Entzweiung ist unerträglich und doch kann seine Beseitigung nicht von einer Restitution des ein für allemal Vergangenen erwartet werden, sondern nur von einer *Erneuerung der Sittlichkeit unter den Bedingungen der Subjektivität*.

Die Aufgabe, die sich der Philosophie stellt, besteht daher in der Überwindung der Entzweiung, die durch Einsicht in deren Gründe vorzubereiten ist. Die Gründe erschließen sich nur einem bewußten Rückgang in die Genese des modernen Zustands. In dieser historischen Perspektive zeigt sich das Vordringen der Subjektivität, das auf den ersten Blick wie die aufklärerische Befreiung aus den Fesseln der alten Ordnung erscheint, als die eigenhändige Zerstörung der Lebensformen, auf die auch das aufgeklärteste Subjekt praktisch angewiesen ist. Die Erinnerung an die Andersartigkeit der Antike und der unvoreingenommene Vergleich des verlorenen Alten mit dem eroberten Neuen befreien den herrschenden Subjektivismus von der allzu engen Bindung an seine eigenen Überzeugungen. Insofern ist Hegel einer der ersten Entdecker der notorischen »Dialektik der Aufklärung«. Mit ihm beginnt die aufklärerische Verarbeitung der Folgen der Aufklärung.

Die historische Belehrung schärft die systematische Problemstellung. Zwar zeigt der Blick in die Geschichte allein uns noch nicht, was philosophisch zu tun ist. Die philosophische Aufgabe, die es zu lösen gilt, läßt sich jedoch ebensowenig in historischer Blindheit formulieren, weil so der unmittelbaren Hinnahme des aktuell Geltenden Vorschub geleistet wäre. Gerade die praktische Philosophie der Zeitgenossen beweist die prägende Kraft der

Epoche des Subjektivismus, die das Denken insgeheim leitet, solange sie nicht durchschaut ist. Das Denken muß daher im systematischen Interesse ein wohl bestimmtes Verhältnis zu jenen Tendenzen gewinnen. Ein Denken, das die Klärung seiner eigenen Bedingungen nicht leistet, bleibt weitgehend ein Spiegel des Bestehenden. Erst die historische Reflexion, die jene intime Abhängigkeit bricht, befreit das Denken zu sich selbst. Sie vermag anzugeben, was in Wahrheit sachlich an der Zeit ist[11], indem sie die Probleme, die sich von selbst aufdrängen, in einen weiteren Beurteilungsrahmen stellt. Diese Überlegung faßt die berühmte Aussage zusammen, mit der Hegel seine systematischen Intentionen anmeldet: »Es kommt nach meiner Einsicht, welche sich nur durch die Darstellung des Systems selbst rechtfertigen muß, alles darauf an, das Wahre nicht als Substanz, sondern ebensosehr als Subjekt aufzufassen und auszudrücken.«[12]

Die historische Analyse des Wandels von Substanz zu Subjekt steht im Hintergrund des neuen Konzepts von Sittlichkeit. So nennt Hegel nämlich im Rahmen der praktischen Philosophie die *Substanz,* die auch dem *Subjekt* gerecht wird, die ihm nicht fremd gegenübersteht, sondern es in sich aufgenommen hat. Das Subjekt bildet dann keinen Gegensatz gegen die Substanz, wenn die Substanz sich auslegt in eine gegliederte Reihe von Einrichtungen, die der vernünftigen Praxis des Subjekts Raum schaffen. Eine solche Welt, die in der praktischen Verwirklichung aller Einzelnen existiert, wäre die den Subjekten eigene Substanz; denn Lebensformen, die dem Anspruch vernünftiger Willensbestimmung von sich aus entgegenkommen, ebnen die Kluft zu den objektiven Institutionen ohne Zwang ein.

Die ontologischen Kategorien von Substanz und Subjekt, die in eigentümlicher Weise auf praktische Verhältnisse Anwendung finden, legitimieren sich aus dem Grundmodell des Geistes. Hegel sieht darin die Bewegung des Stiftens von Einheit aufgrund von Gegensätzen oder die Erzeugung einer Identität aus dem zunächst different Scheinenden. Substanz und Subjekt sind zwei Seiten dieses Prozesses vollständiger Vermittlung mit sich. Die Substanz verweist auf die das bloße Selbstbewußtsein transzendierende Wesenhaftigkeit eines Geistes, dessen Eigenart gleichwohl nur in den Termini selbstbewußter Subjektivität zu fassen ist. Die selbst geschaffene Identität teilt der Geist mit jedem Ich, auch wenn er dessen Vereinzelung zugunsten einer entsprechend gestalteten

Welt aufgibt. Die Struktur des Geistes muß man gar nicht in ihrer logischen Sublimation ausbuchstabiert haben, um die Objektivität des Geistes zu verstehen, als die Hegel die praktischen Verhältnisse interpretiert.

Hatte sich doch gezeigt, daß umgekehrt das Modell des Geistes, auf dem schließlich das ganze System aufruht, gewonnen war aus der analytischen Verfeinerung und begrifflichen Durchdringung umfassender Lebensformen, die ursprünglich unter dem Namen der Volksreligion das Wesen christlicher Liebesgemeinschaft bezeichneten. Das Systematische kommt allen Gestalten der Realität von Hause aus zu, sofern sie als geistig angesehen werden dürfen. Ein System bildet die Sittlichkeit also nicht deshalb, weil ein apriorisches Schema in blindem Gedankenflug auf praktische Verhältnisse übertragen wird. Gerade die Konkretion des Praktischen macht ein *System der Sittlichkeit* nötig, in dessen Rahmen die vernünftige Realisierung des individuellen Willens über die Vereinzelung hinaus befördert wird. Sittliches Leben bildet als solches bereits einen Zusammenhang, der die Einzelsubjekte umgreift.[13] Unter dem Eindruck der gleichzeitigen Potenzlehre Schellings wählt Hegel hierfür organologische Metaphern. Es ist jedoch offenkundig, daß die Naturanalogie keine verdinglichende Deformation des Praktischen bedeutet, sondern auf das Gegebensein der von gemeinsamer Praxis getragenen Lebensformen zielt. Der wohl gegliederte Zusammenhang innerhalb der Welt der Praxis garantiert die erwünschte Tragfähigkeit der Lebensformen und ist zugleich ein Signum des Geistigen.[14]

»Die Sittlichkeit des Einzelnen ist ein Pulsschlag des ganzen Systems und selbst das ganze System. Wir bemerken hier auch eine Andeutung der Sprache ...: daß es nämlich in der Natur der absoluten Sittlichkeit ist, ein Allgemeines oder Sitten zu sein; daß also das griechische Wort, welches Sittlichkeit bezeichnet, und das deutsche diese ihre Natur vortrefflich ausdrücken; daß aber die neueren Systeme der Sittlichkeit, da sie ein Für-sich-sein und die Einzelnheit zum Prinzip machen, ... jene Worte nicht dazu mißbrauchen konnten, sondern das Wort Moralität annahmen.«[15] »Wenn für die Darstellung der Tugend der Name Ethik genommen wurde, (muß) die Ethik nur eine Naturbeschreibung der Tugenden sein.« »In Ansehung der Sittlichkeit (ist) das Wort der weisesten Männer des Altertums allein das Wahre: sittlich sei, den Sitten seines Landes gemäß zu leben. ... Wenn so das absolut

Sittliche seinen eigentümlich organischen Leib an den Individuen hat, und seine Bewegung und Lebendigkeit im gemeinsamen Sein und Tun aller absolut identisch ist . . ., so muß es auch in der Form der Allgemeinheit und der Erkenntnis als System der Gesetzgebung sich vorstellen. So daß dieses System vollkommen die Realität oder die lebendigen vorhandenen Sitten ausdrückt.«[16]

Die organische Sittlichkeit der lebendigen Gemeinschaft, der systematische Zusammenhang in der geltenden Vielfalt kollektiver Praxis ist der Ausweis der *Vernünftigkeit,* die in diesem Ganzen konkreter Sitten waltet. Der erkennbare Zusammenhang verhindert die abstrakte Absolutsetzung einzelner Regeln oder Gesetze, deren Isolation von allem übrigen geradezu als Indiz unvernünftigen Insistierens auf willkürlichen Festsetzungen zu werten wäre. Der Zusammenhang ist jene Gestalt der Vernünftigkeit, die Hegel gegen die bloße Behauptung der Vernunft im Sollensmodus der kantischen Moralität zum Zeugen anruft. Hegel stellt nicht Behauptung gegen Behauptung, um mit dem gleichen Nachdruck, den Kant seinem Imperativ verleiht, dem eigenen Vorschlag erneuerter Sittlichkeit das Wort zu reden. Für die beanspruchte Vernünftigkeit wird vielmehr ein Maßstab eingeräumt, an dem Moralität und Sittlichkeit beide zu messen sind. Der Maßstab lautet auf die synthetische Kraft der Vermittlung von Allgemeinem und Besonderem.

Leicht läßt sich die Differenz an Hegels Auseinandersetzung mit Kants *Maximenlehre* zeigen.[17] Zur Formulierung des kategorischen Imperativs sind Maximen unerläßlich, denn ohne sie wäre die geforderte Verallgemeinerung zum Gesetz gar nicht auszusprechen. Andererseits gelten die Maximen für Kant als eine vernachlässigungsfähige Gegebenheit, deren partikularer Charakter im Namen reiner Vernunft zu negieren ist. Die inhaltliche Bestimmtheit der Maximen entspringt keiner vernünftig gegliederten Ordnung, sondern wird in vollkommener Zufälligkeit einfach aufgegriffen. Die Beliebigkeit dieser Vorgabe widerspricht nun der geforderten Allgemeinheit des Gesetzes. Der Status vernünftiger Allgemeinheit kann allein gegen die Maximen im Sinne der Unterdrückung von deren Partikularität erreicht werden und bedarf dennoch der Maximen als Anlaß seiner Formulierung.

Hegel beklagt nicht bloß den resultierenden Formalismus eines von allem Inhalt gereinigten Gesetzes. Er nennt den kategorischen Imperativ, der sich ausschließlich negierend auf vorgegebene Bestimmtheiten beziehen muß, um der reinen Vernunft zu praktischer Wirksamkeit zu verhelfen, nachgerade ein »Prinzip der Unsittlichkeit«. Das Absolute, das sich *via negationis* durch ein Endliches bestimmen läßt, verendlicht sich in dieser Abhängigkeit von einem ungeschlichteten Gegensatz plötzlich selber. Das ist begrifflich inkonsequent und eine praktische Verfehlung dazu. Der Vorwurf der Unsittlichkeit deckt die Perversion der leitenden Absicht auf. Obwohl das Urteil über die Rolle der Maximen zu pauschal ausfällt, weil, wie wir noch sehen werden, gerade recht verstandene Maximen in den Aufbau der sittlichen Welt gehören, so ist jedenfalls der zugrundeliegende Einwand klar.

Eine Theorie praktischer Vernunft, die auf einem unerkannt vorausgesetzten *Gegensatz* beruht, ist gezwungen, sich ein Konstituens ihrer selbst zu verheimlichen, um überhaupt zur Formulierung zu gelangen. Eine solche Theorie ist nicht vernünftig genug, weil sie auf eine Vermittlung verzichten muß, zu der sie an sich fähig wäre. Die ausdrückliche Vermittlung zwischen der prätendierten Allgemeinheit des Gesetzes und der unterstellten Bestimmtheit gewisser Inhalte ist eine Vernunftleistung, die der Theorie nicht nur zum Zwecke theoretischer Durchsichtigkeit und vollständiger Klärung abverlangt werden sollte. Die fragliche Vermittlung würde vor allem der Ausrichtung der Vernunft auf praktische Phänomene gerecht, um die es der Theorie doch geht. Nicht die Unterdrückung, vielmehr die Aufnahme der Bestimmtheit macht den Vernunftanspruch glaubwürdig für das in jeder Ethik intendierte Praktischwerden der Vernunft. Dank jener Vermittlung kommt das Allgemeine auf der Ebene des Besonderen auch wirklich zum Ausdruck oder wird umgekehrt das bestimmte Einzelne in den Rang des Vernünftigen erhoben. Nichts anderes meint aber ein System der Sittlichkeit.

Das mit den Mitteln moderner Philosophie artikulierte System der Sittlichkeit liefert die Theorie für den Sachverhalt, den die Weisheit der Alten mit großartiger Einfachheit in die Worte kleidete: sittlich sei, den Sitten seines Landes gemäß zu leben.[18] Trifft das zu, so muß Auskunft darüber erteilt werden, *was* die Sitten jeweils sind, und was gerade sie *sittlich* macht. Strukturell mag zwar die Konkretion als Vermittlungsleistung der eigentümlichen Tätigkeit des Geistes gedeutet werden, der auf dem Wege über Differenzierung die eigene Identität sichert. Im Durchlauf durch Gegensätze vollzieht der Geist den Zusammenschluß mit sich, indem die Gegensätze in ihrer Schärfe aufgehoben und systematisch als Momente eines Ganzen integriert werden. Welches die Gegensätze sind, woher sie stammen, was ihre Integration in ein System der Sittlichkeit genau bedeutet, kurz: welche Konkretion die Sitten wirklich annehmen – diese praktisch entscheidende Frage ist durch die Strukturerklärung aus dem Wesen des Geistes nicht erledigt.

»Nun ist es aber gerade das Interesse zu wissen, was denn Recht und Pflicht sei; es wird nach dem Inhalt des Sittengesetzes gefragt und es ist allein um diesen Inhalt zu tun«, mahnt Hegel[19] mit Rücksicht auf Kants Moralphilosophie. Wer sagt aber mit Gründen, was Recht und Pflicht sei? Der Verweis auf die jeweiligen Sitten des Landes hilft nicht weiter, denn die pure *Faktizität* allein garantiert nicht Sittlichkeit. Ohne Zweifel bleibt eine Moralität, die anweist, was zu keiner Zeit und in keinem Volk Realität ist, sondern ein imaginäres Reich der Zwecke ziert, die Antwort schuldig. Was in der Tat als Recht und Pflicht gilt, muß das gemeinsame Handeln der miteinander lebenden Subjekte prägen. Ist aber das hier und jetzt verbindlich Geltende einzig deshalb sittlich, weil es gilt?

Der erste Fingerzeig auf eine mögliche Antwort liegt im *Zusammenhang* des jeweils Geltenden. In keiner Gesellschaft und zu keiner historischen Zeit hat ein einziges abstraktes und schlechthin allgemeines Gesetz genügt zur Regelung der gemeinsamen Angelegenheiten der Praxis. Dazu sind diese Angelegenheiten zu vielfältig und in ihrer Vielfalt eben ordnungsbedürftig. Geltung kommt aus demselben Grunde auch keiner bloßen Pluralität diverser Normen zu, die untereinander keinerlei Beziehung aufweisen. Weil in diesem Fall eventuell beliebig koexistierende oder gar konfligierende Parallelanweisungen erteilt würden, wüßte letztlich niemand, woran er sich zu halten hätte. Die elementaren Erfordernisse konsequenten Handelns verknüpfen folglich Geltung immer schon mit einer gewissen Ordnung innerhalb der Pluralität des Geltenden. Dem trägt der *systematische* Zusammenhang des Sittlichen in Hegels Konzept durchaus Rechnung. Ist aber alles Nötige gesagt, wenn man erfährt, daß die sittliche Legitimation des Geltenden im Zusammenhang zu suchen sei, wenn sie denn nicht in der Faktizität allein liegt?

An dieser Stelle wird ein weiterer Schritt unvermeidlich, der in die *Geschichte* führt. Sie eröffnet nämlich die Dimension, in der über den immanenten Zusammenhang der jeweils vorfindlichen Sitten eines Landes hinaus die verschiedenen Sittensysteme der verschiedenen Zeiten zueinander in ein Verhältnis treten. Die wechselnden Gestaltungen realisierter Sittlichkeit verhelfen zur Bestimmung des jeweils in der Tat Geltenden. Die historische Erklärung sondert das eigentlich Sittliche ab vom bloß faktischen Relikt, dem vielleicht noch Zwang, keineswegs aber wirkliche Geltung mehr zukommt. Hegel bedient sich hier einer Sprache, die Lebendiges vom Toten unterscheidet und daraus schließlich den Geltungsgrund bezieht.

»Was in der Gegenwart keinen wahrhaften lebendigen Grund hat, dessen Grund ist in einer Vergangenheit, d. h. es ist eine Zeit aufzusuchen, in welcher die in Gesetzen fixierte, aber erstorbene Bestimmtheit lebendige Sitte und in Übereinstimmung mit der übrigen Gesetzgebung war. Weiter aber als gerade für diesen Zweck der Erkenntnis reicht die Wirkung der rein geschichtlichen Erklärung der Gesetze und Einrichtungen nicht; sie wird ihre Bestimmung und Wahrheit überschreiten, wenn durch sie das Gesetz, das nur in einem vergangenen Leben Wahrheit hatte, für die Gegenwart gerechtfertigt werden soll. Im Gegenteil erweist diese geschichtliche Erkenntnis des Gesetzes, welche in verlorenen Sitten und einem erstorbenen Leben seinen Grund allein aufzuzeigen weiß, gerade, daß ihm jetzt in der lebendigen Gegenwart der Verstand und die Bedeutung fehlt; wenn es schon noch durch die Form des Gesetzes und dadurch, daß noch Teile des Ganzen in seinem Interesse sind und ihr Dasein an dasselbe knüpfen, Macht und Gewalt hat.«[20]

Die historische Erklärung reicht nur zur Beseitigung des Toten, das einmal lebendige Gegenwart besaß, inzwischen aber bloß als zäh festgehaltene, durch Zwang gestützte Fixierung weiterbesteht. Tot ist, was im gegenwärtigen Zusammenhang der Sitten keinen Platz mehr hat. Dann muß lebendig dasjenige heißen, was als Zusammenhang Sinn macht. Die *Geltungsfrage* erscheint somit gekoppelt an die Diagnose der lebendigen Gegenwart, die ihrerseits gar nicht anders denn als geschlossener, bruchloser, von eingesprengten Resten der Vergangenheit befreiter Wirkungszusammenhang der jeweiligen Sitten bestimmt werden kann. Somit bewegen wir uns im Kreise, wo jede Seite die andere voraussetzt. Ein von Geschichte und der mit ihr möglich gewordenen Unterscheidung des Toten und Lebendigen unabhängiges Kriterium für

Sittlichkeit steht nicht zur Verfügung.

Wenn Hegel betont, daß die historische Erklärung neben der negativen Funktion hinsichtlich des Toten, dessen Geltung Vergangenheit ist, keine positive Legitimierung des Bestehenden liefern könne, so sagt er nur in anderen Worten, daß Sittlichkeit und lebendige Gegenwart eins sind; denn eine historische Erklärung der Geltung des Gegenwärtigen müßte immer auf Vergangenes zurückgreifen und dessen Geltung hat der Definition nach bereits aufgehört. Hier kündigt sich das Motiv an, das Hegel später in seinen Kampf mit der *historischen Rechtsschule* treibt, der uns noch beschäftigen wird. Die rein historische Erklärung der Geltung von Recht scheint ihm die Notwendigkeit einer vernünftigen Begründung der Geltung zu versäumen, weil das Zitat abgestorbenen Lebens die Lebendigkeit des Sittlichen nicht zu ersetzen vermag. Immerhin übersieht Hegel offenbar, wie weitgehend seine eigene Position auf historisches Argumentieren angewiesen ist. Ohne einen Begriff der Geschichte läßt sich die Theorie der Sittlichkeit nicht vertreten.

Was gegenwärtig ist, kann nur in Absetzung vom Vergangenen erkannt werden. Das Tote ist nötig, um das Lebendige einzugrenzen. Die Diagnose der Gegenwart kommt entgegen der Absicht ohne Rückgriff auf Vergangenheit, die auszuscheiden ist, gar nicht voran. Nun entstammt die Geltungsfrage einem Interesse an Distinktion, das im Rahmen des jeweils Gegebenen gar nicht zu befriedigen ist. Wenn nämlich alles gilt, was existiert, bedeutet Geltung kein Problem. Die Frage, ob das Existierende über die Faktizität hinaus einen Anspruch auf Geltung erheben kann, macht eine sittliche Qualifikation namhaft, die sich auf keine Gewißheit apriori berufen kann. Das Sittliche, das Geltung beanspruchen darf, legitimiert sich durch den systematischen Zusammenhang, aus dem Inkongruentes und Unvermittelbares verschwunden ist. Dieser Zusammenhang stellt sich im gleichen Maße her, wie die Elemente, die noch weiterexistieren, obwohl sie sich dem Ganzen nicht fügen, als Überbleibsel vergangener Sittlichkeit historisch wegerklärt werden. Der Zusammenhang entsteht aus der Reinigung von Fremdkörpern, so wie die Gegenwart sich von der Vergangenheit absetzt. Auf die Weise ist aber die Geltungsfrage eng an geschichtliche Interpretationen angelehnt.

Man könnte den negativen Nachweis der Geltung durch Elimination des Vergangenen auch wenden zu einem positiven Schlüssel für das *Verständnis von Geschichte*. Die zeitliche Erstreckung innerhalb der historischen Dimension, wo stets Vergangenheit in Gegenwart übergeht, läßt sich danach abschätzen, ob die vorfindlichen Sitten, die allesamt Geltung beanspruchen, von diesem Anspruch zu überzeugen vermögen oder aber die Einlösung schuldig bleiben müssen. Als vergangen zeigt sich dann dasjenige, das noch existiert, aber nicht mehr als verbindlich empfunden wird. Das Absinken der Lebensbedeutsamkeit in gesellschaftlichen Ordnungen und Institutionen läßt sie als das erfahrbar werden, was obsolet und passé ist. So macht sich in Gestaltungen des objektiven Geistes bei durchgängiger Präsenz auf der Oberfläche der tiefere geschichtliche Charakter solcher Phänomene bemerkbar. Was restlos und ohne jeden Widerruf verschwunden ist, kann nicht einmal mehr als vergangen erscheinen, weil es in gar kein Bewußtsein Eingang findet. Was jedoch noch da ist, ohne als gültig anerkannt zu sein, zeugt vom vergangenen Leben. An dieser Gleichzeitigkeit des Ungleichzeitigen spiegelt sich geschichtlicher Wandel.

Indes, ist durch Hinzunahme der geschichtlichen Dimension die Geltungsfrage hinlänglich beantwortet? Wir hatten gesehen, daß die *strukturelle Erklärung* des konkreten Zusammenhangs des Sittlichen aus der Natur des Geistes als vollständiger Selbstvermittlung nicht auf die *Bestimmtheit* führt, die angibt, was die eigentlich sittlich zu nennenden Sitten eines Landes sind. Da die formale Vermittlungsstruktur des Geistes allen Phänomenen seiner Objektivation zu verschiedenen Zeiten gemeinsam ist, vermag er die letzte historische Konkretion nicht souverän aus sich zu entlassen. Ein Erdenrest an vorgegebener Bestimmtheit ist unaufhebbar, denn er leiht dem allgemeinen Geist erst die besondere Signatur historischer Wirklichkeit. Darauf bezieht sich der Geist, der einen schlüssigen Zusammenhang aus der Vielfalt vorhandener Sitten bildet; ersichtlich muß bereits etwas vorhanden sein, das zum System gegliedert werden kann.

Die Gliederung des Vorhandenen bringt in Wahrheit ein begriffliches Schema mit, das über mögliche Lebendigkeit dessen entscheidet, was sich dem Zusammenhang fügt oder gegen ihn sperrt. Genau betrachtet operiert nämlich Hegels historische Diagnose des Toten und Lebendigen, des Vergangenen und Gültigen zwischen zwei Polen, die als äußerste Möglichkeiten schlechthin *vor* aller historischen Untersuchung angenommen werden: *Einheit* und *Entzweiung*. Der ungebrochenen Aktualisierung sittlicher Lebensformen, deren Geltung sich durch die Tat ständig neu bewährt, steht die schmerzlich wahrgenommene Abwesenheit eines solchen Zustands gemeinsamer Praxis gegenüber. Einheit läßt das Leben sich ungehindert in alle Richtungen ausbreiten, Entzweiung reißt auseinander, was eigentlich zusammengehört. Während Einheit ein Handeln trägt, das in der Welt sich gemeinsam vertreten läßt, setzt die Vorherrschaft des individuellen Willens dem ein Ende. Hegel nimmt mit der größten Selbstverständlichkeit die Fixpunkte von Einheit und Entzweiung an, die das Feld für die historische Untersuchung abstecken.

Die Mittel der Diagnose gehen ihrerseits nicht aus einer historischen Diagnose hervor. Einheit ist dort verloren zu geben, wo die Zerrissenheit regiert, während diese sich abzeichnet vor dem Hintergrund einer ehemaligen Einheit. Die Spannung, die die vermißte Einheit in das zerrissene Leben bringt, macht dieses so unerträglich, daß dessen Eigenart, *mit sich uneins* zu sein, als tiefer Mangel an Wirklichkeit, als verfestigter Schein gedeutet wird. Von einem solchen Zustand geht, wenn er einmal richtig gedeutet ist, sogleich der Aufruf zur Überwindung aus. »Der Stand des Menschen, den die Zeit in eine innere Welt vertrieben hat, kann entweder, wenn er sich in dieser erhalten will, nur ein immerwährender Tod, oder wenn die Natur ihn zum Leben treibt, nur ein Bestreben sein, das Negative der bestehenden Welt aufzuheben, um sich in ihr finden und genießen, um leben zu können.«[21]

Das begriffliche Schema von Einheit und Entzweiung auf die jeweils in einer vorhanden Lage dargebotene Lebenschance angewandt, stellt das gesuchte Kriterium für das historische Urteil bereit. Die Unterwerfung unter den Zustand des Weltverlustes in der Innerlichkeit, worein die Zeit den Menschen versetzt hat, bringt das Leben um sich selbst. Wer leben will, muß folglich jenen Zustand aufzuheben trachten, um in Übereinstimmung mit der Welt zu sich zu kommen. Er muß die Welt als die seine ansehen dürfen und sich in ihr wiederfinden. Die Objektivität, die zunächst so fremd und abweisend wirkte, daß nur der Rückzug ins eigene Ich Rettung versprach, muß neu gestaltet werden aus den eigenen Kräften des Geistes. So entsteht eine Welt von Institutionen, Gesetzen und geregelten Formen der Selbstverwirklichung, die dem Subjekt entgegenkommen, statt es niederzudrücken. Gleichwohl ist diese Welt gemeinsamer Praxis keine trügerische

Illusion, kein jenseitiges Reich, kein utopisches Nimmermehr. Sie ist eine Welt geistiger Objektivationen, die eine ganz bestimmte Aufgabe erfüllen, indem sie für vernünftige Praxis einen umfassenden Rahmen zur Verfügung stellen.

An dieser Aufgabe kann die *Lebensbedeutsamkeit* geltender Ordnungen gemessen werden, je nachdem ob sie leisten, wozu sie geschaffen sind, oder nicht. Das legitime Interesse an vernünftiger Selbstverwirklichung indiziert nämlich von sich aus, ob die geeignete Form des Lebens den Menschen durch die historisch vorfindlichen Zustände versagt wird oder in einer neuen Sittlichkeit ihre Chance erfährt. Die Unterdrückung des Lebens in zwanghaft festgehaltenen Gesetzen, denen nur noch ein historisches Recht zukommt, ist der Maßstab für die Elimination des Toten. Die Entfaltung des Lebens dagegen validiert jene Sitten, deren bruchloser Zusammenhang die Einheit erneuert, die als naturwüchsige Substanz vom Fortgang der Geschichte zersetzt worden war. Der Zirkel, in dem die jeweilige Geltung der Sitten und deren historische Interpretation zusammengeschlossen war, wird mit diesem Kriterium eines in Institutionen sich wiederfindenden Lebens durchbrochen. An den unterschiedlichen Lebensmöglichkeiten bemißt sich Einheit und Entzweiung im Sittlichen.

In der Tat löst sich dieser Maßstab nicht mehr in der wechselseitigen Relativierung auf, in der ein systematischer Zusammenhang durch Reinigung vom Unzusammenhängenden und dieses durch Vergleich mit dem fraglichen Zusammenhang bestimmt werden. Dennoch schwebt der Maßstab nicht frei über dem Gewoge der Geschichte. Lebensbedeutsamkeit kann nur *im historischen Leben* erfahren werden, andernfalls handelte es sich um eine philosophische Verordnung von oben herab, die insgeheim wieder zur Entfremdung beitrüge. Nun hatte die historische Diagnose erwiesen, daß unter der Oberfläche der Gleichzeitigkeit höchst verschieden zu wertende Phänomene nebeneinander existieren. Im perennierten Leiden bleibt auch das Tote präsent, denn die faktische Vorfindlichkeit von Sitten und Gesetzen allein verbürgt keineswegs deren Geltung. Also muß die Lebensbedeutsamkeit im historischen Kontext erst noch entdeckt werden!

Dies vermag aber niemand außer den *historischen Subjekten* selbst zu tun. Nicht ihre privaten Befindlichkeiten, ihre individuelle Befriedigung oder Enttäuschung stehen dabei im Zentrum[22], sondern vielmehr die Möglichkeit praktischer Verwirklichung, die die Sitten in ihrem Zusammenhang jeweils der gesamten Gesellschaft aller miteinander Handelnden bieten. Wenn eine Rechtsordnung im großen und ganzen hingenommen wird, weil die betroffenen Subjekte sich überwiegend darin wiedererkennen, wird man unterstellen dürfen, daß die vernünftig vertretbaren Ansprüche sich trotz der Konkurrenz von Partikularitäten durchgesetzt haben. Wenn die Widerstände gegen den bestehenden Zustand tiefgreifend und auf Dauer alle erfassen, ist das ein Zeichen für das Fehlen der Lebensbedeutsamkeit der gegebenen Ordnung.

So sehr das Kriterium also die Ebene momentaner Stimmungen übersteigt, so ist die Anwendung des Kriteriums doch in die Hände der betroffenen Subjekte gelegt. Entweder finden diese sich bei ihrer konkreten Praxis kollektiv in der sittlichen Welt wieder und vermögen ohne Selbstaufgabe die objektiven Institutionen zu akzeptieren, oder das Ungenügen, dem die vernünftigen Lebensinteressen in einer historischen Lage ausgesetzt sind, ist der Grund für die Verwerfung der behaupteten Geltung von Sitte und Gesetz. Diese Kontrolle darf der Philosoph keineswegs im überlegenen Namen der Vernunft außer acht lassen, denn die Vernünftigkeit des Sittlichen zeigt sich nirgends sonst als am durchsichtig gestalteten Zusammenhang dessen, was im einzelnen tatsächlich gilt. Die Form der Gestaltung legt vor jedermanns Augen Zeugnis für die innere Ordnung ab, in der ohne fixierte Relikte oder aufgenötigte Fremdkörper das sittliche Ganze sich als ein Ganzes artikuliert. Die Durchsichtigkeit des Zusammenhangs macht jedem Betroffenen die Zustimmung möglich. Es ist diese Form, die Anerkennung verdient.

Die Verabschiedung der Instanz historischer Praxis zugunsten eines philosophischen Vernunftmonopols[23] machte die lebendige Beglaubigung, die über das nackte Sollen des kategorischen Imperativs hinausführt, wieder zunichte. Eine Geringachtung der praktischen Subjekte rächt sich, denn das *theoretische* Subjekt kann höchstens durch die zweifelhafte Rolle eines Philosophenkönigs die prätendierte Zuständigkeit in Sachen sittlicher Vernunft an sich ziehen. Die Theoretiker mögen sich auch zum idealen Dialog nach dem Vorbild der Forschergemeinschaft zusammenschließen und dem Führungsanspruch ein demokratisches Ansehen geben. Ob der einsame Weise oder eine aufgeklärte Elite – die Theorie unterwirft sich fälschlich die Praxis. An die Stelle praktischer Einsicht tritt dann das Dekret und die sittliche Welt entleert sich zur kontrafaktischen Annahme. Die radikale Kritik Hegels an seinen Vorläufern wäre ebenso vergeblich wie die darauf gestützte Verheißung, daß die Einsicht in die Struktur notwendiger Reflexionsgegensätze einer besseren Konzeption des objektiven Geistes die Bahn bricht. Bei Strafe solch untunlicher Konsequenzen bleibt das Kriterium der Lebensbedeutsamkeit, das zwischen den extremen Polen der Einheit und Entzweiung sich bewegt, in seiner Anwendung auf geschichtliche Lagen an die in diesen Lagen handelnden Subjekte gebunden. Das Urteil über die *Vernunft in der Geschichte* fällt *innerhalb* der Geschichte.

2. Staat und Geschichte

Die Rechtsphilosophie des reifen Hegel will als vollendete Synthese des antiken und modernen politischen Denkens verstanden werden. Den in der Frühzeit bereits umrissenen Entwurf einer sittlichen Welt führen die *Grundlinien der Philosophie des Rechts* von 1820/21 abschließend aus. Dabei treten gegenüber der früheren Konzentration Spannungen auf, die sich am Staatsbegriff sowie an der historischen Gesamtperspektive ablesen lassen. Ohne in die interpretatorische Debatte um Hegels Rechtsphilosophie in aller Breite einzutreten[24], werden wir uns auf die Gesichtspunkte beschränken, die für den Nutzen des Hegelschen Beispiels als Leitfaden im Untersuchungsfeld von *Normen und Geschichte* wesentlich sind.

Bereits der Untertitel von Hegels Buch, der »Naturrecht und Staatswissenschaft« verspricht, muß paradox anmuten. Die philosophische Lehre vom Staat als der letzten Vollendung und krönenden Einheit der sittlichen Welt kann nur in sehr bedingter Weise als *naturrechtlich* gelten. Weder wird der antike Sinn des Naturrechts einfach aktualisiert, noch bieten die typisch neuzeitlichen Modifikationen des Naturrechts eine unbezweifelte Grundlage. Das klassische Naturrecht legitimierte aus der Gesamtheit der Natur, in die auch der Mensch als soziales Wesen gehört, unmittelbar politische Ordnung. Das moderne Naturrecht hingegen unterstellte einen anfänglichen Naturzustand, aus dem heraus die Menschen den Schritt zur vertraglich vereinbarten Gemeinschaft gehen, wobei die Natur nur erklärt, wieso die kulturelle Stiftung sozialer Ordnung kein beliebiges Unternehmen zu einem zufälligen Zeitpunkt der Geschichte darstellt.

Die Differenz zwischen der antiken und der neuzeitlichen Auffassung entspringt einem Wandel, der den Gedanken einer Begründung von Recht auf Natur selber erfaßt. Die letzte Verankerung geltender Vorstellungen von Politik und Recht in einer Sphäre, die ihrerseits dem Gelten und Akzeptiertwerden überhoben wäre, nimmt nur dem Titel nach eine Natur in Anspruch, die sich selbst stets gleich ist. In Wahrheit verbirgt sich hinter diesem Titel ein Prozeß, der deshalb nicht als ein solcher erkannt wird, weil er gerade die Kategorien betrifft, unter denen die wandelbaren menschlichen Angelegenheiten gemeinsamer Praxis grundsätzlich begriffen werden. Die tiefliegende Historizität jener Begriffe, die den historischen Wandel auffangen sollen, entgeht dem naturrechtlichen Denken wie der blinde Fleck dem Sehen.

An die Stelle der antiken Polisethik ist im Gange der Tradition unmerklich die Subjektivität getreten, die jene geschlossene Substanz des Politischen auflöst. Eben diesen Prozeß hatte die hegelsche Konzeption einer neuen Sittlichkeit verarbeitet. Nachdem der historische Wandel im politischen Denken selber einmal zur Reflexion gekommen ist, trägt das Naturrecht, auf das Hegels Rechtsphilosophie sich beruft, ein ganz neues Gesicht. Wie sehr die Reflexion auf den Prozeß des Begriffswandels die Konzeption selber verändert, zeigt ein Vergleich mit den unmittelbaren Vorläufern. Entwürfe wie die Kantische *Metaphysik der Sitten* oder die Fichtesche *Grundlage des Naturrechts* verfahren sozusagen naiv hinsichtlich der Übernahme der Naturrechtkonzeption. Hegels Bemühung um eine Theorie von Recht und Politik, die dem wahren Wesen ihres Gegenstandes angemessen ist, entspricht der naturrechtlichen Konzeption nur im Ziel einer Begründung, die dem Wandel und der Beliebigkeit entzogen ist, weil sie nicht auf die Willkür der Thesis setzt. Das Ziel einer ahistorischen Rechtsbegründung wird nun aber nicht mehr durch Absetzung von der Geschichte, sondern durch *reflektierte Aufnahme der Geschichtlichkeit* in den benutzten Grundbegriffen verfolgt.

Gegenüber den Vorläufern will die Hegelsche Theorie sich durch eine qualitative Überlegenheit als Theorie auszeichnen, indem die bewußte Hineinnahme der geschichtlichen Wandelbarkeit der Grundbegriffe in die kategoriale Exposition der hinterrücks erfolgenden Geschichtseinwirkung steuert. Dem dient die ausdrückliche Gegenüberstellung der Alten und der Neueren. Die für die Epoche überraschende Vergegenwärtigung antiker Sittlichkeit zeigt die Verkürzung einer an der Individualität von Subjekten orientierten Rechtsauffassung, ebenso wie das inzwischen unwiderruflich herausgetretene Selbstbewußtsein[25] angemessene Berücksichtigung im Rahmen rechtlicher Gemeinschaft verlangt. Die Vereinigung beider Seiten sieht Hegel in der Gestalt des modernen Staates.

Staat heißt diejenige Institution, die das auf Vereinzelung beruhende Organisationssystem der bürgerlichen Gesellschaft zuläßt und dessen Allgegenwart gleichzeitig überwindet in einem Gefüge vernünftiger und gemeinsamer Lebensformen. »Das Prinzip der modernen Staaten hat diese ungeheure Stärke und Tiefe, das Prinzip der Subjektivität sich zum selbständigen Extreme der persönlichen Besonderheit vollenden zu lassen und zugleich es in die substantielle Einheit zurückzuführen und so in ihm selbst diese zu erhalten.«[26] Was auch immer Hegels Rechtsphilosophie im einzelnen über den Staat sagt, so ist offenkundig, daß der systematische Aufbau des Buches die sachliche Antwort auf das methodische Problem liefert, das wir in der verborgenen Historizität naturrechtlicher Grundbegriffe kennengelernt haben.

Der Staat ist nicht einfach ein weiterer Vorschlag, der sich in die äußere Chronologie der Philosophiegeschichte einordnet und in einer Reihe steht mit dem Souverän von Hobbes, der *volonté générale* von Rousseau oder dem Weltbürgertum von Kant. Der Staat ist auch nicht bloß eine trügerische Überhöhung existierender Verhältnisse, die in spekulativer Hybris Begriff und Wirklichkeit verwechselt. Der Staat ist die Gestalt sozialer Ordnung, worin die relativen Wahrheiten der Polis und des Subjekts ohne undurchschaute, nämlich historisch bedingte Einseitigkeit miteinander zur organischen Einheit verbunden sind. Deshalb erscheint er Hegel als ein Prinzip, dessen Formulierung auf Endgültigkeit zielt. Die zugrundegelegte Beobachtung der Historizität der Begriffe ermöglicht eine Theorie, der die Geschichte nicht wiederum äußerlich bleibt. Weil sie die Geschichte vielmehr in sich aufnimmt, vermag sie auch deren vom Begriff unbeherrschbarer Wirkung ein Ende zu setzen.

Der so gewonnene Begriff des Staates hebt die überlieferte Unterscheidung von Naturrecht und Geschichte auf. Es ist daher alles andere als zeitabhängige Polemik, wenn die spekulative Rechtsphilosophie Hegels in einen Prinzipienstreit mit der sogenannten *Historischen Rechtsschule* gerät, die zur selben Zeit eine Abkehr von den aufklärerischen Vorstellungen des abstrakten Vernunftrechts verkündet. Die mit dem Namen Savignys verbundene Jurisprudenz stellt eines der frühesten Zeichen des Historismus dar, der im Laufe des 19. Jahrhunderts alle Geisteswissenschaften ergreift. Hegel zielt auf Savigny, Hugo u. a., wenn er erklärt: »Das in der Zeit erscheinende Hervortreten und Entwickeln von Rechtsbestimmungen zu betrachten, – diese rein geschichtliche Bemühung, sowie die Erkenntnis ihrer verständigen Konsequenz, die aus der Vergleichung derselben mit bereits vorhandenen Rechtsverhältnissen hervorgeht, hat in ihrer eigenen Sphäre ihr Verdienst und ihre Würdigung und steht außer dem Verhältnis mit der philosophischen Betrachtung, insofern nämlich die Entwicklung aus historischen Gründen sich nicht selbst verwechselt mit der Entwicklung aus dem Begriff, und die geschichtliche Erklärung und Rechtfertigung nicht zur Bedeutung einer an und für sich gültigen Rechtfertigung ausgedehnt wird.«[27]

Hegel argumentiert hier wie an manch anderen Stellen mit der Unterscheidung zwischen dem positiv Historischen, das die Philosophie eigentlich nichts angehe, und der davon zu unterscheidenden Wahrheit eines Begriffs an sich.[28] Es ist aber durchaus die Frage, ob das Historische am Recht sich auf das juristische Thema der Positivität von Gesetzen beschränkt. Davon hängt ab, ob Hegel sich wirklich auf »das Naturrecht oder das philosophische Recht« zurückziehen darf, um alles Übrige der »wahrhaften historischen Ansicht, dem echt philosophischen Standpunkt« Montesquieus zu überlassen, der das Recht im weiteren Zusammenhang des »Charakters einer Nation und einer Zeit« betrachtete.[29] Zweifelhaft ist, wieso nach Hegels eigenen Überlegungen zur Historizität der Begriffe, die für den Beginn des 19. Jahrhunderts revolutionär war, ein Traditionalist wie Montesquieu das letzte Wort behält.

Die Frage nach dem genuin historischen Element in Hegels Deutung des Naturrechts erhob sich nicht, solange die Spekulation unwidersprochen die Vernünftigkeit für sich reklamierte. In der Hegelnachfolge hat das Verdikt, die historische Ansicht von der Herkunft des Rechts aus der Gewohnheit habe nichts mit der Erfassung seines Begriffs zu tun, geradezu kanonisch gewirkt. *Eduard Gans* nimmt sogleich den Kampf mit der historischen Rechtsschule auf[30] und führt ihn sein Leben lang als Berliner Fakultätskollege Savignys im Sinne des Lehrers Hegel fort.[31] In allen historischen Epochen offenbart sich für Gans nur die überhistorische »göttliche Vernunft«, so daß in Wahrheit die historische Auffassung des Rechts zu einer alle Epochen umspannenden »Universalrechtsgeschichte« ausgeweitet werden müsse. Die philosophische Deutung der Weltgeschichte hatte Hegel als Ausblick seiner Rechtsphilosophie gedient, von wo aus die systematische Überführung in eine andere Sparte der *Enzyklopädie der philosophischen Wissenschaften* sich ergibt. Gans setzt die Idee einer universalen Weltgeschichte freilich innerhalb der Rechtstheorie gegen die historische Schule ein, ohne sich von der Verschiebung stören zu lassen, die in der systematischen Argumentation eintritt, wenn Universalgeschichte ein juristischer Gegenstand und nicht mehr die Überschreitung der Rechtssphäre bedeutet.

Noch *Karl Marx* hat als Redakteur der *Rheinischen Zeitung* 1842 im Namen einer kritischen Vernunft, die nun gut junghegelianisch mit Fortschritt synonym lautet, den auf dem Hergebrachten beharrenden Positivismus der historischen Rechtsschule attackiert.[32] *Ferdinand Lassalle* schreibt später immerhin, daß Savigny, der in Deutschland als »Hauptrepräsentant der reaktionären Partei« gilt, in seinen Prinzipien »noch wahrhaft revolutionär und umwälzend« zu nennen sei.[33] Der erstrebte Zusammenfall von Philosophie und historischer Betrachtung, auf den das bei Lassalle hinausläuft, erscheint schließlich als eine Verbesserung des Hegelianismus, so daß auch das Lob Savignys diesen nachgerade zum Hegelschüler promoviert.

Lassen wir die juristischen Probleme beiseite, die hier nicht zur Diskussion stehen können[34], so lohnt sich doch eine Überprüfung des festliegenden Philosophenurteils anhand der berühmten Programmschrift *Savignys Vom Beruf unserer Zeit für Gesetzgebung und Rechtswissenschaft* (1814). Es versteht sich, daß von dieser gegen Thibaut gerichteten Grundsatzerklärung keine ausgewachsene Rechtsphilosophie erwartet werden darf, zumal bei der Polemik gegen den Code Napoleon die neu erwachte nationale Gesinnung nach den Befreiungskriegen die Feder führt. Dennoch bedeutet es eine über die Zeitumstände und den Fachdisput hinausgehende Aussage, wenn Savigny schreibt, das Recht sei dem Charakter eines Volkes eigentümlich, wie die Sitte und die Sprache. »Ja, diese Erscheinungen haben kein abgesondertes Dasein, es sind nur einzelne Kräfte und Tätigkeiten des einen Volkes, in der Natur untrennbar verbunden und nur unserer Betrachtung als besondere Eigenschaften erscheinend.«[35]

Die formelle und wissenschaftlich verselbständigte Betrachtung des Juristen muß sich eingestehen, daß die inhaltliche Ausprägung und der Geltungsrang von Rechtsverhältnissen immer schon vorliegen, wenn der Fachmann seine Arbeit beginnt. Die Geschichte leistet die Ausbildung von Recht ganz so wie die der nicht kodifizierten *Sitte*[36], die im gelebten Alltag bestätigt wird, und der nicht konstruierten *Sprache,* die sich im Gebrauch bewährt und fortentwickelt. Recht, Sitte und Sprache sind somit Ausdruck eines einheitlichen »Volksgeistes«, während die verschiedenen historisch geformten Volksgeister ihrerseits Individualisierungen eines »allgemeinen Menschengeistes« sind.[37] Letztlich steht die Entwicklung unter einem »Gesetz innerer Notwendigkeit« und weist Analogien mit dem »organischen Zusammenhang« und den »lebendigen Kräften«[38] der Natur auf. Der organologische Zungenschlag, der gelegentlich eher naturphilosophisch als historisch klingt[39], sollte nicht darüber hinwegtäuschen, daß es Savigny ernst ist mit der Forderung nach Schärfung des »geschichtlichen und politischen Sinns« bei den Juristen.

Der Vergleich mit der historischen Entwicklung der Sprache im Rahmen des fortgehenden Lebens einer Nation zeigt deutlich, was gemeint ist. Diese Entwicklung ist weder Ergebnis blinder Zufälle oder beliebiger Willkür, noch geht sie aus originären Setzungen abstrakter Vernunft hervor. Sie muß aus sich heraus verstanden und als durchgängiger Zusammenhang im Wechsel der Bildungen rekonstruiert werden. Der Prozeß folgt keiner apriorischen Logik, über die man vorab verfügt, so daß sich daran der Verlauf selber messen oder gar für die Zukunft vorhersagen läßt. Dennoch erschließt sich der Prozeß als ganzer in der Einheit der mannigfaltigen und wechselnden Details dem geschichtlichen Sinn des Kundigen. Savignys Betrachtung der historischen Entwicklung des Rechts in Inhalt und Geltung hat man eine juristische Hermeneutik genannt[40], die die Bedeutsamkeit der zu historischen Fakten gewordenen Rechtsverhältnisse auslegt.

Wichtig wird die erneute Würdigung der historischen Rechtsschule in einer Auseinandersetzung mit Hegel, die nicht das kanonisch gewordene Verdikt des Philosophen bloß wiederholt.[41] Ist das Sich-Einlassen auf die Geschichtlichkeit des Rechts der umstandslose Verzicht auf Vernunft? Ist umgekehrt die auf eine überzeitliche Vernunft gebaute Rechtsphilosophie noch fähig zu der angestrebten Versöhnung zwischen Substantialität und Subjektivität? Um als Sittlichkeit gelten zu können, muß der objektive Geist im geschichtlichen Leben der Menschen Anklang finden. Was Savigny und andere dargelegt haben, steht den Hegelschen Überlegungen weniger entgegen, als die systematische Einbeziehung der Geschichte in die Rechtsphilosophie erkennen läßt.[42]

Hegel verlagert nämlich mit Entschlossenheit die geschichtliche Bewährung der Lebensformen des objektiven Geistes über die Köpfe der in diesen Formen Lebenden hinweg in den Bereich einer *Staatengeschichte.* Nicht die innerhalb der sittlichen Welt vollzogene Praxis der gemeinsam Handelnden ist Ort der Geschichte, sondern der Kampf der Staaten untereinander, die als Besonderung des allgemeinen Prinzips wie Individuen im Prozeß einer Auseinandersetzung erscheinen. Unterhalb dieses Niveaus spielt sich nichts ab, das historisch relevant wäre. Die Geschichte setzt erst dort ein, wo die vielen »Volksgeister« in ihrer Vereinzelung das in jedem von ihnen gleichermaßen verkörperte Prinzip des Staates aufs Spiel setzen. So sind sie Akteure, die im Gange der Geschichte ihre Beschränktheit aneinander abarbeiten. »Ihre Schicksale und Taten in ihrem Verhältnis zueinander sind die erscheinende Dialektik der Endlichkeit dieser Geister, aus welcher der *allgemeine* Geist, der *Geist der Welt,* als unbeschränkt ebenso sich hervorbringt, als er es ist, der sein Recht – und sein Recht ist das allerhöchste – an ihnen in der *Weltgeschichte* als dem *Weltgerichte* ausübt.«[43]

Wenn von vornherein die Geschichte als die Sphäre der *Endlichkeit des Geistes* bestimmt wird, gilt sie als eine uneigentliche Erscheinungsform eines anderen, das sich in ihr nur insofern zeigt, als seine wahre Autonomie an den Wechsel der Kontingenzen verraten ist. Die Durchsetzung des höchsten Rechts des Geistes in einer Sphäre, wo dieses Recht noch nicht definitiv regiert, kann dann einzig die abschließende Überwindung der Geschichte bedeuten. Eine restlose Präsenz des Geistes, die durch keine äußeren Momente mehr eingeschränkte Herrschaft seiner Wahrheit ist ein ungeschichtlicher Zustand jenseits allen Wandels. Solange aber in der dialektischen Spannung der Endlichkeit der Volksgeister die höchste Rolle des Geistes noch umkämpft und bestritten ist, mag man metaphorisch vom »Recht des Geistes« sprechen. Geschichte, als Gerichtsszene betrachtet, setzt die Bestreitung von Recht und die Durchsetzung seiner Geltung voraus. Die Rechtsphilosophie hat daher die Geschichte nötig, solange die Vollendung des Rechts im Staat noch nicht unbestritten zum Abschluß gelangt ist.

Die Ansiedlung des Staatsprinzips im Reich der Geschichte bedeutet, daß die der absoluten Notwendigkeit des Geistes widerstrebende Kontingenz nicht schlechthin eliminiert wird, sondern benutzt zur Profilierung des Geltungsanspruchs des Begriffs. Der muß seine Überlegenheit innerhalb des historischen Wandels durchsetzen, statt außerhalb bloß zu prätendieren. Im Zuge des Prozesses gibt das kontingente Moment des Geschichtsverlaufs schließlich nach. »Was von der Natur des Zufälligen ist, dem widerfährt das Zufällige, und dieses Schicksal eben ist somit die Notwendigkeit – wie überhaupt der Begriff und die Philosophie den Gesichtspunkt der bloßen Zufälligkeit verschwinden macht und in ihr, als dem *Schein*, ihr Wesen, die Notwendigkeit, erkennt.«[44]

Der Geist schwebt nicht »über der Geschichte wie über den Wassern«[45] als ein für sich seiendes Allgemeines, dem das ewig treibende Spiel der Beliebigkeit und des Zufalls, das ordnungslose Hin und Her historischer Einzelheiten gleichgültig bliebe. Die Geschichte darf als Gericht eben deshalb angesehen werden, weil sich in ihr, obzwar langsam und auf weite Sicht, Unterscheidungen immanent ausbilden. Das Allgemeine tritt als solches erst in seiner Beziehung auf das von ihm Differente hervor, und dieses läßt sich als das Nicht-Notwendige nur einschätzen, wenn es in Beziehung zu seinem Andern gesetzt wird. Die dialektische Methode der *Kontingenzverarbeitung* hatten wir im ersten Teil schon bei der Analyse der Hegelschen Geschichtsphilosophie kennengelernt.

Der Vorgang innerer Unterscheidung als Klärung und Bewußtwerdung der Geschichte über sich heißt »Auslegung und Verwirklichung des allgemeinen Geistes«.[46] In dieser Formulierung steckt eine eigentümliche Ambivalenz, denn *Auslegung* ist doch etwas anderes als *Verwirklichung*. Das eine bedeutet ein Wiedererkennen des Geistigen im Geschichtsprozeß als Entzifferung des durch alle historischen Besonderheiten hindurchgehenden und nur in ihnen greifbaren Allgemeinen. Das andere aber bedeutet ein vollständiges Realisieren dessen, was der Geist ist, wobei die

Geschichte zum Betätigungsfeld eines seinem Wesen nach nicht geschichtlichen Gehaltes wird. Zwar muß der Geist sich in der Geschichte erkennen, um Geschichte überhaupt zu begreifen und um seiner Identität angesichts des historischen Wandels sicher zu sein. Aber ist zu seinem Selbstsein der geschichtliche Wiedererkennungsakt überhaupt nötig? Ist der Geist selber Geschichte oder widerfährt ihm die Erfassung seiner eigenen Entäußerungen im Rahmen geschichtlichen Verstehens nur beiläufig? Falls er jedoch ein Wesen besitzt, dessen Verwirklichung eine Teleologie im Sinne der »Perfektibilität« voraussetzt, dann könnte auf den Durchlauf durch Geschichte ebensogut verzichtet werden.[47] Wir stehen mithin vor dem methodischen Problem, das später *Dilthey* beschäftigt hat, als er für seine hermeneutischen Zwecke die historische Manifestation des Geistes akzeptierte, die Voraussetzung einer Metaphysik aber unnötig und nutzlos fand.

Die wahre Schwierigkeit der Schlußperspektive von Hegels Rechtsphilosophie liegt darin, daß historisches Geschehen aus der Dimension des gemeinsamen Lebens praktischer Subjekte im Rahmen ihrer jeweiligen sittlichen Welt ausgeschieden wird, um dann als das schicksalgebärende Handeln der Volksgeister wiederzukehren. Das Tun und Treiben der Menschen verdient ein historisches Interesse nicht, weil es in Form der Sittlichkeit bereits ein für allemal geregelt ist. Dagegen schafft die Pluralität der Inkarnation des die Sittlichkeit vollendenden Staatsprinzips Probleme, die mit dem »äußeren Staatsrecht« als einer kosmopolitischen Wiederholung des friedenstiftenden Gesellschaftsvertrags nicht abzutun sind. Der naturrechtliche Zusammenschluß, der schon zwischen isoliert handelnden Subjekten keine Sittlichkeit hervorzubringen vermochte, taugt auch jetzt nicht zur Übertragung auf individuelle Staaten. Hegel verwirft daher die Vorstellungen vom »ewigen Frieden«, der auf vernunftdiktierten Vereinbarungen zwischen Staaten gründet und den Geschichtsprozeß stillstellt.[48]

An und für sich genommen, dürfte es *nur einen* Staat geben, wo die Versöhnung von Subjektivität und Substantialität sich verwirklicht. Die Aufspaltung des Prinzips in mehrere Realisierungen, die unleugbare Gegebenheit verschiedener Staaten, widerspricht der wesentlichen Einheit des Geistes so sehr, daß diese historischen Phänomene als ein Schein zu werten sind, der seiner Aufhebung entgegensieht. Die uneigentliche Sphäre der Endlichkeit des Geistes, wo Zufall mit Notwendigkeit im Streit liegt, muß schließlich das Falsche einer solchen Konkurrenz offenbaren. Der Zufall weicht der Notwendigkeit, die Vereinzelung endet mit dem Sieg des Allgemeinen, das Wesen des Geistes triumphiert über seine ephemere Geschichtsgestalt.

Der Staat nimmt als Individuierung des Geistigen sogar Züge einer *Person* an, was von jeher als skandalös empfunden wurde. Hegels Rede von der »Persönlichkeit des Staates«[49] enthält genügend ideologische Töne, die Verherrlichung der Monarchie liegt so offen zutage, daß es keines Aktes denunziatorischer Enthüllungen mehr bedarf. Mit der Personifikation des Staates die erbliche Souveränität der Fürsten zu rechtfertigen, war schon von den Zeitgenossen als die »Akkommodation« des preußischen Staatsphilosophen beklagt worden. Die tieferreichende Verzerrung, die an die selbstgelegten Fundamente des Begriffsgebäudes der Rechtsphilosophie rührt, läßt sich jedoch aus den Zeitumständen allein nicht erklären.

Wird der Staat als Persönlichkeit gedacht, so raubt er den Personen, die als handelnde Individuen im Rahmen einer sittlich verfaßten Rechtsordnung interagieren, ihren Eigenwert. Die praktischen Subjekte gehen restlos im Staate auf, weil der gerade die Substantialisierung alles Subjektiven bedeutet. Jenseits der staatlichen Gestalt bleibt den Subjekten kein Spielraum ihrer vernünftigen, eigenverantwortlichen und gesellschaftlich orientierten Praxis, denn der Staat repräsentiert bereits alle Bedürfnisse und Ansprüche von Subjektivität. Nun war dem Staat als Vollendung der Sittlichkeit die nötige Anerkennung aber zuteil geworden, weil vernünftige Subjekte sich in ihm wiederzuerkennen vermochten. Das Gelten des systematischen Zusammenhangs von Gesetzen setzte das Sichfinden der praktischen Subjekte bei ihrem gemeinsamen Handeln in eben dem Zusammenhang voraus. Damit den staatlichen Institutionen dieses Siegel geistiger Vermittlung aufgedrückt werden kann, müssen sie die Funktion erfüllen, der gemeinsamen Praxis vernünftiger Subjekte adäquate Lebensformen anzubieten. Ob die Formen adäquat sind, zeigt aber erst der Vollzug der Praxis. Die Entscheidung darüber, inwieweit die Institutionen als die den Subjekten eigenen aufgefaßt und in der Tat ausgefüllt werden, liegt unverzichtbar bei den Betroffenen. Ihnen ist zu beweisen, daß der Staat Geist von ihrem Geist ist, daß, anders gesagt, die Objektivität des Bestehenden keinen Gegensatz zum praktischen Leben der Subjekte darstellt.

Ein Staat, der das gesamte Wesen von Subjektivität für sich reklamiert, nimmt sich selber die *Legitimationsbasis,* insofern die in ihm aufgehobenen Subjekte gar keine Möglichkeit mehr haben, zwischen der Entfremdung in einem Apparat und der Versöhnung in einer sittlichen Lebenswelt zu unterscheiden. Wo alle Subjektivität in das Institutionengefüge einwandert, kann das verordnete Glück und der Zwang zur Freiheit an keiner Instanz mehr überprüft werden. Die müßte nämlich vernünftige Subjektivität und freien Willen ihr eigen nennen, bevor sie in der staatlichen Einheit aufgeht.[50] Nicht die Weigerung von eingeschworenen Privatiers, sich überhaupt auf ein vernünftiges Sozialleben einzulassen, ist zu respektieren, denn das hieße die substantielle Sittlichkeit dem Belieben Einzelner zu überantworten. Demnach sticht hier das Argument nicht, das Hegel gern gegen Rousseau einsetzt: der objektive Geist dürfe auf die Maßstäbe individueller Willkür nicht reduziert werden.[51] Zu verlangen ist vielmehr, daß der Staat Sorge trägt für den Erhalt der Basis, auf der seine Stabilität beruht. Da die Basis allein das Sichfinden praktischer Subjekte im Ganzen ausmacht, muß die Theorie darauf Rücksicht nehmen.

Das Dilemma läßt sich durch einen Kontrast verdeutlichen, in den Hegels Theorie des Staates als Vollendung der Subjektivität mit einer anderen Auffassung gerät, die ebenfalls die Legitimation des Staates mit der Elle der Subjektivität mißt. *J. St. Mill,* der Wortführer des Liberalismus im 19. Jahrhundert, erscheint in der Hinsicht wie der eigentliche Antipode Hegels. Auf den ersten Blick mag dieser Vergleich überraschen; es zeigt sich aber, daß Mill besonders für die Entfaltung des Dilemmas geeignet ist. *Marx,* den man gemeinhin zum Kronzeugen gegen Hegel aufruft, teilt in seiner bekannten Kritik an Hegels Rechtsphilosophie untergründig noch entscheidende Prämissen mit dem Kritisierten. Bei allem Scharfsinn im Einzelnen laufen die Einwände von Marx letztlich darauf hinaus, daß Hegel ein richtiges Konzept an der falschen Stelle verteidige. Der realitätsvergessene »Idealismus« verkehre die realen Verhältnisse und erkläre zu einer logischen Angelegenheit, was in Wahrheit die Sache ökonomisch-sozialer Analyse sei.

Marx' Antizipation der kommunistischen Gesellschaft der Zukunft malt aber dasselbe Gemälde wie Hegel, nur in andere Farben getaucht. Der »Materialismus« soll nun dafür einstehen, daß Versöhnung kein Gedankenwerk bleibt, dessen begriffliche Konstruktion über die ausbleibende Realisierung hinwegtäuscht. Die Anknüpfung an den wirklichen Bedürfnissen lebendiger Menschen, die sich im arbeitenden Austausch mit der objektiven Natur reproduzieren und in aktuellen Kämpfen stehen, rückt die geschichtliche Perspektive zurecht. Der weltgeschichtliche Prozeß bedeutet keine Selbstverwirklichung des Geistes, sondern ist der Weg, auf dem gegen die herrschaftsbedingte Irrationalität kapitalistischer Produktionsweise schließlich das Reich der Freiheit revolutionär zum Durchbruch kommt. Dem Gehalt nach übernimmt dabei der *Kommunismus* das ganze *Erbe des hegelschen Staates.*

Sehen wir von dem evidenten Umstand ab, daß diese Zukunftsvision bei allem Aufwand materialistischer Vokabeln ihrerseits eine realitätsferne Theorie geblieben ist, die massiv zum ideologischen Ersatz gedient hat und weiterhin dient. Die strukturelle Gemeinsamkeit liegt jedenfalls dort, wo den kommunistisch vergesellschafteten Produzenten ebensowenig wie den in Hegels Staat aufgehobenen Subjekten ein Einspracherecht eingeräumt wird, was die gelungene oder mißratene Erfüllung ihrer vernünftig vertretbaren Bedürfnisse und Interessen angeht. Die *totalitäre* Tendenz hat sich beim Schritt von Hegel zu Marx durchaus noch verstärkt. Die Legitimationsbasis einer historisch definitiven Konzeption des den Menschen wirklich angemessenen Soziallebens, die das Aufgehen eines jeden im Ganzen kraft seiner Subjektsnatur fordert, steht und fällt damit, daß Versöhnung nicht nur ein Wort bleibt. Ob Versöhnung mehr ist, können indes nur jene beurteilen, die die Versöhnung an ihrem gemeinsamen Leben erfahren oder vermissen.

Mill eignet sich nun zur Kontrastfigur, weil er den Gesichtspunkt der Subjektivität in den Vordergrund stellt. An der Befriedigung der berechtigten Bedürfnisse von Subjekten ist die gesamte Funktion staatlicher Ordnung zu messen. Mill verbindet dabei die freiheitlichen Traditionen Englands mit Humboldts Ideen über die »Grenzen der Wirksamkeit des Staates«, die im Blick auf die französische Revolution entstanden waren. Das von der deutschen Klassik verbreitete Griechenideal einer ungehinderten Persönlichkeitsentfaltung trifft in Mills brilliantem Essay *On Liberty* mit dem an Benthams Utilitarismus geschulten Kalkül gesamtgesellschaftlicher Nutzenverteilung zusammen.

Mill hält die Verteidigung der Freiheitsrechte des Subjekts gegen die Übermacht eines noch so gut gemeinten Staates für »the vital question of the future«. Die Freiheit eines jeden ist keine substantielle Angelegenheit der öffentlichen Einrichtungen, weil die inhaltliche Bestimmung der Freiheit, das in Wahrheit gute Leben oder die Pflichten eines vernünftigen Menschen höchstens der Erziehung und Beratung, nicht aber dem Staat überlassen werden dürfen. Das wohl verstandene Interesse der Allgemeinheit besteht darin, die unbeeinträchtigte Ausfüllung des Freiheitsraums eines jeden zu sichern. »Die einzige Freiheit, die den Namen verdient, ist diejenige, unser eigenes Wohl auf unsere eigene Weise zu verfolgen, solange wir nicht versuchen, andere ihres Wohls zu berauben oder ihre Versuche zu dessen Erlangung zu stören. Die Menschen gewinnen insgesamt mehr, wenn sie es wechselseitig dulden, daß jeder so lebt, wie es ihm gutdünkt, als wenn sie jeden Einzelnen zwingen, so zu leben, wie es dem Rest gutdünkt.«[52]

Hegel hatte seinerseits die in der *liberalistischen* Position hervortretende Auffassung von Politik als einen Anachronismus bezeichnet, der in England am Rande des fortschrittlichen Europa sich habe erhalten können, wo längst eine weitaus substantiellere Sittlichkeit hervorgetreten sei. Streckenweise klingt es wie ein vorweggenommenes Echo auf Mill, was Hegel in seiner politischen Stellungnahme »Über die englische Reformbill« (1831) erklärt, die zugleich seine letzte Schrift sein sollte. Die Schuld am Verkennen der modernen Rechtsinstitutionen schiebt er »teils der rohen Ignoranz der Fuchsjäger und der Landjunker, teils einer bloß in Gesellschaften, durch Zeitungen und Parlamentsdebatten erlangten Bildung, teils der meist nur durch Routine erworbenen Geschicklichkeit der Rechtsgelehrten« zu. »Der Pomp und Lärm der formellen Freiheiten, im Parlament und in sonstigen Versammlungen aller Klassen und Stände die Staatsangelegenheiten zu bereden und in jedem darüber zu beschließen, sowie die unbedingte Berechtigung dazu, hindert (die Engländer) oder führt sie nicht darauf, in der Stille des Nachdenkens in das Wesen der Gesetzgebung und Regierung einzudringen.«[53]

Hegels Kritik an den »formellen Freiheiten« der liberal verstandenen Öffentlichkeit steht Mills Kritik an der vermeintlichen Aufhebung aller Subjekte im Staat gegenüber. Beide Seiten argumentieren unter Berufung auf die *vernünftige Verwirklichung von Subjektivität.* Das Insistieren auf dem Recht des Individuums geht bei Mill auf die Entdeckung eines modernen Phänomens zurück[54], das jedermann die Augen über den Schein der Transformation aller Einzelnen in einen substantiellen politischen Körper öffnen müsse: »the tyranny of majority«. In Wahrheit bleiben die Subjekte in den politischen Institutionen die individuellen Subjekte, die sie von Anbeginn an waren, um sich bloß zu zufälligen und strukturlosen Majoritäten zusammenzuballen. Die anonyme Macht der Mehrheit besitzt aber keine höhere Legitimation als der Anspruch jedes Einzelnen, in seiner Besonderheit anerkannt zu werden. Die geschlossene Vielzahl von Seinesgleichen hat bloß Konformität, nicht aber mehr Vernunft auf ihrer Seite. Mit aller Entschiedenheit muß das Recht des Einzelnen gegen den hinter den Einrichtungen der öffentlichen Ordnung verschanzten Majoritätsdruck verteidigt werden. Ein Subjekt gilt so viel wie die andern, solange der quantitativen Überlegenheit kein qualitativer Zuwachs an Gehalt entspricht. Der Zweifel daran motiviert die Zurückdämmung des Einflusses der Institutionen.

Die *Opposition zwischen Hegel und Mill,* die faktisch nicht stattgefunden hat, die sich aber aus den Texten plausibel rekonstruieren läßt, beleuchtet das grundsätzliche Dilemma vorzüglich. Das verbindende Ziel der Befriedigung legitimer Ansprüche der Subjekte in politischen Institutionen wird auf gegensätzliche Weise verfolgt. Die Substantialisierung im Staat, wo die Individuen sich aufgehoben fühlen können, kontrastiert mit der Begrenzung des staatlichen Einflusses auf die Garantie der individuellen Freiheitsrechte. Die Ermöglichung praktischer Selbstbestimmung jedes Einzelnen ohne Bevormundung durch die bloße Mehrheit bleibt als Aufgabe der Institutionen übrig, wenn der Staat nicht jene Versöhnung darstellt, in der die Möglichkeit des Selbstseins Wirklichkeit ist.

Im übrigen ist es leicht zu sehen, daß die Opposition, für die Hegel und Mill als Wortführer dienten, keine überholte Kontroverse der Vergangenheit abbildet. Der Konflikt zwischen Staatsprinzip und Liberalismus durchzieht den politischen Alltag unverändert bis in die Gegenwart. Dahinter verbirgt sich mitnichten ein Anachronismus, sondern das notwendige Resultat der Orientierung politischer Institutionen am Vorrang der Subjektivität. Ein Ende des Konflikts kann sich gar nicht abzeichnen, solange das Recht und die Lebensformen des Ethos die Selbstverwirklichung von Subjekten verheißen, während die Entscheidung über die tatsächliche Einlösung dieses Versprechens von niemand sonst als den Betroffenen auf dem Niveau ihrer konkreten historischen Praxis gefällt werden kann.

Früh schon hatte der hellhörige *Lorenz von Stein* erkannt, daß Hegels Staatstheorie nicht den Schlußpunkt setzen könne. Er argumentiert auf den Spuren Hegels gegen dessen Apotheose des Staatsprinzips, indem er die von Hegels Rechtsphilosophie eingeführte Unterscheidung zwischen bürgerlicher Gesellschaft und Staat aufgreift, um der spekulativen These von der Aufhebung des einen im anderen zu widersprechen. Statt dessen ernennt Stein beide Seiten zu »Lebenselementen«, die in einem andauernden Streit liegen und so auch für die Zukunft einen Fortgang der Geschichte erwarten lassen. Der Staat verkörpert das Element des Persönlichen und Selbstbestimmenden, die Gesellschaft hingegen das Element des Nichtpersönlichen und Natürlichen. Beide zusammen machen die menschliche Gemeinschaft aus, deren historische Wandlungen und Ausformungen mit dem Lebensprozeß verglichen werden. Das sich bewegende und in steter Veränderung begriffene Leben gibt ähnlich wie in Diltheys Umdeutung der dialektischen Spekulation den Horizont ab, der Geschichte zu denken erlaubt, ohne daß mit ihrem Gedachtwerden in Begriffen ein Ende des Prozesses implizit mitgesetzt würde.

»Indem man das Wesen des Lebens im beständigen Ringen des persönlichen, selbstbestimmenden Elements mit dem Unpersönlichen, dem Natürlichen enthüllt, so ergibt sich, daß der Inhalt des Lebens der Gemeinschaft ein beständiger Kampf des Staates mit der Gesellschaft, der Gesellschaft mit dem Staate sein muß. Ist das richtig, so wird eine volle Auflösung des Unpersönlichen in das Persönliche, ... ein Zustand mithin, in welchem die Gesellschaft im Staat aufgegangen wäre, für Menschen ebenso unerreichbar sein müssen, als es das Göttliche überhaupt ist. Ein absoluter Friede zwischen beiden ist durch den Begriff des Lebens selber ausgeschlossen. Und ebenso gewiß ist es, daß die volle Auflösung des Persönlichen ins Unpersönliche, der Untergang der selbständigen Staatsidee in die Gesellschaft und ihre Ordnung der Tod der Gemeinschaft ist.«[55]

Wie lautet abschließend die Lehre aus unserer Betrachtung verschiedener Aspekte des Verhältnisses von Staat und Geschichte vor dem Hintergrund der Hegelschen Dialektik? *Aus der ein-leuchtenden Diagnose folgt keine sichere Prognose.* Die Geschichtlichkeit, die Hegel in die *Rechtsphilosophie* mit guten Gründen einbaut, kann systematisch nicht unter Kontrolle gebracht werden. Die Gründe für die theoretische Rücksicht auf Geschichte liegen darin, daß der Rekurs auf ein unverbrüchliches Naturrecht unmöglich wird, nachdem in den Kategorien des naturrechtlichen Denkens Geschichte Spuren hinterlassen hat, die zunächst einmal entziffern muß, wer der Aufgabe der Zeit begrifflich gewachsen sein will. Der gewonnene Einblick in die historische Ablösung der antiken Substantialität durch die moderne Subjektivität zeigt, daß nur eine Theorie, die beiden gerecht wird, Aussicht auf eine Lösung der entstandenen Probleme eröffnet.

Die Theorie muß eine sittliche Welt entwerfen, in der institutionelle Lebensformen Tragfähigkeit versprechen für eine komplexe Praxis, deren gemeinsamer Vollzug die Realisierung vernünftiger Subjektivität bedeutet. Die Sittlichkeit kulminiert im Rechtsstaat, der als Versöhnung aller Einzelnen mit dem Ganzen unüberholbar ist und jegliche historische Ansicht von Recht und Sitte als mit dem Leben von Völkern und Gemeinschaften wachsenden Formen, wie sie die Schule um Savigny pflegte, kraft der im Recht niedergelegten Vernünftigkeit verbietet. Die sittliche Welt als solche ist kein historisches Gebilde, sondern entstammt dem objektiven Geist. Geschichte tritt erst ins Blickfeld des Philosophen, sobald das einheitliche Prinzip des Staates in eine Mannigfalt von Vereinzelungen zerfällt. Es ist die Mehrzahl von Staaten, die als historische Erscheinung im Kampf der Volksgeister miteinander sich selber am Ende zum Verschwinden bringt. Die universalgeschichtliche Perspektive erschließt im Sinne des Weltgerichts eine Art Rechtsstreit, dessen Ausgang prognostizierbar ist, weil zwar die Durchsetzung des objektiven Geistes auf das Feld der Geschichte verweist, das Wesen des Geistes aber von der historischen Kontingenz nicht eigentlich tangiert ist.

An diesem Punkte gerät freilich Hegels Konzeption mit sich in Widerspruch. Die Geltung der Rechtsordnung gründet auf der weder in einem abstrakten Sollen suspendierten, noch für ein utopisches Jenseits verheißenen, noch auch durch ideologische Surrogate vorgetäuschten Erfüllung der vernünftig vertretbaren Ansprüche betroffener Subjekte. Die handelnden Individuen, die sich im Staate wiedererkennen, falls der ihre gemeinsame Praxis in konkreten Institutionen ermöglicht, erstatten den Institutionen umgekehrt die Anerkennung, auf der über alle Postulate hinaus wirkliche Geltung beruht. Insoweit ist *der Staat auf die praktischen Subjekte angewiesen* und nicht nur diese auf ihn. Wenn der Staat allerdings zur Persönlichkeit ernannt wird und alle Subjektivität in seiner Gestalt absorbiert, zehrt er die Grundlage seiner Legitimation auf und wird des puren Octroi verdächtigt.[56] Gegen den im Staat zur Vollkommenheit gediehenen Subjektivitätsbegriff stemmt sich die vor dem Druck der Mehrheit und den Zumutungen des Apparats zu schützende Subjektivität freier Individuen, wie der unter gleichem Feldzeichen geführte Kampf des Liberalismus mit dem Etatismus um den rechten politischen Ort der Subjektivität beweist.

Der Staatsbegriff der Hegelschen Rechtsphilosophie muß also erinnert werden an die eigenen Ursprünge im frühen Konzept der Sittlichkeit. Die *sittliche Lebenswelt* war ein vernünftig strukturiertes Reich der Praxis, das den Handlungsvollzug institutionell so stützte und kollektiv ermöglichte, daß die handelnden Subjekte dabei zu sich kamen. Gemeinsam und in verbindlichen Ordnungen ohne Selbstverlust wirklich zu handeln bedeutete den Weg, der modernen Entzweiung mit einem Konzept zu begegnen, das der philosophische Begriff aus der Erfahrung der Zeit entwickelt.[57] Weil die reflektierend verarbeitete Zeiterfahrung dem Konzept zugrundeliegt, kann die sittliche Welt gar nicht gedacht werden ohne die Instanz der in ihr handelnden Subjekte, denen als den Betroffenen das Urteil über gelungene oder ausbleibende Versöhnung zusteht. Mithin beginnt Geschichte nicht erst mit dem Kampf ausgebildeter Staaten untereinander um die Verwirklichung eines geistigen Prinzips, sondern die *sittliche Welt erhebt sich immer schon auf dem Boden der Geschichte,* weil sie die Lebensformen bietet, in denen handelnde Subjekte unter Konkretionsbedingungen agieren.

Anmerkungen

1 Rousseau, *Contrat social,* IV 8: »De la religion civile«.
2 Hegel, *Theologische Jugendschriften,* Hg. H. Nohl Tübingen 1907.
3 G. Lukács, *Der junge Hegel. Über die Beziehungen von Dialektik und*

Ökonomie, Zürich 1948.

4 F. Schiller, *Kallias oder über die Schönheit.* Briefwechsel mit Körner, bes. Brief vom 8. 2. 1793; sowie *Über die ästhetische Erziehung des Menschen* (1795).

5 Hegel, *Theologische Jugendschriften,* a.a.O. S. 4 f.

6 Z. B. Kant, *Grundlegung zur Metaphysik der Sitten,* A 90 f.

7 Kant, *Kritik der praktischen Vernunft,* A 203.

8 Vgl. Hegel, Brief an Schelling vom 2. 11. 1800.

9 Vgl. dazu M. Riedel, *Studien zu Hegels Rechtsphilosophie,* Frankfurt/M. 1969.

10 Z. B. Hegel, *Jenaer Systementwürfe* III, Hg. Horstmann, *Gesammelte Werke,* Bd. 8, Hamburg 1976, S. 262 ff.

11 Vgl. in dem Zusammenhang R. Bubner, »Philosophie ist ihre Zeit in Gedanken erfaßt«, in: K. O. Apel et al., *Hermeneutik und Ideologiekritik,* Frankfurt/M. 1971.

12 Hegel, *Phänomenologie des Geistes,* Hg. Hoffmeister, Hamburg 1952, Vorrede S. 19.

13 Vgl. Hegel, *System der Sittlichkeit,* Hamburg 1967, S. 62: »Die sittliche Potenz, die sich organisiert, kann sich nur in Individuen als ihrem Stoff organisieren, und nicht das Individuum als solches ist das wahrhaft, sondern nur das formell Absolute: das Wahrhafte ist das System der Sittlichkeit.«

14 Vgl. Hegel, *Grundlinien der Philosophie des Rechts,* § 145.

15 Hegel, *Über die wissenschaftlichen Behandlungsarten des Naturrechts, Werke,* Bd. I, S. 510.

16 A.a.O. S. 513 f.

17 A.a.O. S. 463 ff.; siehe auch *Phänomenologie des Geistes,* a.a.O. S. 301 ff. (gesetzgebende und gesetzprüfende Vernunft).

18 Vgl. Hegel, *Grundzüge der Philosophie des Rechts,* § 150.

19 Hegel, *Über die wissenschaftlichen Behandlungsarten des Naturrechts,* a.a.O. S. 465.

20 A.a.O. S. 533.

21 Hegel, »Freiheit und Schicksal«. Einleitung zur Verfassungsschrift (1799/1800), in: *Politische Schriften,* Hg. J. Habermas, Frankfurt/M. 1966, S. 16.

22 Vgl. *Grundzüge der Philosophie des Rechts,* § 187 sowie §§ 19 f., wo Hegel *»Bildung«* empfiehlt, die als »Befreiung im Subjekt die harte Arbeit gegen die bloße Subjektivität des Benehmens, gegen die Unmittelbarkeit der Begierde sowie gegen die subjektive Eitelkeit der Empfindung und die Willkür des Beliebens« ist. Die neu aufgefundene Nachschrift einer frühen Vorlesung Hegels über Rechtsphilosophie führt Ähnliches aus. »Die Erziehung des Individui ist nun, daß sein eigenes Inneres der vorhandenen Welt gemäß wird. Das Individuum wird auf solche Weise nicht beschränkt, sondern vielmehr befreit. Was

ich bin, mein wesentlicher Wille, ist nicht ein anderes, zu dem ich mich verhalte. – Der Mensch findet sich nur eingezwängt, bedrängt, insofern er in seiner Besonderheit steht, er ein besonderes Sollen und Mögen hat; das, was ihn drückt, ist seine eigne Subjektivität. Indem er sich als Sittliches verhält, so befreit er sich. Das sittliche Zusammenleben der Menschen ist deren Befreiung; sie kommen darin zur Anschauung ihrer selbst.« (Hegel, *Philosophie des Rechts*, Nachschrift der Vorlesung 1819/20, Hg. D. Henrich, Frankfurt/M. 1983, S. 125).

Inzwischen ist eine weitere Vorlesungsnachschrift ediert, die zu diesem Zusammenhang detaillierte soziologische Beobachtungen über die wechselseitige Toleranz der Eitelkeiten, den vernünftigen Trieb zur Anerkennung auch in der Mode, die Urbanität als Respekt gegenüber der Interessantheit des Individuellen beisteuert. »Dies ist ein Moment der Bildung, daß die Besonderheit in der Besonderheit sich aufhebt.« Hegel, *Phil. d. Rechts*, Ms. Wannenmann 1817/18, Hg. K. H. Ilting, Stuttgart 1983, §§ 91, 95 f.

23 Bereits K. Th. Welcker (*Letzte Gründe von Recht, Staat und Strafe*, 1812, S. 3) warnte die praktische Philosophie davor, sich in Spekulation zu verlieren, wo an die Erfahrungen der Menschen anzuknüpfen sei.

24 Vgl. den Überblick bei H. Ottmann, *Individuum und Gemeinschaft bei Hegel*, Bd. I, Berlin 1977, (Bd. II im Erscheinen).

25 Z. B. Hegel, *Grundzüge der Philosophie des Rechts.*, § 124 Anm.

26 A.a.O. § 260, vgl. § 258 Anm.

27 Hegel, a.a.O. § 3 Anm.; vgl. § 211 Anm., § 212. – Vgl. das Unverständnis Hugos in seiner Rezension der Hegelschen Rechtsphilosophie: *Göttinger Gelehrter Anzeiger* 1821, jetzt in: M. Riedel (Hg.), *Materialien zu Hegels Rechtsphilosophie* 1, Frankfurt/M. 1975, bes. S. 70 f.

28 Z. B. a.a.O. § 258 Anm.

29 A.a.O. § 3 Anm.

30 E. Gans, »Das Erbrecht in geschichtlicher Entwicklung – eine Abhandlung der Universalrechtsgeschichte« (1824), Vorrede, bes. S. XII f., in: E. Gans, *Philosophische Schriften*, Berlin 1971.

31 Vgl. die von M. Riedel besorgte Edition der Vorlesungsnachschrift des Hegelsohnes von 1832/33: E. Gans, *Naturrecht und Universalrechtsgeschichte*, Stuttgart 1981.

32 Marx, »Das philosophische Manifest der historischen Rechtsschule«, in: *Frühe Schriften*, Bd. I ed. Lieber/Furth, Darmstadt 1962, S. 198 ff.

33 Lassalle, »Das System der erworbenen Rechte, eine Versöhnung des positiven Rechts und der Rechtsphilosophie« (1861), in: *Gesammelte Reden und Schriften*, Bd. IX, Berlin 1920, S. 30, 41 ff.

34 Vgl. die vorzügliche Studie von E. W. Böckenförde, »Die Historische Rechtsschule und das Problem der Geschichtlichkeit des Rechts«, in:

Staat, Gesellschaft, Freiheit, Frankfurt/M. 1976, sowie W. Schild, »Savigny und Hegel, Systematische Überlegungen zur Begründung einer Rechtsphilosophie zwischen Jurisprudenz und Philosophie«, in: *Anales de la Catedra Francisco Suarez,* 18/19, 1978/79. – Das historische Umfeld beleuchtet die materialreiche Dissertation von H. U. Schüler, *Die Diskussion um die Erneuerung der Rechtswissenschaft von 1780-1815,* Berlin 1978.

35 Savigny, *Vom Beruf unserer Zeit für Gesetzgebung und Rechtswissenschaft,* Nachdruck 1967, S. 8; ähnlich noch: *System des heutigen römischen Rechts,* Berlin 1840, Bd. I, S. 14 ff.

36 G. F. Puchta nennt die Sitte geradezu das natürliche, aus den »nationalen Überzeugungen über die rechtliche Freiheit« und »ohne ein künstliches Medium« erwachsene Recht. *Das Gewohnheitsrecht,* Bd. I, Erlangen 1828, S. 9 f.; vgl. S. 137 ff., 170: »Sitte ist eine Handlung, sofern jene stillschweigende Willensbestimmung, die sie hervorbringt und hervorbringen wird, nicht in dem Einzelnen als solche ihren Grund hat, sondern in einer ihm mit anderen gemeinsamen, aber eben weil sie eine innerliche und stillschweigende ist, auf natürlichem Wege entstandene Überzeugung. Eine Sitte hat daher, wie schon der unverdorbene Sprachgebrauch bezeugt, eine Familie, ein Volk oder volksmäßiger Inbegriff, aber kein Einzelner als solcher.«

37 Vgl. Savigny, *System des heutigen römischen Rechts,* a.a.O. S. 20.

38 Z.B. Savigny, *Vom Beruf unserer Zeit,* a.a.O. S. 11 f., 112 f. und öfter.

39 Manche Interpreten haben hier einen Einfluß Schellings vermutet. A. Hollerbach hat das einleuchtend zurückgewiesen: *Der Rechtsgedanke bei Schelling,* Frankfurt/M. 1957, S. 275-321.

40 So E. Forsthoff, *Recht und Sprache* (1940/41), Nachdruck Darmstadt 1964, S. 18 ff.

41 Eine neuere Arbeit von O. D. Brauer hat zu Recht die Frage wieder aufgerollt (*Dialektik der Zeit, Untersuchungen zu Hegels Metaphysik der Weltgeschichte,* Stuttgart 1982), im Resultat aber die bekannten Fronten erneuert, indem der Begriff des Volksgeistes bei Hegel auf »Emanzipation«, bei Savigny aber auf »Restauration« verweise (S. 100 f.).

42 Einige Aufschlüsse bietet die wichtige Nachschrift von Hegels rechtsphilosophischen Vorlesungen durch v. Griesheim (1824/25), die dank der Edition Iltings zugänglich geworden ist: Hegel, *Vorlesungen über Rechtsphilosophie,* Bd. IV, Stuttgart 1974. »Sitte ist die Gewohnheit der Individuen. Wir halten zum Teil die Gewohnheit für etwas Geringeres ... wir setzen sie der Lebendigkeit, den Einfällen entgegen. ... In (der Gewohnheit) ist auch die Seite vorhanden, daß in ihr der Gegensatz des natürlichen und subjektiven Willens verschwindet, der Kampf des Subjekts gebrochen ist und insofern gehört zum sittlichen Menschen Gewohnheit. Sie ist, daß das Sittliche sein Sein ausmacht,

ihn bewegt, sein Substantielles ist . . . Die Sittlichkeit existiert wesentlich als Sittlichkeit vieler Individuen, die Sittlichkeit ist eine Welt, ist so Sittlichkeit eines Individuums; so ist sie aber nicht allein, sondern als Sittlichkeit vieler Individuen, Gewohnheit ist schon die Gewohnheit vieler. Die Bestimmung der Vielheit gehört zum Dasein der Sitte . . . Wir stellen uns hierbei gleich eine Einigkeit vieler Individuen vor, denn die Sittlichkeit als Geist ist Bewußtsein dieser Einigkeit.« (S. 407 f.)

Die gemeinsam von vielen gelebte, in der Gewohnheit verankerte Einigkeit nimmt als unmittelbares Dasein die Form der Anschauung an: »Diese Einigkeit (muß) gewußt werden als ein Sein, als daseiend, unmittelbar seiend, diese Einigkeit, die unmittelbar gegenwärtig ist, ist nur existierend als Selbstbewußtsein. Sie ist nur gegenständlich, d. h. sie ist existierend in einem anderen Individuum. . . . Im sittlichen Verhalten der Ehe ist eine Individualität sich bewußt der Einigkeit, der Liebe . . . So hat der Bürger eines Staates seine Anschauung davon, daß er es ist, an den anderen Bürgern. Notwendige Bestimmung ist daher, daß das Sittliche Anschauung des Sittlichen ist in andern Individuen, in ihnen wird diese Einigkeit angeschaut, so daß ich selbst darin bin in dem, was ich anschaue. Ich habe mein Bewußtsein, mein Selbst in einem Andern und schaue sie so als Einigkeit an.« (S. 409) Die *Anschauung* bedeutet die durch Reflexion nicht gebrochene Vergewisserung sozialer Zusammengehörigkeit; sie unterscheidet sich so von einer *Anerkennung*, die als ausdrückliches Einräumen von Subjektivität im Wechselbezug der Subjekte Gemeinschaft erst stiftet und dem Typ der vertraglichen Begründung von Sozialität entspricht.

43 A.a.O. § 340. Vgl. § 259, sowie die Vorlesungsnachschrift Wannenmann (Hg. Ilting, a.a.O. § 126). – Das Motiv ist noch beim späten Ranke präsent, der im Vorwort seiner *Weltgeschichte* (1880) zwar allen »Phantasien und Philosophemen« eine gehörige Absage erteilt und trotzdem die Einheit des geschichtlichen Lebens nicht anders als durch den Kampf der Völker und Nationalstaaten denken kann.

44 A.a.O. § 324 Anm.

45 Hegel, *Enzyklopädie*, § 549 Anm.

46 Hegel, *Grundzüge der Philosophie des Rechts*, § 342.

47 Vgl. a.a.O. § 343.

48 Z. B. a.a.O. §§ 324, 333.

49 A.a.O. § 279.

50 Noch mehr verlangt aus bedenkenswerten Gründen M. Theunissen, »Die verdrängte Intersubjektivität in Hegels Philosophie des Rechts«, in: Henrich/Horstmann (Hg.), *Hegels Philosophie des Rechts*, Stuttgart 1982. Er sieht eine vorrechtliche Intersubjektivität als Grundlage der Rechtsphilosophie und nimmt die »soziale Defizienz« von Hegels Theorie zum Anlaß der Kritik (S. 327, 371 ff. und öfter). Ob allerdings

die »kommunalen Strukturen« sich aus der primären Ich-Du-Beziehung aufbauen (S. 358 ff.) und nicht vielmehr ursprüngliche Formen des Ethos sein müßten, ist mir fraglich (vgl. oben, Anm. 42).

51 Vgl. Hegel, *Grundzüge der Philosophie des Rechts*, §§ 29, 258.

52 J. St. Mill, *On Liberty* (1859), Everyman's Library 1962, S. 75 f.

53 Hegel, *Politische Schriften*, a.a.O. S. 296, 298; ähnlich: *Philosophie der Geschichte*, SW, Bd. IX, S. 543 f.

54 Vgl. J. St. Mill, *On Liberty*, Kap. I.

55 L. von Stein, *Der Begriff der Gesellschaft und die Gesetze ihrer Bewegung; Einleitung zur Geschichte der sozialen Bewegung Frankreichs seit 1789*, in: Forsthoff (Hg.), *Gesellschaft – Staat – Recht*, Berlin 1972, S. 35 f. – Auch R. Mohl lobt an Hegel, daß er anders als die gesamte Tradition bis auf Kant die Gesellschaft wichtig nehme, aber fälschlich auf den Vorrang des Staates bezogen habe. Hier könne gerade die Dialektik ein genaueres Verhältnis beider Seiten bewirken. »Gesellschafts-Wissenschaften und Staats-Wissenschaften«, in: *Zeitschrift für die Staatswissenschaft* 7, 1851, S. 18.

56 Adorno beispielsweise hat in seiner *Negativen Dialektik,* die mit dem Titel bereits polemisch auf Hegel zielt, die Affirmation des Staates gegenüber den unterdrückten Individuen beklagt. Er begegnet der universalgeschichtlichen Teleologie des Idealismus durch einen zur Permanenz absoluten Leidens umformulierten »Materialismus«. Er versteift sich dabei auf ein Prinzip des unaufhebbaren Mangels an Allgemeinheit in den Individuen, um desto vehementer die zwanghafte Identifizierung der Individuen mit dem Allgemeinen abzuweisen. Nur dank dieser Fixierung kann er Hegels Aufforderung an die Individuen, sich zum Allgemeinen zu bilden, »despotisch« nennen. Die Paradoxie von Adornos Kritik tritt deutlich zutage, wenn er beispielsweise bekennt: »Universalgeschichte ist zu konstruieren und zu leugnen.« Frankfurt/M. 1975, S. 314 ff., vgl. 334. Immerhin müßten für die Leugnung gleich gewichtige Gründe sprechen wie für die Konstruktion. Durch simple Umkehr der Vorzeichen wird das Gefährliche einer als totalitär empfundenen Theorie keineswegs entschärft. Der auf ihrem Eigenrecht radikaler Negation insistierenden Kritik eignet ein ähnlicher Dogmatismus wie dem denunzierten Gegenüber; vgl. dazu R. Bubner, »Was ist kritische Theorie?«, in: K. O. Apel et al., *Hermeneutik und Ideologiekritik*, Frankfurt/M. 1971.

57 Vgl. Ch. Taylors Plädoyer für eine »post-industrial Sittlichkeit« heute: *Hegel and Modern Society*, Cambridge 1979, Kap. II.

III. Handlung, Maxime, Norm

1. Von der Handlung zur Maxime

Aus der kritischen Betrachtung des hegelschen Lösungsvorschlags sind Folgerungen zu ziehen. Dabei muß mit der Kategorie der Handlung begonnen werden, um den theoretischen Gewinn des Konzepts einer im Leben verankerten Sittlichkeit nicht verloren zu geben und dennoch die zwangsläufige Überhöhung in die geistige Entität des Staates zu vermeiden. Die Grundlegung mit Hilfe des Handlungsbegriffs hindert praktische Philosophie an Verstiegenheiten, bei denen sie die Praxis, von der sie redet, aus den Augen verliert. Die Handlungsanalyse wird verständlich zu machen haben, wie es zur Ausbildung von Normen kommt, so daß die Überprüfung der Vernünftigkeit normativer Regelung und institutioneller Kristallisation ohne Flucht in ein der Praxis entzogenes Ideal möglich wird. Die Normen müssen im Handlungsbegriff einen Ansatzpunkt finden, weil sonst die ihnen zugetraute Rationalität keine praktischen Folgen zu zeitigen vermag. Das Zwischenglied zwischen Handlungsbegriff und Normenbegründung stellt die Lehre von den Maximen dar, die sowohl die Entstehung von Normen im Blick auf Praxis erläutert, wie auch die behauptete Rationalität von Normen überprüfbar erscheinen läßt. Praktische Vernunft würde jedenfalls gründlich mißverstanden, wenn sie eine vorgefaßte Rationalität aus dem theoretischen Bereich entliehe, die auf dem Wege des Imperativs verordnet wird, ohne für die Übersetzungschance ins wirkliche Handeln Sorge zu tragen.

Handlung[1] soll der tätige Vollzug heißen, der ein bestimmtes Ziel und einen darauf gerichteten Akt zusammenführt. Ein Ziel, das kein Tun auslöst, bleibt ein Wunsch, eine Phantasie oder ein Projekt. Die Handlung, die nicht auf etwas anderes als das Tun als solches gerichtet ist, läuft entweder ziellos ins Leere oder wird spielerisch zum Selbstzweck erhoben. Allein das in letzter, unauflöslicher Bestimmtheit hergestellte Verhältnis von Akt und Ziel verdient, Praxis genannt zu werden, sofern im Vollzug des Handelns selber das Ziel sich realisiert. Die wechselseitige Zusammengehörigkeit beider Seiten dieses Verhältnisses hatten wir bereits eingangs in der plastischen Terminologie des Aristoteles gefaßt, der vor allem dank seiner Handlungstheorie zum Vater der praktischen Philosophie geworden ist. Aristoteles bedient sich des Relationsbegriffs eines »Worumwillen«, der die Struktur der Praxis als ein asymmetrisches Verhältnis auszulegen erlaubt, wo eines umwillen eines andern ist.

Während der Akt nur eintritt umwillen dessen, worauf er zielt, läßt das Ziel sich nicht anders als relativ auf den Akt bestimmen, aber stets im Sinne einer Vorordnung als dasjenige, um dessentwillen überhaupt gehandelt wird. Die Seiten des Verhältnisses sind nicht austauschbar, so daß man etwa sagen könnte, Ziele müsse man haben, damit gehandelt werde, ebenso wie man handeln müsse, um Ziele zu erreichen. Der einseitige Akzent des Worumwillen impliziert in der Relation des Ziels auf den Akt die Führung des Ziels, und dieser Akzent wechselt niemals die Seiten. Wenn nämlich gelten würde, daß man Ziele haben müsse, damit gehandelt werde, dann geht in diesem Falle der Unterordnung des Ziels unter den Akt die fernere Frage, worumwillen denn zu handeln sei, ins Leere und kann nicht mehr beantwortet werden. Es findet aber kein Handeln statt, wo ein dem Handeln gegenüber eigens angebbares Ziel nicht zu sehen ist.

Mit dieser Analyse ist Handeln der direkten Zuständigkeit von *Kausalgesetzen* entzogen, die das umwillen eines praktisch gesetzten Ziels vollzogene Tun als Fall einer wohl geordneten Folge von Ursache und Wirkung auffassen. Handlung wird in solcher Betrachtung von vornherein verfehlt, weil der in der Relation des Worumwillen stehende Vollzug eine ganz andere Struktur aufweist als das zeitlich geordnete Nacheinander zweier Ereignisse, die als Ursache und Wirkung in Beziehung stehen. Die kausale Betrachtung trennt die beiden im Verhältnis des Worumwillen miteinander verbundenen Momente und macht sie zu Ereignissen, die je für sich Platz greifen und deshalb als solche festgestellt werden können. Hierbei läßt Ordnung sich allein durch die unumkehrbare zeitliche Reihenfolge herstellen, obwohl an sich das in der einen Kausalkette als Ursache auftretende Ereignis in einer andern als Wirkung figurieren kann. Mit der Neutralität isolierbarer Ereignisse, denen die extern bestimmte Zeitfolge ihre Stellung zueinander anweist, hängt bekanntlich die Paradoxie der unendlichen Fortsetzbarkeit der Kausalkette zusammen, die Kant mit dem Gewaltstreich seiner praktischen Philosophie lösen wollte. Unter dem Titel einer Kausalität aus Freiheit heißt die nicht weiter auf verursachende Ereignisse zurückführbare Verursachung von Wirkungen in der Welt plötzlich »Handlung«.

Nun ist Handlung aber gar nicht in der Perspektive kausaler, d. h. zeitlich unumkehrbar geordneter und dadurch aufeinander bezogener Ereignisse zu fassen, weil in keiner Praxis ein so und so zu klassifizierendes, verursachendes Ereignis, etwa ein Willensentschluß, vorangeht, das, wenn es einmal eingetreten ist, nach strenger Gesetzmäßigkeit ein anderes, davon genau unterscheidbares Ereignis auslöst, etwa eine Körperbewegung, die als Folge des ersten Ereignisses anzusehen wäre. In der einheitlichen Struktur des Handelns, die einen Vollzug und nicht eine Abfolge darstellt, werden nur zum Zwecke der Analyse zwei Momente isoliert, die je für sich gar nicht wahrgenommen oder beschrieben werden können. Da sich allein aus dem Bezug beider aufeinander Handlung aufbaut, ist eine künstliche Verselbständigung der Momente ausgeschlossen.

Wenn Handlung nicht in die kausal determinierte Abfolge zweier Ereignisse zerfällt, Akt und Ziel aber ebensowenig identisch zusammenfallen, ist der Vollzug, der das konkrete Verhältnis beider Momente zueinander herstellt, anders zu deuten. Die Realisierung des Ziels durch das Tun des entsprechenden Aktes ist eine Leistung des Zusammenführens beider Momente, die naturgemäß *Prozeßcharakter* aufweist. Noch in der minimalen Gestalt einfachster Handlungen, die von der zeitgenössischen Sprachanalyse als Basishandlungen herauspräpariert werden[2], sind Schritte unterscheidbar, deren sinnvolle Sukzession die fragliche Handlung erst zum Vollzug bringt. Die viel diskutierten Beispiele, wie Fensteröffnen, Feuergeben oder Begrüßen zeigen, daß verschiedenerlei synthetisch vereinigt werden muß: Lageeinschätzung, Disposition geeigneter Mittel, Einsatz des gewählten Mittels, Körperbewegung in geordneten Phasen usw. Keine Handlung stellt eine simple Einheit dar, die in sich abgeschlossen und also der prozessualen Erstreckung durch die einschlägigen Phasen der Realisierung entzogen wäre.

Die Komplexität solcher *Synthesen* wechselt zweifellos von Handlungstyp zu Handlungstyp. Ein Fenster kann man nur öffnen, wenn man erst den Griff erfaßt, dann umdreht und schließlich in der gewünschten Richtung zieht. Feuer kann man nur geben, wenn sich ein passendes Instrument findet, nach dessen Betätigung die Flamme dann vorsichtig weiterzureichen ist. Eine Begrüßung erfolgt, wenn zwei Personen einander zumindest auf Sichtdistanz begegnen und als zu Begrüßende erkennen, um schließlich den Gruß etwa durch Lüften des Hutes zu erteilen. Jedenfalls gibt es keine Handlung, die Handlung zu heißen verdient, falls darunter das Zusammenführen von gesetztem Ziel und realem Akt verstanden werden soll, die sich nicht auf eine vergleichbare Weise aufgliedern ließe. Deutlicher noch wird die Leistung der richtig gegliederten Synthesen bei angereicherten, mehrstufig aufgebauten oder gar nach strategischem Plan aus einer Summe diverser Akte gebildeten Handlungen. Das Ablegen einer Prüfung oder das Schreiben eines Buches sind beispielsweise Handlungen, die als Ganze zu sehen sind, obwohl sie sich zu einer Fülle unterschiedlicher Einzelvollzüge der Vorbereitung, schrittweisen Durchführung, eventuellen Phasenwiederholung usw. ausgestalten. In jedem Falle aber bleibt das Aufeinanderbeziehen von Ziel und Akt, das die eigentliche Handlung bedeutet, eine synthetische Leistung mit Prozeßcharakter.

Es liegt an dieser Eigenart des Handelns, daß sein Vollzug *Spielräume von Alternativen* eröffnet. Je nach Lage der Dinge kann man so und auch anders verfahren. Fenster kann man, wieweit die Konstruktion es zuläßt, aufreißen oder anlehnen, mit Gewalt oder lautlos, tastend oder mit sicherem Griff öffnen. Feuer kann man souverän oder unsicher, mit einschlägigen und ausgefallenen Materialien, mit sparsamer oder angeberischer Flamme darreichen. Ein Gruß kann flüchtig oder zeremoniell, im Genuß des Augenblicks, als Selbstdarstellung und als Einstufung des Gegenüber erfolgen. Die Fülle der Möglichkeiten bei ein und demselben Handlungstyp in ganz einfach gelagerten Fällen überrascht.

Fraglos gibt es Grenzen der Spielräume, innerhalb deren die alternativen Weisen des Vollzugs noch als Erfüllung des Handlungstyps gelten, während jenseits dessen die Deformationen beginnen, die im Mißlingen der Handlung bzw. im Verfehlen des authentischen Handlungstyps enden. Die Deformationen mögen plumpe, ironische oder artifizielle Abweichungen darstellen, ohne daß die Handlung als solche mißlingt. Umgekehrt können Handlungen gelingen, obwohl sie unorthodox, verschroben oder innovatorisch vollzogen werden. Die Grenzen der Möglichkeiten steckt indes unwiderruflich der falsche Vollzug ab, der sich als *Mißlingen* der intendierten Handlung rächt.

Wir sagen durchaus, daß jemand falsch gehandelt habe, ohne daß wir andere Maßstäbe beibringen als die dem Vollzug des jeweiligen Handlungstyps eigenen. Die Falschheit ist nicht durch externe Bedingungen festgelegt, wie etwa die Nichtbeachtung natürlicher Gegebenheiten, auf die die Handlung keinen Einfluß hat, während sie ohne diese gar nicht stattfinden kann. Auf derselben Ebene liegen Verstöße gegen technische Anweisungen, die mit der Benutzung von Materialien oder Instrumenten ein für allemal gesetzt sind. Wer hier fehlgeht, hat nicht etwa falsch gehandelt, sondern die Handlung überhaupt nicht in Gang gesetzt. So kann man eben bei Regen kein Sonnenbad nehmen und mit Messern nicht Strümpfe stopfen. Man kann aber durchaus falsch Auto fahren, auch wenn die Bedienungsanweisung befolgt und die Verkehrsregeln eingehalten werden. Man kann einen Vortrag falsch aufbauen und gleichwohl gescheite Sätze in gutem Deutsch aussprechen. Man kann falsch mit seinen Kindern umgehen, ohne daß dabei streng genommen bereits moralische Forderungen verletzt wären.

Falsch heißt in dem Zusammenhang soviel wie sachunangemessen, dem Sinn des intendierten Handelns entgegen, ineffizient oder widersprüchlich. Die Beurteilung ist ganz auf den jeweiligen Fall angewiesen und setzt nur ein Verständnis desjenigen Handelns voraus, das angelegt, versuchsweise vollzogen und endlich gescheitert ist. Über ein solches Verständnis verfügt jeder, dem die für den Vollzug nötige Leistung der Synthesis relevanter Schritte vertraut ist. Er weiß, was man im jeweiligen Fall zuerst tut und was daran anschließend, wie was miteinander verknüpft oder aufeinander bezogen wird, worauf zu achten und was zu unterlassen ist. Versagt diese synthetische Leistung, wird sie durchbrochen oder bleibt sie lückenhaft, so scheitert der Vollzug; das angestrebte Ziel ist im Tun nicht wirklich erreicht, und man sagt, es sei falsch gehandelt worden.

Wenn eine bestimmte Vollzugsweise eines gegebenen Handlungstyps falsch genannt werden kann, so liegt es nahe, nach der *richtigen* Weise zu suchen. Da eine Breite alternativer Möglichkeiten eingeräumt wurde, die gleichberechtigt nebeneinander stehen, solange sie nicht geradewegs zum Mißlingen führen, wird sich nicht mit gleicher Bestimmtheit wie das Mißlingen die *eine* richtige Weise aussondern lassen. Was falsch läuft, ist anhand des Mißerfolgs leicht festzustellen. Wie richtig zu verfahren wäre, setzt mehr als nur das Kriterium des Erfolgs voraus. Die richtige Weise, im Falle eines bestimmten Handelns zu verfahren, bemißt sich in erster Linie an einer Einsicht in den Typ der Handlung, seine üblichen Bedingungen, die zuständigen Mittel und den konsequenten Weg, im Interesse des Vollzugs mit der synthetischen Leistung voranzukommen. Das läßt sich bei einfachen Handlungen, wie dem zitierten Fensteröffnen, Feuergeben oder Begrüßen meist ohne große Mühe oder Meinungsdifferenzen angeben. Dennoch kommen weiterreichende Erwägungen hinzu.

Die bisherige Analyse stand unter einer vorläufigen Abstraktion, die nun aufzuheben ist. Sah es doch zunächst so aus, als ließen sich Handlungen isolieren und je nach ihrem Typ betrachten. In Wahrheit steht aber kein Handeln allein, sondern gehört in einen unablässig weitertreibenden Handlungsfluß, wo das jeweilige Tun seinen Ort findet. Die nie aussetzende Herausforderung zu handeln und weiterzuhandeln, der Drang der Geschäfte, die Fülle der bei begrenzter Zeit zu erledigenden Aufgaben stellen ein eigentümliches Ordnungsproblem dar. Nun sagt die spezifische Weise, damit fertig zu werden, etwas über das Handlungssubjekt selber aus, indem dessen besondere Anlagen, Neigungen, erworbenen Fähigkeiten und verfestigten Präferenzen durchschlagen. Weiterhin sind die subjektiven Merkmale zur Sphäre intersubjektiver Praxis in ein Verhältnis zu bringen. Die soziale Umwelt ihrerseits ist charakterisiert von Notwendigkeiten, Rücksichtnahmen, Erfahrungen, Erwartungen, verbreiteten Gewohnheiten usw.

Bei der harmlos klingenden Frage, was als richtige Verfahrensweise im Falle eines bestimmten Handlungstyps gelten könne, sind mithin diese gestaffelten Bezugsrahmen zu beachten. Allerdings entscheiden über die richtige Verfahrensweise zunächst die *Handelnden* selber. Solange wir von nichts als dem Handeln ausgehen und noch keine etablierten Normen voraussetzen, ist gar keine andere Adresse denkbar, an die jene Frage zu richten wäre. Die Antwort, die das mit dem Handeln selber gegebene Verständnis von praktischen Situationen, Handlungstypen und Vollzugsalternativen nicht übersteigt, darf von keinen weitausgreifenden Prämissen anthropologischer, naturrechtlicher oder metaphysischer Art Gebrauch machen. Die Entscheidung über Richtig und Falsch hinsichtlich der Vollzugsweisen konkreter Handlungen wäre vorab belastet, wenn sie ohne ein allgemein entfaltetes Wissen theoretischer Art nicht zustande käme.

Die Handelnden selber und keine ihnen übergeordnete objektive Autorität fällen das Urteil. Dabei fällt jeder Handelnde aufgrund seiner Verantwortung für das von ihm vollzogene Tun das Urteil für sich. Da ihm sein Handeln weder abgenommen noch ursprünglich aufgezwungen werden kann, entscheidet er im Umkreis der von ihm geübten Praxis und für dieselbe, was ihm als das richtige Verfahren gilt. Auf dieser elementaren Stufe beschäftigt ihn noch keineswegs die generelle Reglementierung von Praxis innerhalb einer Gesellschaft, ihn kümmert nicht das Tun der andern und dessen Richtigkeit. Er interessiert sich als praktisches Subjekt dafür, daß er bei seinem eigenen Tun und Treiben, das er kennt und überschaut, auf richtige Weise vorgeht und Fehler vermeidet.

Die Form, in der die Handelnden selber je für sich die Entscheidung über Richtig und Falsch fällen, nennen wir *Maximen*. Die Maximen sprechen aus, was einem verantwortlich und überlegt Handelnden in einem gegebenen Falle das richtige Handeln dünkt. Maximen entwickelt niemand, den die Frage nach Richtig und Falsch nicht stört, weil er die Verantwortung für sein eigenes Tun entweder nicht sieht oder nicht übernehmen will. Ebenfalls ohne Maximen kommt der aus, der keinen Gedanken auf sein Handeln verschwendet, sondern dumpf seinen Trieben oder einem zur zweiten Natur verfestigten Erziehungskodex folgt. Wer verantwortungslos sich dem Lauf der Dinge überläßt oder gedankenlos tut, wie ihm gerade zumute ist, nimmt die differenten Möglichkeiten des Handlungsvollzugs überhaupt nicht als Alternativen wahr, die ihn vor die Frage stellen, welcher Weg der richtige sei.

Maximen erwachsen hingegen aus der *überlegten* Auseinandersetzung mit den vielfachen Handlungsmöglichkeiten. Wo man so und auch anders verfahren kann, hemmt die Beobachtung der Alternativen bereits die ungebrochene Aktivität. Die Frage nach der allen anderen Alternativen vorzuziehenden Möglichkeit, deren Auszeichnung darin besteht, im gegebenen Falle das richtige Handeln zu weisen, kann nun nicht mehr unterdrückt werden. Die entsprechende Überlegung der Handelnden bedarf keiner besonderen Aufforderung, keines Appells an Vernunft und Moralität, der die mit dem Handeln bereits gegebenen Intentionen überstiege. Die praktische Überlegung, aus der die Maximen hervorgehen, steht unmittelbar im Dienste der Fähigkeit zu handeln und weiterzuhandeln. Denn ohne eine Entscheidung in der unabweisbar aufgetauchten Frage, wie richtig zu verfahren sei, kann kein konkreter Akt mehr vollzogen werden.

Die Maximen nehmen dem Handelnden die fallweise neu auftauchende Sorge ab, indem sie festlegen, was in der Praxis, die er kennt und die ihn weiterhin erwartet, regelmäßig zu tun sei. Die Maximen stellen die einmal getroffene Entscheidung darüber, was dem Handelnden hier und jetzt das richtige Verfahren dünkt, auf Dauer. Sie geben für alle ähnlichen Fälle die Richtlinie ab, der das Subjekt, das Autor der Maximen ist, auch als Akteur zu folgen gedenkt. Der Grund, warum sich eine solche Regel formulieren läßt und sie überhaupt als Regel vom Handelnden akzeptiert wird, ist ein und derselbe. Der Handelnde hat aufgrund eigener Überlegung das in seiner Sicht Richtige herausgefunden.

Das richtige Verfahren in einem bestimmten Handlungstyp unterscheidet sich von beliebigen Alternativen wesentlich dadurch, nicht nur einmal richtig zu sein, um dann wieder von anderen Möglichkeiten abgelöst zu werden. Was einmal richtig schien, darauf kann man auch in Zukunft vertrauen, und was unter wechselnden Umständen auf Dauer Orientierung verspricht, trägt die Verläßlichkeit in sich. Das Interesse des Handelnden, mit seiner Praxis weiterhin anstandslos voranzukommen und auf dem richtigen Pfade zu bleiben, der einmal eingeschlagen ist, genügt bereits, um den Autor der Maxime auch zur Anerkennung der selbstgesetzten Regel zu bestimmen. Es muß nicht noch ein *Grund* hinzukommen, um mich bei meiner Maxime zu halten, nachdem ich sie einmal aufgestellt habe. Vielmehr müßte ein Grund genannt werden, mich von der angenommenen Maxime abzubringen. Bewährt sie sich in der Anwendung, so besteht sie einfach weiter. Bewährt sie sich nicht, so wird sie verworfen.

Da nichts außer der Praxis, ihrem Orientierungsbedürfnis und den entsprechenden Überlegungen zur Maxime geführt hat, nötigt nichts außer der Praxis, derselben Maxime *Geltung* zu verleihen. Die Geltung setzt sogleich aus, wenn die Maxime für die betroffene Praxis nicht mehr die Funktion erfüllt, für die sie ausgebildet wurde. Man läßt eine Maxime, die sich als untauglich erwiesen hat, ohne Zögern fallen, weil die anleitungsbedürftige Praxis auf sie nicht länger setzen kann. Entweder tritt dann eine neue Maxime an die Stelle, die man aus der inzwischen gemachten Erfahrung filtert, oder man übernimmt aufgrund von fremdem

Rat und Vorbild Maximen anderer, die einzuleuchten vermögen. Das Auswechseln der Maximen, die nicht mehr befolgt werden, durch solche, die überzeugen, ist durchaus keine Veranstaltung, die nach ausführlicher Begründung verlangt, sondern ein Vorgang, der sich der lebendigen Praxis anschmiegt. Ebenso bruchlos geschieht die Übernahme von Maximen zwischen verschiedenen Handlungssubjekten, die auf diesem Wege ihre Erfahrungen weitergeben, Empfehlungen aussprechen und Traditionen schaffen.

Die Parallelität von realer Praxis und gültigen Maximen verdient Aufmerksamkeit, denn sie entlastet die Untersuchung von dem viel erörterten Geltungsproblem. Warum Maximen gelten, entscheidet sich in der Praxis und nicht außerhalb ihrer. Damit stoßen wir auf zwei Aspekte, gegen die der bisher entfaltete Maximenbegriff abzugrenzen ist: den *generellen Regelaspekt* und den Aspekt der *Subjektivität.* Von beiden Seiten nämlich werden Zuständigkeiten beansprucht, ohne daß die jeweils einseitigen Aspekte der Maxime voll gerecht würden. Die Beachtung des Regelaspekts hängt zunächst an der moralischen Qualität, die die neuzeitliche Maximenliteratur[3] den Klugheitsgeboten des Höflings, des Weltmannes und des aufgeklärten Bürgers zugeschrieben hat. Man wollte wissen, wie die praktische Vernunft sich innerhalb der bunten Vielfalt von Alltagsgeschäften zur Lebensführung eignet. Der Reichtum der relevanten Fälle soll auf einen Schatz von Regeln bezogen werden, die eine gewitzte Urteilskraft zum Nutzen der Interaktion von Einzelnen und Gesellschaft anzuwenden weiß. Die Herkunft der Maximenlehre aus der Moralistik hat die Frage von Anfang an auf die regelnde Kraft der Vernunft konzentriert und damit die handlungstheoretischen Gesichtspunkte eher überlagert.

Hinzu kommt neuerdings die Faszination des Regelbegriffs in der vom späten Wittgenstein ausgehenden Sprachanalyse. Wittgensteins Rede vom *Sprachspiel,* das eine Lebensform sei, die sich im regelgeleiteten Verhalten erfülle, wurde als Freibrief genommen, die gesamte praktische Welt unter der einen Kategorie der Regel zu betrachten. Dabei geriet leicht aus dem Blick, daß die wittgensteinsche Formel auf die Gebrauchstheorie von Sprache gemünzt war, nicht aber eine Aussage über die menschliche Lebenswelt schlechthin enthielt.[4] Infolgedessen ist der Regelbegriff, wie es mit Grundbegriffen oft geschieht, dank der Plausibilität seiner Verwendung der Klärung eher entzogen als zugeführt worden. Wo Regel ein Nenner wird, auf den nahezu jedes menschliche, soziale und praktische Phänomen zu bringen ist, kommt die Frage gar nicht auf, was denn eigentlich eine Regel sei. Daß eine Regel stets ein Handeln voraussetzt, das von der Art ist, ein Bedürfnis nach Festlegung durch Regeln allererst zu wecken, um der einmal erfolgten Regelung dann in der Tat auch zu entsprechen, erscheint als eine Evidenz, die keiner Erwähnung bedarf.

Gegenüber dem Vorrang des Regelaspekts in der Diskussion um Maximen ist der Nachweis wichtig, daß und wieso Maximen auf dem *Handlungsbegriff* aufruhen. Eine unabhängig von vorgefaßten Modellen zu analysierende Struktur der Praxis muß die Ausbildung von Maximen verständlich machen, insofern die Eigenart des Handelns unmittelbar darauf drängt, dem prozessualen Vollzug durch Alternativen hindurch einen stetigen Weg zu bahnen. Handeln ist nicht umstandslos unter Regeln zu subsumieren, weil die Regel für sich genommen und als einheitliche Handlungsanweisung für viele Fälle allgemein definiert gar keine Auskunft darüber gibt, ob und warum das konkrete Handeln, von dem die Rede ist, der Regelung bedarf und Regelung zuläßt. Bevor mit einem globalen Regelbegriff operiert wird, den die Maximen bloß neben anderen Phänomenen belegen, wäre also zu klären, an welchem Punkt Handeln und Regel präzise ineinander greifen.

Üblicherweise tritt hier die Assoziation der Spielregel ein, die daran erinnert, daß in gewissen, wohl abgegrenzten Bereichen unseres Handelns Regeln so fungieren, daß ohne sie kein Handeln zustande käme. Nun liefert die unbestreitbare Regelkonstitution des besonderen Handelns, daß wir *Spiel* nennen, aber noch kein Argument dafür, von jenen Spezialbereichen auf das Handeln überhaupt zu schließen. Die in Wittgensteins Reizwort des Sprachspiels unterstellte Modellierung von Praxis nach dem Vorbild intersubjektiv geregelter Gesellschaftsspiele, wie z. B. Schach, stellt mitnichten einen Beweis dar, sondern eher eine Verkürzung, die neu zu überdenken lohnt. Jedenfalls scheint es weder ausreichend begründet, noch intuitiv sinnvoll, von dem vermeintlichen Faktum einfach auszugehen, daß alles Handeln irgendwie regelgeleitetes Verhalten bedeute oder doch nach Maßgabe dessen zu interpretieren sei. Vielmehr stellt die Fähigkeit des Handelns zur Regelung ein fundamentales Problem praktischer Philosophie dar.

Der offene Übergang von Praxis als zielgerichtetem Vollzug *in concreto* zu Praxis als regelkonformem Verhalten unter wechselnden Bedingungen wirft die interessante Frage auf, warum Praxis zu so etwas wie der *Selbstfestlegung auf Dauer* sowohl den Anlaß wie die Chance bietet. Die unangefochtene Analogie zwischen Handeln und Regel verzichtet auf die Erklärung der praktischen Wirksamkeit von Regeln, d. h. der Umsetzung von Vorschriften in Taten. Wir hatten oben gesehen, daß die Konfrontation mit Alternativen eine Handlungshemmung auslöst, wenn nicht sichergestellt wird, wie dort zu verfahren ist, wo so und auch anders verfahren werden kann. Zugunsten der eigenen, ungehinderten Vollzugsmöglichkeit muß das Handeln Wege aus diesem ambivalenten Zustand suchen. Die Ermittlung der richtigen Vollzugsweise, die dem konkreten Akt, der ansteht, adäquat erscheint, verspricht eine Lösung auch für ähnlich gelagerte Fälle zukünftigen Handelns, wenn sie als Maxime formuliert ist. So entzieht sich das Handeln, das immer auch Weiterhandeln heißt und auf seine zukünftigen Vollzugsmöglichkeiten vorausblickt, dem Wechsel der Umstände und den Launen der je gegebenen Befindlichkeit.

Mit der Ausbildung einer Maxime antizipiert das Handeln fernere Realisierung unter noch nicht vorliegenden und nicht voll absehbaren Bedingungen. Die Vielfalt von Situationen, unter denen fallweise zu handeln ist, kann wegen der Konkretionsbasis der Praxis selber weder abgeschafft noch eindeutig gesteuert werden, sie läßt sich aber durch *Verähnlichung* in ihrem Gewicht reduzieren. Wenn man weiß, wie wann zu verfahren ist, indem die Pluralität künftiger Fälle auf ein durchgängiges Muster beziehbar erscheint, wächst der einmal angesponnenen Praxis größere Kontinuität zu. Die Vollzugssicherheit und die Erfolgsaussicht für jeden bevorstehenden Akt erhöht sich im gleichen Maße, wie der Handlungsfluß, der jedem Einzelakt seinen Stellenwert zuweist, ohne Stocken und Sprünge weitergeht. Das Handeln, das sich aus eigenen Kräften auf dieselbe Vollzugsweise bei ähnlichen Bedingungen einrichtet, betreibt nichts anderes als *Fortsetzung* im Wechsel. Hier liegt das Interesse, das ein konkretes Handeln mit seiner Selbstfestlegung auf eine als ähnlich antizipierbare Zukunft befriedigt.

Nachdem wir so den Maximenbegriff aufgrund handlungstheoretischer Einsichten gegen den generellen Regelaspekt abgehoben haben, ist eine weitere Grenze zu ziehen, die das Verhältnis der Maxime zum *Subjektbegriff* bestimmt. Auch diese Grenzziehung bietet Schwierigkeiten, weil sie vielfach fließend verläuft. Wiederum hat die moralistische Maximenlehre hier frühzeitig Akzente gesetzt, insofern das Haben von Maximen zum Kennzeichen des klugen Praktikers deklariert wurde. Maximen trennen das überlegte Handeln eines seiner Rolle in der Welt bewußten Subjekts von unreflektiertem Getriebensein durch äußere Reize und innere Instinkte. Demgemäß nimmt die Ausbildung von Maximen sich wie ein Beitrag zur praktischen Definition des Subjekts als Subjekt aus. Hatte Wittgenstein die Möglichkeit mit Nachdruck bestritten, daß man privat einer Regel folgen könne, so erscheinen die Maximen nun gerade als subjektive Privatangelegenheit. Stellen wir der Subjektivitätstheorie indes handlungstheoretische Erwägungen zur Seite, zeigt sich aber, daß Maximen kaum den Königsweg zur vollendeten Selbständigkeit weltläufiger Individuen darstellen. Sie bilden vielmehr das Ergebnis der Anstrengung praktischer Vernunft in einer *unbestimmten Zone zwischen Subjektivität und Intersubjektivität*.

Weil sich die Hervorbringung von Maximen auf den Handlungsbegriff stützt, kann das Ergebnis praktischer Klugheitsüberlegung auch nicht in der Hauptsache auf die Bewußtseinstätigkeit identifizierbarer Subjekte verrechnet werden. Eher könnte man sagen, die Maximen stellten eine moderne Variante der antiken *Phronesis* dar. Dafür spricht die Beobachtung, daß Maximen der Anleitung von Praxis dienen, ohne dabei im gleichen Maße die Selbstwerdung eines Ich zu befördern. Die erbrachte Handlungsorientierung läßt sich sogleich intersubjektiv vermitteln. Was der kluge Mann, der Vernunft in seinem Tun walten läßt, unter den und den Umständen bei der und der Zielsetzung ratsamerweise unternimmt oder unterläßt, wird angegeben, wobei das Ich des hier und jetzt Handelnden mitsamt dem Grad seines ausgeprägten Selbstbewußtseins in den Hintergrund tritt. Jeder hätte so handeln können, der überlegt handelt, d. h. der seine Praxis leiten läßt durch die einmal ermittelte richtige Vollzugsweise. Die Subjekte sind austauschbar, da es um die Orientierung unter der Vielfalt der Möglichkeiten für eine gewisse Praxis geht.

So gesehen steckt in dem Gegensatz zwischen Maximen als subjektiven Handlungsregeln einerseits und objektiven Vernunftgesetzen andererseits, die *Kant* zum Ausgang seiner Moralphilosophie nimmt, eine Überspitzung. Daß dafür allerdings wichtige Motive in der Anlage des kantischen Systems liegen, möge eine kurze Erläuterung deutlich machen. Die Verdrängung der einfachen *praktischen* Vernunft durch *reine* Vernunft als alleinigen Bestimmungsgrund jeglicher Praxis bildet eine notwendige Voraussetzung für Kants Versuch einer transzendentalen Überbrückung der Kluft zwischen theoretischer und praktischer Philosophie. Die reine Vernunft, die in der Theorie unter dem herkömmlichen Namen der Metaphysik gescheitert war, wandert in die Obhut der praktischen Philosophie, sofern sittliches Handeln Kausalität aus Freiheit heißt und Freiheit als unbedingte Vernunftbestimmung des Willens gefaßt wird. Dabei ist eine konstitutive Analogie zwischen Naturkausalität als Erkenntnisgegenstand und Kausalität aus Freiheit anzunehmen, obwohl sie geradezu einen Verstoß gegen die eigentümliche Struktur von Praxis darstellt. Das Besondere der »Freiheit« genannten Ursache besteht darin, daß Wirkungen in der Welt ausgelöst werden durch eine ihrerseits nicht empirisch bedingte Determination des Willens. Die von nichts weiter abhängige Willensdetermination setzt die Autonomie reiner Vernunft voraus. Die Reinheit der Vernunft verlangt die Abstreifung aller Momente einer weltverhafteten, auf Konkretion bezogenen Überlegung im ursprünglichen Sinne der Klugheit. Dieses Ausscheiden praktischer Vernunft zugunsten reiner Vernunft im Praktischen geht aus der Parallele theoretischer und praktischer Philosophie logisch hervor.

Indes findet die Reinheit der Vernunft nicht im Handeln, das unter gegebenen empirischen Bedingungen abläuft, den nötigen Ansatzpunkt, sondern nur in einem besonderen Vermögen des *Subjekts*. Dieses Vermögen muß das Subjekt besitzen, sofern es in einem auslösenden Bezug auf das Handeln steht, obwohl es nicht einfach als handelndes aufzufassen ist, weil damit wieder der unerwünschte Weltbezug gegeben wäre. Das fragliche Vermögen des Subjekts, Vernunft praktisch werden zu lassen, ohne Weltbedingungen in Kauf zu nehmen, heißt bei Kant »Wille«. Gemeint ist keine psychische Ausstattung, sondern die bloße Disposition zum Handeln *vor* allem Handeln. Zwischen dem Handeln und dem Vermögen dazu muß im Namen der Vernunftreinheit unterschieden werden. Genau genommen entpuppt sich der Wille als systematisch erforderliche Schaltstelle zwischen reiner Vernunft und Empirie.

Ein nicht aufs Handeln hin angesehenes Subjekt, das dennoch praktisch tätig werden soll, ist ein Subjekt, das in zweifacher Hinsicht betrachtet werden kann. Es figuriert sowohl als reines Vernunftwesen wie auch als empirische Weltgröße. Mit der systembedingten Betrachtungsweise schafft Kant einen *Doppelcharakter* des Menschen, der zu einer für praktische Philosophie höchst untunlichen Anthropologie eines in sich widersprüchlichen Zwitters führt. Der *homo noumenon* in uns steht gegen den *homo phaenomenon*, den wir ebenso repräsentieren. Der letztere schränkt den ersteren ein und ist gleichwohl nötig, um ihm eine Wirkung in der Welt zu verschaffen. So schlägt die Zweiteilung, die die Konstruktion dem praktischen Subjekt auferlegt, in unmittelbare, keiner weiteren Begründung bedürftige Motivation reiner Vernunftbestimmung um. Der Widerspruch zwischen einem autonomen und einem weltverhafteten Subjekt zwingt einfach, weil er in sich unerträglich ist, zum Bemühen um Überwindung. Das drückt sich im Gewissensappell des absoluten Sollens aus. Du sollst, weil Du sollst – lautet die unabweisbare Vernunftverpflichtung des Willens, die freilich niemals in wirkliches Handeln zu übersetzen ist, weil mit konkreten Vollzügen notwendig eine Verendlichung des Subjekts einherginge.

Aus der Konstruktion der Kantischen Moralphilosophie erklärt sich nun die scharfe Trennung von *subjektiven Maximen* und *objektiven Gesetzen*. Dasjenige Subjekt, das sich zu sich als reinem Vernunftwesen rückhaltlos bekennt, stellt sich unter ein Sittengesetz, das in strikter Unbedingtheit für dieses Subjekt gilt, weil es für jedes Subjekt gilt. Dem Sittengesetz kommt folglich ein objektiver Status zu, denn es gründet auf dem Prinzip vernünftiger Subjektivität überhaupt. Subjektiv im eingeschränkten Sinne heißen dagegen die Regeln, denen ein Subjekt folgt, solange es sich noch nicht unter die Herrschaft des Gesetzes begeben und damit zu voller Autonomie erhoben hat.[5] Verglichen mit dem Gesetz als Ausdruck der Autonomie vernünftiger Subjekte erscheinen die Maximen wie ein *defizienter Modus von Subjektivität*, der nicht vollauf vernünftig heißt, weil er Momente des individuellen Beliebens enthält. Die Maximen sind die reiner Vernunft zugänglichen, aber nicht reiner Vernunft entstammenden Regeln individuell unterschiedener Subjekte. So bieten sie dem kategorischen Imperativ das Material für eine Prüfung der inhärenten Vernünftigkeit nach Maßgabe widerspruchsfreier Verallgemeinerung.[6] Die Maxime, die sich ohne logische Hindernisse verallgemeinern läßt, taugt zum objektiven Gesetz, das für jedermann verbindlich ist. Die Maxime, die der Prüfung nicht standhält, weil ihre Allgemeinheit in Wahrheit unbemerkten Einschränkungen unterliegt, wird dem Konto bloßer Subjektivität zugeschrieben.

Hier herrscht eine empirische Vielfalt, die zu unkontrollierten Unterschieden des Meinens führt, weil ein Prinzip fehlt, nach welchem die Handlungsregeln ihrerseits strikt geregelt würden. Subjektivität entfaltet sich auf dieser Ebene noch ohne Rückgriff auf eine Wesensbestimmung, die festlegt, wie Subjekte als Repräsentanten reiner Vernunft zu sein haben. Genügen die Subjekte allerdings ihrem apriori bestimmten Wesen, so geben sie ganz von selbst die individuellen Unterschiede der praktischen Weltbeziehung auf, um sich in einem Reich der Zwecke zu vereinigen. Dort herrscht eine monadologische Vernunftordnung, die keine empirischen Differenzen zwischen Subjekten als Ausdruck variabler Praxisorientierung mehr kennt. Im Reich der Zwecke ist das Subjekt ganz es selbst und eins mit allen, problemlos unter Gesetzen stehend. Solange aber gehandelt wird, ist das Subjekt nicht ganz bei sich und bewegt sich als endliches Wesen im Horizont seiner jeweiligen Maximen.[7]

Der von Kant her vordringliche Subjektivitätsaspekt legt ebenso wie der neuerdings prominente Regelaspekt die Maxime einseitig fest. Die Maxime ist nämlich weniger ein Merkmal praktischer Subjektivität vor der Schwelle moralisch legitimierter Intersubjektivität. Die Maxime ist ein Entwurf praktischer Vernunft im ursprünglich weltbezogenen Sinne einer handlungsorientierenden Überlegung und daher von vornherein nicht auf bloße Subjektivität einzuschränken. Die Maxime steht in einer *unbestimmten Zwischenzone zwischen Subjektivität und Intersubjektivität*. Zwar wird sie von Subjekten formuliert und gewinnt Geltung im Rahmen von deren Handeln. Sie wird aber nicht als Subjektivitätsmerkmal, als Ausdruck individueller Vernünftigkeit verstanden, sondern im Blick auf konkrete Praxis als Angabe der richtigen Vollzugsweise eines bestimmt faßbaren, wiederkehrenden und mithin auch anderen Akteuren vertrauten Handlungstyps.

Es kommt darauf an, wie in einem allgemein zu klassifizierenden Fall zu verfahren ist, nicht aber darauf, daß Ich es bin, der auf diese eigentümliche, der Besonderheit des Individuums angepaßte

Weise verfährt. Das Subjekt ist der Ort, wo aufgrund praktischer Überlegung die Entscheidung über Richtig oder Falsch fällt. Das Subjekt ist aber deshalb nicht der Maßstab der Entscheidung. Natürlich bleibt die Entscheidung eine Sache des Meinens und der individuellen Einschätzung. Kein Deuteln führt daran vorbei, daß die Maxime nur ausspricht, was jemandem richtig scheint, der in seiner Lage Orientierung sucht. Er denkt nicht an ein für alle Vernunftwesen im Himmel und auf Erden gleiches, unter jeglichen Bedingungen gültiges, Handeln schlechthin anweisendes Gesetz.[8] Er überlegt vor einem gewissen Hintergrund historischer Determinanten mit oder ohne klare Erkenntnis der sozialen Bedingungen bei wohl gepflegten Interessen und ungeleugneten Neigungen oder Anlagen, welcher Weg unter mehreren Alternativen für sein konkretes Tun einzuschlagen sei.

Die Überlegung zielt auf eine sachliche Entscheidung; denn gesucht wird nicht etwas Beliebiges, sondern der im gesetzten Rahmen vorzuziehende Weg, der dem Akteur paßt und dem Handeln frommt. Die Überlegung zielt also auf das *für ein Handeln Richtige*, wenngleich die Entscheidung von *einem individuellen Subjekt* gefällt wird. Was einem richtig dünkt, der praktische Überlegungen anstellt, muß aber für einen anderen nicht schon falsch sein, weil sein Subjekt mit dem ersten Subjekt nicht identisch ist. Ebensowenig schließt eine Maxime, wenn sie einmal ausgesprochen ist, dem Inhalte wie der Geltung nach andere Subjekte aus, bloß weil der Autor die Maxime für seine eigene Praxis entworfen hat.

Sofern die Praxis angeleitet und nicht die Privatheit kultiviert wird, kann die fragliche Praxis durchaus die Praxis eines anderen sein, so daß die Maxime ohne weiteres in andere Hände übergeht. Sicher gibt es Maximen für höchst private Angelegenheiten, dennoch findet keine Maxime bloß Worte für ein absolut singuläres Tun. Wer immer solche Angelegenheiten, die nicht jedermanns Sache sind, zu seiner eigenen macht, hat auch Zugang zu der entsprechenden Maxime. Folglich kann niemand eine Maxime, die er für sich entworfen hat, vor der Aneignung durch andere hüten, sofern die Maxime nur ausgesprochen wird. Mit ihrer Formulierung wandelt die Maxime sich unmittelbar zum *Allgemeingut*. Ob ihr viele oder wenige folgen, ändert nichts an der allgemeinen Zugänglichkeit einer jeden offen erklärten Maxime.

Grenzfälle bilden höchstens die Marotte oder der Tick, worin eine erstarrte Angewohnheit zu sehen ist, die ausdrücklicher Regelung entbehrt. Vermutlich prägt jedermann aufgrund langwährender Übung gewisse Eigentümlichkeiten aus, in denen zum Automatismus gerinnt, was einmal Sinn besaß. Niemand wird dergleichen aber eine Maxime taufen. Wo dennoch eine abwegige, auf der Eigentümlichkeit um ihrer selbst willen insistierende Praxis ausdrücklich zur Regel erhoben wird, stellt sich alsbald das Korrektiv des Gelächters ein. Das Irreguläre als Regel wirkt einfach komisch. Seit der Antike hat die Charakterkomödie, die bei ihrem Entstehen schon auf die ethischen Studien eines Theophrast zurückgreifen konnte, Exzentrizität als Prinzip der Lebensführung entlarvt.

Ein weiterer Tatbestand beleuchtet den zwischen Subjektivität und Intersubjektivität indefiniten Status der Maxime. Es ist dies merkwürdigerweise der Umstand, daß einfache Verhaltensregeln sich durchaus zum Abbild einer Persönlichkeit formen können. Ebensowenig wie die zugehörigen Handlungen stehen Maximen nämlich allein für sich. Sie tendieren zur Ausgestaltung von so etwas wie einem *Maximenhaushalt*, in dem jede einzelne Regel mit den übrigen korrespondiert. Unausgewogene oder unglückliche Menschen vertreten oft Maximen, die miteinander schwer verträglich sind oder gar in unauflösliche Spannung führen. Der wohl verwaltete Maximenhaushalt indes schafft Kohärenz unter den mannigfaltigen, auf unterschiedliches Handeln geeichten, jedoch die persönliche Praxis insgesamt abdeckenden Maximen. So sagt man etwa, daß gewisse Maximen für den friedfertigen oder fanatischen, für den asketischen oder weltzugewandten, den misanthropischen oder umgänglichen Menschen typisch seien. Die aufeinander abgestimmten Maximen spiegeln *Typisches*, aber keine individuellen Subjekte als solche. In Maximen vermögen sich ähnliche Typen wiederzuerkennen, weil sie die gleiche Praxiseinstellung teilen. Was sie verbindet, vermittelt sich über das Handeln, hinter dem die unverwechselbare Physiognomie eines Einzelsubjekts zurücktritt. Maximen orientieren immer schon die individuellen Befindlichkeiten und Präferenzen an einer allgemeinen Richtschnur für das Handeln, dessen sachliches Eigenrecht die Eigentümlichkeiten der Subjekte kompensiert.

Noch ein letztes Moment weist auf den schwebenden Status der Maximen zwischen Subjektivität und Intersubjektivität hin. Zwar regeln die Maximen in erster Linie die subjektive Praxis, trotzdem verschließen sie sich keineswegs dem *sozialen Umfeld* einer solchen Praxis. Ihre Leitfunktion für das Handeln ist entscheidend, nicht jedoch ihre Konzentration auf die subjektive oder intersubjektive Sphäre. Wo das Handeln keine sozialen Bezüge aufweist, bleibt die Maxime entsprechend stumm. Soweit das Handeln andere Subjekte oder Gruppen berührt, nimmt die Maxime soziale Gehalte auf. Es ist voreilig zu glauben, alles Handeln sei unterschiedslos sozial orientiert, so daß in Maximen notwendig auf andere Menschen Rücksicht genommen werde. Das hängt vielmehr von der Art des jeweiligen Handelns ab.

Wie ich meine Schreibtischarbeit einteile, wie ich es mit Gesundheitsspaziergängen halte, welche ästhetischen Erfahrungen und kulinarischen Genüsse ich mir erlaube, betrifft in erster Linie mich und mein Handeln. Gleichwohl gibt es dafür passende und gar nicht unvernünftige Maximen. Der intellektuelle Nachtarbeiter und der Ausgleichssportler, der eifrige Klavierspieler oder der Vegetarier verhalten sich weder unsozial noch vernunftlos, wenn sie einen gewissen Sektor ihres Handelns auf die ihnen genehme Weise regeln. Daß im weiteren Sinne des vorausgesetzten Kulturniveaus bei Schreibtischarbeit oder exotischer Küche in alle denkbaren Maximen nebenbei gesellschaftliche Gegebenheiten Eingang finden, tut weder dem nicht primär auf andere bezogenen Charakter des Handelns, noch der auf mich zugeschnittenen Maxime irgendeinen Abbruch.

Die weitaus meisten Maximen freilich machen soziale Beziehungen in der einen oder anderen Form zum Thema. So redet die ausgedehnte Maximenliteratur der neuzeitlichen Moralistik vornehmlich vom ratsamen Verhalten gegenüber Freunden und Feinden, Damen und Untergebenen, Schmeichlern oder Autoritäten. Am weitesten reicht die soziale Dimension, wenn das eigene Tun sich der gesamten Öffentlichkeit oder gar dem Nachruhm zu stellen hat. Das Bewußtsein, vor aller Augen zu handeln, schärft den Sinn für den Einsatz praktischer Vernunft. Daß der soziale Inhalt in der Summe all unserer Maximen ganz deutlich überwiegt, ist ein Faktum, das ohne jeden Rekurs auf philosophische Ethik die Realität unseres Tuns spiegelt, in dem großenteils andere Akteure in verschiedenen Positionen bis hin zur Allgemeinheit der Zeitgenossen oder der Menschheit eine Rolle spielen.

Auf bedeutsame Weise zeigt sich die Dominanz des Sozialen in der Summe unserer Maximen, wenn diese am Maßstab der *Kon-*

formität mit der existierenden Gesellschaft oder auch der *Non-Konformität* ausgerichtet werden. Neben die innere Kohärenz unter den Maximen, mit der ein wohl verwalteter Maximenhaushalt der Prägung einer Persönlichkeit Ausdruck verleiht, tritt also die Übereinstimmung der jeweils vertretenen Maximen nach außen. Der Einklang mit den tonangebenden Kreisen, mit den Vorbildern oder mit der Masse, mit dem gesunden Empfinden des einfachen Mannes oder den Außenseitergruppen der Bohème, der Sektierer und der Intellektuellen wird gesucht. Konformität oder Nonkonformität mit dem Bestehenden ist der Stempel, den die Gesellschaft der Gesamtheit der Maximen aufdrückt, die ein Handelnder vertritt. Ob er sich solcher Prägung ausreichend bewußt ist, mag dahinstehen; jedenfalls wirkt sie in seinem Rücken.

Niemand, der mit praktischer Überlegung und aufgrund selbstentworfener Regeln handelt, entkommt den Bedingungen, die er nicht selber gesetzt hat und die trotzdem sein Tun und das Verständnis seines Tuns mitbestimmen. Praktische Vernunft, über die ein Handelnder verfügt, reicht niemals aus, solche Bedingungen zu verändern oder völlig unschädlich zu machen. Sie kann sogar im Ernst gar nicht wollen, daß solche Bedingungen außer Kraft gesetzt werden, denn das hieße, der Praxis den Boden entziehen. Wohlgemerkt, es dreht sich um Bedingungen, worauf bewußt gestaltete Maximen deshalb keinen Einfluß haben, weil umgekehrt jene Bedingungen auf Maximen einfließen. *Korrekturen* an den einmal gewählten Maximen liegen durchaus in meiner Macht und kennzeichnen lernfähiges Handeln. Es bedarf dann der besseren Einsicht, der veränderten Maxime und der tätigen Anstrengung zu ihrer Adoption.

Jenseits meiner Handlungsalternativen liegen aber Bedingungen, die ich erkennen oder verkennen, anerkennen oder verwünschen mag, ohne daß mein Handeln sie erreicht. Die Bedingungen können sogar zum Gegenstand von hoch entwickelter Theorie gemacht werden, und dennoch limitieren sie vorweg meine Handlungsmöglichkeiten. Solche Bedingungen, die großräumig definieren, was ich zu tun vermag und was nicht, nennen wir *historisch*. Daß ich in diesem Jahrhundert und in keinem früheren, in diesem Land und keinem anderen, vor dem Hintergrunde dieser Tradition und keiner besseren geboren bin, kann ich nicht abschütteln. Daß eine soziale Schicht, Erziehung, Sprache und ein Stück Biographie meiner überlegten Praxis stets voranliegt, kann ich zwar durchschauen und somit bis zu einem gewissen Grade relativieren. Sich davon durch private oder kollektive Veranstaltung wirklich lösen zu wollen, hieße aber einer Illusion nachlaufen. Noch der Versuch der Ablösung bewiese die Abhängigkeit, die einer totalen Freiheit entgegensteht.

Die Täuschung beginnt dort, wo jene Bedingungen, die das Handeln unvermeidlich vorfindet, als Beschränkung beklagt werden, ohne daß man erkennt, inwieweit die vermeintliche Last gerade *Handlungsmöglichkeiten* eröffnet. Vor die Totalität unbeschränkter Möglichkeiten gestellt, müßte die praktische Überlegung schlagartig versagen, weil nichts mehr dafür spräche, die eine statt irgendeiner anderen Möglichkeit als die eigene zu ergreifen. Die praktische Chance liegt stets darin, daß der Raum möglicher Alternativen bereits so begrenzt ist, daß im klugen Abwägen unter überschaubaren Möglichkeiten eine tatsächlich ergriffen und erfolgreich realisiert werden kann. Die weitgefaßten historischen Bedingungen als die nötige Voraussetzung der Konkretion des Handelns zu begreifen, zeichnet daher eine Vernunft aus, der an der Ermöglichung realer Praxis gelegen ist. Es gilt, sich auf die jeweilig gegebenen Bedingungen einzulassen, statt auf einen Zustand zu warten, wo man sie samt und sonders hinter sich lassen könnte. Praktische Vernunft regiert nicht erst im Jenseits, sie hat ihren Ort in der Geschichte.

2. Von der Maxime zur Norm

Maximen erfüllen noch nicht das Kriterium des Sittlichen, denn Sittlichkeit begegnet erst auf der Ebene der Normen. Trotzdem folgt daraus nicht, daß Maximen als unsittlich zu verwerfen oder als indifferent abzutun sind, bloß weil sie praktische Regeln im Erfahrungshorizont eines Handelnden formulieren. Die Erweiterung zur ausdrücklichen und verbindlichen Intersubjektivität steht noch bevor, aber die Suche nach der richtigen Handlungsweise unter Alternativen des Vollzugs und das entsprechende Urteil innerhalb der Klugheitsüberlegung eines Einzelnen haben den Übergang in die sittliche Welt vorbereitet. Darunter sollte gemäß unserer Auseinandersetzung mit Hegel ein Zusammenhang von Lebensformen verstanden werden, in dem die praktischen Subjekte sich bei ihrem gemeinsamen Handeln wiederfinden. Lebensformen kristallisieren sich aber um normative Kerne, die ein intersubjektives Handeln verbindlich setzen. Wie kommt es dazu?

Allgemeine Verbindlichkeit eignet keiner Maxime; denn obwohl sie offene Enden zur Sphäre der Intersubjektivität aufweist, beschränkt sich ihre Anleitung auf subjektive Praxis, und reicht ihre Geltung nur so weit, wie ein Handelnder sie jeweils akzeptiert. Handlungsregeln eigens als intersubjektiv zu wissen und zu wollen, setzt voraus, daß nicht nur die Praxis eines Subjekts, sondern die gemeinsame Praxis mehrerer oder aller Subjekte betroffen ist. Solche Regeln, die intersubjektive Praxis anweisen, heißen *Normen*.[9] Die Betrachtung der Normen hat sich zunächst auf die intersubjektiv gültige Regelung als solche zu richten, wobei die sittliche Qualifikation noch eingeklammert bleibt. Die Frage der Sittlichkeit stellt sich erst angesichts der Rationalität von Normen, wie später zu zeigen sein wird.

Normen sind Regeln, die wie die Maximen konkretes Handeln dirigieren. Der Schritt von den subjektiven zu den intersubjektiven Handlungsregeln wandelt nicht unversehens deren Natur. Bei Normen tritt durchaus keine höhere Potenz in Kraft, die als Ausdruck reiner Vernunft der Endlichkeit konkreter Vollzüge überhoben wäre. Ebensowenig stellen Normen im Gegensatz zu Maximen, die auf dem trivialen Handlungsboden erwachsen, primär theoretische Gegenstände dar, die den Soziologen befriedigen, weil er in ihnen gesamtgesellschaftliche Funktionen, generelle Strukturen oder Systemleistungen erkennt. Normen schreiben bestimmte Handlungsweisen in bestimmten Fällen vor und schöpfen ihre Geltung aus ihrer erkennbaren Beziehung auf Praxis, der sie Orientierung bieten. Sollten Normen etwa Dinge vorschreiben, die sich praktisch gar nicht umsetzen lassen, erreichen sie das Handeln nicht. Ihre Geltung wäre automatisch außer Kraft gesetzt, und sie verdienten nicht einmal den Namen der Norm.

Hinsichtlich der praxisrelevanten Eigenschaften von Handlungsregeln unterscheiden sich Normen also nicht von Maximen. Sie setzen Maximen vielmehr voraus, um ihre Anweisungen an die Adresse der betroffenen Subjekte für deren Praxis vermittelbar zu machen. Normen können auf die am prozessualen Handlungsvollzug ansetzende Leitwirkung von Maximen deshalb nicht verzichten, weil es keinen substituierbaren Mechanismus gibt, der ihre Befolgung mit *quasi-gesetzlicher Zwangsläufigkeit* garantierte. Normen, die befolgt werden, müssen von Handelnden für ihr konkretes Tun als Anweisung aufgefaßt werden, auf eine bestimmte Weise zu verfahren, und fungieren daher im Regelungssinn wie Maximen. Zwar kommt ihnen eine Verbindlichkeit zu, die den Maximen abgeht, aber das allein verleiht ihnen noch nicht den determinierenden und prognostischen Status von Naturgesetzen, die die Phänomene der empirischen Welt mit einer Stringenz ordnen, wie sie im Praktischen undurchführbar ist.

Will man das Verhältnis von Normen und Maximen genauer bestimmen, verdient ein Hauptargument *Kants* Berücksichtigung. Zunächst ist daher nochmals auf die Kantische Moralphilosophie einzugehen, die mit der Vorstellung eines reiner Vernunft gehorchenden Sittengesetzes eine systematische Parallele zur gesetzlichen Ordnung der Natur anstrebte. Im Reich der Sitten soll dieselbe Sicherheit des Wissens herrschen wie die Naturwissenschaft sie im Reich der objektiven Wirklichkeit bereits erreicht hatte. Der alte Traum der Neuzeit von einer »moralischen Wissenschaft«[10] sollte mit der praktischen Analogie zur Naturkausalität im Sinne unbedingter Willensbestimmung endlich in Erfüllung gehen. Wenn keine externen empirischen Bedingungen auf den Willen einfließen, muß dessen absolute Selbstbestimmung Kant zufolge gesetzmäßige Notwendigkeit erlangen. Die Gesetzlichkeit eines rein vernünftig bestimmten Willens macht diesen zum Gegenstand einer Moralwissenschaft, die zwar den gesteigerten Anforderungen der Theorie genügen mag, aber deshalb, wie Hegel treffend einwandte, noch keine sittliche Lebenswelt hervorbringt.

Die tiefe Ambivalenz einer mit den strengen Naturwissenschaften konkurrierenden *Verwissenschaftlichung* des Bereichs der Moral zeigt sich darin, daß die Momente praktischer Konkretion, deren Unvollkommenheit eigentlich nicht länger geduldet werden dürfte, dennoch nicht endgültig auszuschalten sind. Das veranschaulicht am besten Kants kategorischer Imperativ mit seinem konstitutiven Rückgriff auf Maximen. Dem großen Eifer der Interpreten, diese schlagendste Formel zur Lösung aller Probleme der Moralphilosophie scharfsinnig zu rekonstruieren, ist selten genug die Inkonzinnität aufgefallen, daß ein striktes Gesetz auf lebensweltliche Orientierungen gegründet wird. Es gibt immerhin zu denken, daß die Gesetzesethik, die wissenschaftlichen Ansprüchen genügt, sich allein unter Zuhilfenahme nicht-gesetzlicher Maximen aussprechen läßt, wobei das Aussprechen des schlechthin gültigen Imperativs allerdings unmittelbar das Unterdrücken jener vorgegebenen Momente bedeutet. Handle so, daß die Maxime deines Willens zur allgemeinen Gesetzgebung dienen könne! – das heißt zunächst nach Regeln zu handeln, die dem Gesetz voranliegen, um auf der Basis erst zu Gesetzen zu kommen, die die vorgefundenen Regeln der Geltung nach hinter sich lassen, in Hinsicht auf Anwendung aber wieder unterstellen müssen.[11]

Offenbar dauert der unvollkommene Zustand einer »morale par provision«, den Descartes nur solange hinnehmen wollte, bis das zu errichtende Wissenschaftsgebäude auch für praktische Fragen Raum böte, länger als im Hochgefühl wissenschaftlichen Aufbruchs erwartet. Descartes hatte bekanntlich zu Beginn der Neuzeit empfohlen, sich für eine Übergangsphase mit den eingelebten Maximen einzurichten.[12] Kant muß auf dem Gipfel der Aufklärung noch eingestehen, daß seine genial konzipierte Moralwissenschaft unverändert der Maximen bedarf. Daß der *kategorische Imperativ* in seiner Allgemeinheitsforderung sich nur anhand einer gegebenen Regel von konkretem Gehalt aussprechen läßt, folgt aus dem Versuch, praktische Regeln mit einem strengen Gesetz zu vertauschen. Soll der Sprung von der jeweiligen Maxime in das schlechthinnige Sollensgebot nicht im Unbestimmten enden, muß ein praktischer Gehalt vorausgesetzt werden, dessen radikale Verallgemeinerung das Gesetz gerade zur Pflicht erhebt.

Der kategorische Imperativ fordert, daß jeder so handeln solle, wie alle müßten handeln können, und daß dafür kein anderes Motiv bestimmend sein dürfe als eben diese Allgemeinheit an und für sich. Ohnehin weist jede Maxime bereits eine gewisse Allgemeinheit auf, die in der Festlegung einer einheitlichen Verfahrensweise für vergleichbare Fälle besteht.[13] Wie sich gezeigt hat, entspringt diese Regel der einfachen praktischen Vernunft.[14] Der Imperativ verschärft nun den vagen Allgemeinheitsgrad schwankender Maximen radikal. Da er nichts als ein Handeln nach dem puren Allgemeinheitsprinzip verlangt, muß, um zu wissen, was denn eigentlich geschehen solle, der Inhalt von Fall zu Fall wechselnd in Gestalt der Maximen vorgegeben werden. Dem Wie reiner Vernunft steht das Was einer vorfindlichen Praxisorientierung gegenüber, das *per definitionem* von jener Vernunft abgespalten ist.

Dank dieser extremen Zuspitzung kennt die Kantische Moralphilosophie den *Bereich der Normen* nicht.[15] Über der Mannigfalt von Maximen steht einsam und erhaben die Formalität eines Sittengesetzes. Die sittliche Welt reduziert sich aber in Wirklichkeit nicht auf das eine imperativisch angesonnene Formprinzip der Allgemeinheit allen Handelns. Sie hält differente und als solche untereinander gegliederte Lebensformen bereit, die der vielfältigen Praxis vernünftiger Subjekte entgegenkommen, weil sie für deren gemeinsames Handeln tragfähige Vollzugsmöglichkeiten schaffen. Die praktische Vielfalt erledigt sich mitnichten dadurch, daß man den Individualitäten unterschiedlicher Subjekte in Gestalt der Maximen auf einer vormoralischen Ebene Tribut zollt, um dann Intersubjektivität übergangslos mit Allgemeinheit der Form gleichzusetzen. Die intersubjektive Praxis ist nicht ein und dieselbe, die in allen Fällen dem gleichen Schema folgt.

Die Modi des Gemeinschaftshandelns wechseln mit der Art des Tuns. Was gemeinsam zu erledigen ist, weil es sich dem Einzelhandeln entzieht, entscheidet wesentlich darüber, wie die zugehörigen Normen aussehen. Der Vorrang in der Betrachtung gebührt der *Praxis und nicht der Form*. Die Form der Allgemeinheit kann man stets vorher wissen, so daß sie sich jedem beliebigen Was der Praxis undifferenziert überstülpen läßt. Um die zu regelnden Verhältnisse braucht sich dann niemand weiter zu scheren. So geht die radikale Verallgemeinerung als Forderung an die Verfahrensweise eines jeden planmäßig vorbei an der Fülle der Normen, die wir benötigen, die wir kennen, akzeptieren und leben. Der Verkehrsteilnehmer hat andere Pflichten als der Staatsbürger, der Handwerksmeister andere als der Forscher, der Vater andere als der Sohn. Man wende nicht ein, dies seien möglicherweise juristisch oder soziologisch relevante Differenzen, die die Moralphilosophie nichts angingen. Die Praxis nimmt so viele Gesichter an, daß die Handelnden gar nicht anders können, als Aufklärung über die vernünftig zu vertretende, Intersubjektivität stiftende Vollzugsweise in den jeweiligen Bereichen ihres Tuns zu erwarten.

Wollte man in den beispielhaft genannten Fällen und zahllosen ähnlichen Situationen die Maximen eines jeden zum Gebot an alle erklären, bräche nicht nur das komplexe Gewebe des Soziallebens mit einem Schlage zusammen. Es bedeutete darüber hinaus einen Verstoß gegen genuine sittliche Aufgaben, wenn in den *unter-*

schiedlichen Sphären des Rechts, der Gesellschaft oder der Familie die Normen vom Prinzip praktischer Vernunft abgekoppelt wären. Ethik verwaltet nicht jenseits des in der Wirklichkeit Geltenden ein Sonderreich abstrakten Sollens, sondern ist für Rationalität im Verhältnis der Normen untereinander zuständig, die unser Handeln hier und jetzt leiten. Dazu gehören nun aber gesellschaftliche Erfordernisse, Rechtsvorschriften, eine organisierte Verteilung von Kompetenzen und Verbindlichkeiten in Teilbereichen des zwischenmenschlichen Umgangs.

So gehorcht der Verkehrsteilnehmer nicht allein technischen Anweisungen zur Abwicklung der modernen Probleme wachsender Mobilität. Er hat auch und gelegentlich gegen die Sturheit der Technik die Partner zu achten. Der Handwerksmeister produziert Objekte, aber verhandelt auch mit Kunden und bildet Lehrlinge aus. Seine geprüften Fertigkeiten, die ihm Rechte geben, stehen zugleich im Dienste anderer. Der Forscher schließlich frönt der methodischen Neugier im Rahmen einer Institution, wo er statt bloßen Funktionsträgern durchaus eigenwilligen Kollegen begegnet, vor denen er seine Arbeit verantworten muß und mit denen er sich gegebenenfalls dem breiten Publikum zu stellen hat. In allen Fällen gelten verschieden bestimmte, mehr oder weniger ausdrückliche, offiziell einklagbare oder informell angesonnene Normen, denen der Handelnde entsprechen muß.

Man wird nicht ohne Zögern behaupten, daß in allen Fällen strikte Verallgemeinerbarkeit die alleinige Richtschnur sei. Wie der Forscher arbeitet, wie er kooperiert, wie er nach außen wirkt, wie er sich weiterhin als Autofahrer oder als Vater verhält, setzt jeweils unterschiedliche Handlungsbedingungen voraus, auf die gleichwohl zusammenhängend zu antworten ist. Sittlich werden die Normen nicht dadurch, daß man sie samt und sonders über einen Kamm schert, sondern daß man ihrer Vereinzelung, der Abspaltung in rechtliche, amtliche, funktionale oder private Sektoren entgegenwirkt. Natürlich lassen sich einschlägige Normen eines je nach Aufgabe oder Rolle differenten Handelns für sich erfüllen, aber aus dem unverbundenen Nebeneinander erwächst noch keine einheitliche Praxis. Normgerechtigkeit im einzelnen genügt nicht für den lebbaren und als ein solcher auch verstehbaren Zusammenhang jenseits der Summe des Differenten. Die einheitliche Praxis eines Handelnden, der in allem Tun er selbst bleibt, ergibt sich erst in einer Welt, die jedem der mannigfachen

Vollzüge seine Spezifität beläßt und dennoch *ein durchgängiges Handeln* ermöglicht.

Wo die unterschiedlichen Sphären des Tuns weder vermischt, noch künstlich nivelliert sind und gleichwohl eine stete Vermittlung der Ebenen stattfindet, kann vernünftige Subjektivität sich praktisch verwirklichen. Stellt man dies in Rechnung, so scheint es erforderlich, dem weiten Feld der Normen philosophische Aufmerksamkeit zu widmen. Obwohl die Normen nicht originär der Philosophie entstammen, hat der Begriff sie ernst zu nehmen. Philosophie machte sich allerdings lächerlich, wollte sie in den Alltag hinein dekretieren; denn Lebensformen haben sich längst ausgebildet, bevor die philosophische Reflexion einsetzen kann. In dem Sinne ist der Spott berechtigt, mit dem beispielsweise Hegel den weltfremden Vorschlag Fichtes bedacht hat, detaillierte Paßvorschriften aus apriorischen Prinzipien zu deduzieren.[16] Die Rücksicht auf das Gegebensein von Normen macht es nötig, den Schritt umzulenken und die Begründung von oben durch den Aufbau von unten zu ersetzen. Am ehesten werden Normen der philosophischen Analyse zugänglich, wenn man ihre Lebensverwurzelung in Anknüpfung an die *Maximen* untersucht.

Anders als in Kants Konstruktion liefern Maximen nicht den Inhalt für das Aussprechen eines formalen Gesetzes, dessen Vernünftigkeit alle Vernunftwesen automatisch verpflichtet. Die Normen besitzen als vielfältig aufgebautes und wohl gegliedertes Gefüge selber den *Inhalt,* der aus der zu normierenden Praxis hervorgeht. Sie setzen Maximen aber voraus, um den normativen Anweisungen Gehör zu verschaffen. Die bloß subjektive Handlungsregeln übersteigende Anweisung muß von den Subjekten, deren gemeinsame Praxis die Norm regelt, doch so aufgefaßt werden, daß ihr Tun davon betroffen ist. Die Subjekte müssen die Anweisung der Norm als eine ihnen abgenommene, bereits verfügte Regelung für ihr konkretes Handeln übersetzen. *In der Perspektive des Handelnden tritt die Norm gewissermaßen an die Stelle der Maxime.* Statt daß ein jeder so handelt, wie es ihm gut dünkt, sollen alle nun derselben Regel folgen.

Weil die normative Festsetzung der Vollzugsweise eines bestimmten Handelns von vornherein auf *Konstituierung der Intersubjektivität* zielt, reicht ihre Formulierung notwendig über den Horizont der praktischen Orientierung eines einzelnen Subjekts hinaus. Selbst wenn ein Einzelner aus sozialer Gesinnung oder einem Bedürfnis nach Interaktion sein Tun auf andere richtet und dabei nicht bloß die Klugheit im Dienste eigener Interessen walten läßt, sondern Intersubjektivität ausdrücklich zum Kriterium nimmt, bleibt die so entstandene Regel seines Handelns dennoch eine Maxime und wandelt sich nicht zur Norm. Sogar wenn viele oder alle Handelnden aufgrund altruistischer Interessen Maximen mit dem Ziel der Herstellung von Gemeinschaft im Handeln entwickeln, haben sie eine Summe gleich oder ähnlich lautender Maximen erzeugt, die für den Einzelnen gelten, aber per se nicht den andern binden.

Der Zufall einer Parallelentwicklung solcher Gesinnungen bietet der Norm kein ausreichendes Fundament, denn über das Kriterium der Intersubjektivität kann grundsätzlich *kein Einzelner* verfügen. Weder handeln alle altruistisch, weil sie es sollen, sondern weil es ihnen so in den Sinn kam, noch besteht Sicherheit, daß sie bei nachlassender Sympathie, im Konflikt der Interessen oder bei divergenter Interpretation von Gemeinschaftlichkeit den einmal gefaßten Maximen treu bleiben. Die Aufforderung, in strittigen Fällen dennoch die Parallelität der Handlungsregeln beizubehalten, mögen Einzelne als Ratschlag an andere richten, ohne daß sie dabei im Namen irgendeiner Verbindlichkeit sprächen. Solidarität mag eine Tugend sein, sie eignet sich sogar zur informellen Stützung normierter Gesellschaften, wie die Soziologie nach Durkheim gezeigt hat. Ein Ersatz für die Norm ist sie gleichwohl nicht, denn zur Normierung sind weitere Bestimmungen unerläßlich.

Was muß nun zu Maximen noch hinzukommen, damit aus ihnen Normen werden? Da Normen ein bestimmtes Verfahren in allen einschlägigen Handlungsfällen für jeden Handelnden festlegen, steht im Zentrum nicht, was einem Subjekt als richtiges Verfahren erscheint, sondern die Übereinstimmung der Handlungsweisen vieler. »Richtig« heißt jetzt die Übereinstimmung, in der die Pluralität der Maximen sich zusammenfaßt. *Unter Normen ist daher eine Koinzidenz von Maximen zu verstehen*, die weder ein Zufallsprodukt darstellt, noch den altruistischen Neigungen Einzelner entspringt. Eine solche Koinzidenz muß explizit gewollt werden, damit ihr praktischer Effekt nicht dem Lauf der Dinge überlassen bleibt. Da keiner der Beteiligten mit Autorität für alle anderen die Übereinstimmung der jeweiligen Handlungsmaximen erzwingen kann, bedarf es einer Setzung, die über die Klugheitsüberlegungen Einzelner hinausgeht. Sie erfolgt in einem besonderen Willensakt, der die Koinzidenz, die alle Einzelnen umgreift, verbindlich macht.

Offensichtlich ist dieser *Willensakt* aber eine Unterstellung der Analyse. Man nimmt an, daß den Normen, die nicht dem Zufall oder der Neigung entstammen, ein Wille zur Maximenkoinzidenz zugrundeliegt, dem die Normen ihre Verbindlichkeit verdanken. Beispiele positiv rechtlicher Setzung oder politischer Entscheidung veranschaulichen zu Genüge, daß zahlreiche Normen aus offen erklärten oder schriftlich fixierten Akten hervorgegangen sind, in denen zuständige Instanzen ihren die Handelnden verpflichtenden Willen bekundeten. Die rechtliche oder politische Form spielt dabei keine Rolle, weil es zunächst nur um die Analyse des Vorgangs der Normsetzung geht. Ein legitimer Herrscher, ein gewähltes Gremium, eine korrekt operierende Behörde können Normen auf verschiedenen Ebenen setzen, wobei allerdings Rechtsirrtümer, prozedurale Fehler, mangelnde Zuständigkeit oder vorgetäuschte Autorität auszuschließen sind. Mißgriffe dieser Art würden unmittelbar die gesetzte Norm ihrer Geltung berauben.

Das *juristische Paradigma* hat der Normdebatte meist die Richtung gewiesen, weil der Akt positiver Setzung hier systematisch vorgesehen ist. Freilich stammt der ungleich größere Teil der Normen, die unser Leben begleiten, nicht aus Akten von vergleichbarer Klarheit, obwohl auch sie einmal aus einem nicht-normierten Zustand gewissermaßen durch Einsetzung entstanden sind. Das nächstliegende Indiz liefern die handelnden Subjekte selber, die sich einer verbindlichen Maximenkoinzidenz unterwerfen, weil ein bestimmtes Handeln sich eben »so gehört« oder weil »man das so zu machen hat«. Dies bedeutet, daß die betroffenen Subjekte in dem Bewußtsein handeln, einer geltenden Norm zu folgen, die für jedermann das Verfahren vorschreibt. Ob der Akt der Setzung nun beobachtbar ist oder weit zurückliegt, ob er ausdrücklich oder mehr insinuativ erfolgt, ob man ihn einer bestimmten Person, einer Gruppe, einer Gesellschaftsschicht oder höchst vage der öffentlichen Meinung bzw. einem politischen Klima zuschreibt, darf vernachlässigt werden.

Je weiter das juristische Paradigma in den Hintergrund tritt, um so deutlicher zeigt sich das *Hypothetische* der Annahme eines normsetzenden Aktes. Die Anstandsregeln feiner Kreise, der Ehrenkodex wohl definierter Gruppen, der Kanon intellektueller Redlichkeit, sexuelle Tabus, die Dominanz ästhetischer Geschmacksrichtungen, die Konventionen und Moden – all dies ist keineswegs von identifizierbaren Personen zu gegebenem Zeitpunkt mit klarer Intention auf Nachachtung gesetzt worden. Trotzdem gelten solche Normen wie »ungeschriebene Gesetze«, weil die Übereinstimmung der jeweiligen Handlungsorientierung *als eine solche* von den Betroffenen erfahren und anerkannt wird. Das Handeln folgt einer Regel, in der es eine intersubjektiv verbindliche Setzung erkennt, und der es gehorcht, gerade weil keine subjektive Entscheidung zugrundeliegt.

Deshalb erscheint die unter Juristen seit langem übliche, vom Kantianismus inspirierte Gleichsetzung der Normen mit *Imperativen* nicht wirklich angemessen.[17] Befehle ergehen ausdrücklich an benennbare Adressaten und müssen von diesen auch als verbindliche Handlungsaufforderung zweifelsfrei verstanden werden, sonst büßen sie ihren Sinn ein und ertönen resonanzlos im Leeren. Leicht kann Streit darüber entbrennen, welcher Kreis eigentlich angesprochen sei: alle den Rechtsnormen unterworfenen Bürger oder nur die zur Durchsetzung des Rechts eigens aufgerufenen Juristen?[18] Betreffen die Gesetze alle Handelnden, so müssen diese wohl einen Überblick über das komplexe Rechtssystem haben, eventuell von der Existenz entlegener Gerichtsurteile bei strittigen Auslegungsfällen wissen und sich überhaupt durch die umständliche Fachterminologie nicht abgestoßen fühlen. Richten sich Gesetze stattdessen an eine Elite von Spezialisten, so müssen diese die Bestimmungen für andere interpretieren und zu deren Nutzen anwenden. Normgerechtes Handeln wäre dann vertretungsweise durch Amtsträger monopolisiert. Bereits diese Unklarheit zeigt, daß Normengeltung nicht mit der Abgrenzung eines Kreises von Imperativadressaten zu erledigen ist. Man muß sich von der engen Imperativtheorie also lösen.

Normen *gelten* unabhängig vom Ergehen expliziter Befehle, die die Handelnden tatsächlich erreichen und in ihrer Bedeutung korrekt auf anstehende Praxis bezogen werden. Solange das Bewußtsein einer intersubjektiven Handlungsregelung herrscht und die Praxis in der Tat auch dirigiert, kann man von Normgeltung sprechen. Kollektive Befolgung ohne Anstand festigt und kontinuiert Normengeltung. Hieraus resultiert, daß Normen im Unterschied zu formell erlassenen Gesetzen oder politischen Beschlüssen keiner Revokation oder Novellierung bedürfen, um langsam und unmerklich im Zuge einer nicht mehr realisierten Praxis an Geltung zu verlieren. Dafür gibt es natürlich Gründe, die mit gesellschaftlichen Veränderungen, technischen Innovationen, weltanschaulichem Wetterwechsel usw. zusammenhängen. Diese *externen Gründe* allein nehmen den Normen noch nicht ihre Geltung; es bedarf der nicht länger folgebereiten Praxis. Mancherlei Residuen der Höflichkeit und des gesitteten Benehmens, die aus vergangenen Tagen stammen und sogar gegen aktuelle Forderungen aufrechterhalten werden, vermögen die erstaunliche Zählebigkeit von Normen zu demonstrieren.

Umgekehrt sind nicht stets gute Gründe bei der Hand, die erklären, warum dann und dort neue Normen aufkamen und tatsächlich Befolgung fanden. Plötzlich verhalten sich mehr und mehr Leute auf veränderte Weise und zwar mit dem Bewußtsein, neuen Normen, die unbezweifelt Geltung verdienen, zu gehorchen oder gar dieselben durch vorgelebte Bejahung für andere verbindlich zu machen. Die Bereitschaft, die eigenen Maximen der Koinzidenz mit anderen zu opfern, trägt zu einer unausgesprochenen Willensbildung en masse bei. Meist gehen auch bei solchen Prozessen verbreitete Bedürfnisse voraus und kulturelle Umwälzungen sorgen für günstige Aufnahme. Dennoch genügen Hinweise dieser Art nicht, um nach dem marxistischen Schema von Basis und Überbau oder verfeinerten soziologischen Modellen des Funktionalismus und der Kulturanthropologie das Entstehen der Norm eindeutig auf externe Ursachen zurückzuführen.

Wo der ausdrückliche Setzungsakt hypothetisch wird, beginnt die Suche nach anderen Erklärungen, obzwar höchst unsicher bleibt, inwiefern man wirklich der Entstehung von Normen auf die Spur kommt. Im Vergleich zeigt sich nämlich, daß vielerlei deutlich erkennbare Bedürfnisse gar keine normative Ausformulierung finden, während andererseits Normen dort entstehen, wo sich nur mit großer Mühe ausmachen läßt, welche objektiven Ursachen darauf gedrängt haben. Daraus folgt, daß die Ermittlung von Kausalfaktoren allein die Normgenese nicht ausreichend erklärt. Geschmacksfragen insbesondere bieten für den schwer erklärbaren *Normwandel* reiche Anschauung. Die ästhetische Kritik hat sich diesem Problem seit dem 18. Jahrhundert gestellt, indem sie die Unbestimmbarkeit des Normativen reflektierte.

Obwohl sich nicht definitiv sagen läßt, warum die Kunstliebhaber und Interessenten dem Urteil der Fachleute folgen, ist die normsetzende Funktion solcher Bildungsvorgänge unbestreitbar. Künstler wie Publikum unterwerfen sich den wechselnden Regeln des Geschmacks gerade im Bewußtsein einer stets wieder verbindlichen Geltung, auch wenn sie dafür keine ausreichenden Gründe wissen.

Was ist mit den Betrachtungen zur *Genese* von solchen Normen gewonnen, die nicht wie juristische Setzungen auf ausdrückliche und prozedural geregelte Akte zurückgehen? Die Annahme eines normsetzenden Willensaktes auch bei den weniger klar artikulierten Normen, die unser Sozialleben allenthalben durchziehen, verweist auf ein dezisionistisches Element, das die Analyse, will sie ihrem Gegenstand gerecht werden, nicht restlos vertreiben kann. Der *Rest an Dezisionismus* zeigt nur an, daß sich nicht alle Normen eindeutig und vollständig auf Gründe zurückführen lassen, die jeder im Prinzip einsehen und unterschreiben kann. Gemeint ist keineswegs, daß Normen dann erst ihr wahres Gewicht bekommen, wenn sich in ihnen die souveräne Entscheidung angesichts des Ernstfalls ausdrückt. Mit dieser These hat ehedem Carl Schmitt[19] einer existentialistischen Zeitstimmung entsprechend das Politische dramatisiert und zugleich die nüchterne Bedeutung des Dezisionismus diskreditiert. Die Verkehrung besteht darin, daß das Extrem zur Norm wird und alle Normsetzung eigentlich auf äußerste Notsituationen angewiesen ist. Davon kann historisch gar keine Rede sein.

In Wahrheit liegt der Grund für den genannten, auf weitere Gründe nicht mehr zurückführbaren dezisionistischen Rest bei aller Normsetzung in der *Spezifität* von Normen, die einen Bereich jenseits der Beliebigkeit von Maximen und diesseits der Absolutheit eines Sittengesetzes abstecken müssen. Normen ersetzen Maximen nicht ausnahmslos, sondern erfüllen einen Bereich, der sich mit der Gesamtheit aller möglichen Maximen nie deckt. Normen besitzen aber eine inhaltliche Aussagekraft, die von der systematischen Formalität eines kategorischen Imperativs unterschieden ist. Die normativ gesetzte Koinzidenz von Maximen hat allein dann Aussicht, als Regel verstanden und in konkretes Handeln übersetzt zu werden, wenn die Norm inhaltlich angibt, was zu tun und was zu lassen sei.

Da die *Inhaltlichkeit* der Normen nicht einfach aus vorgegebenen Maximen übernommen werden kann, um durch das schlechthin gültige Prinzip formaler Allgemeinheit mit einem Schlage sittlich geadelt zu werden, müssen Normen im Interesse tätiger Befolgung praxisrelevante Inhalte angeben. Dafür sorgt eine bereichsspezifische Abgrenzung, die unter den Normen Differenzierung ermöglicht. Die inhaltlich differenten Normen verdanken sich einer *Selektion* im praktischen Felde, wo dasjenige, was normativ zu regeln ist, aus demjenigen herausgehoben wird, was solcher Regelung entbehren kann, weil es weiterhin der subjektiven Entscheidung für geeignete Maximen anheimgestellt bleibt. Die Bestimmung des Inhalts einer konkreten Norm kann keinen Rückhalt in einer Deduktion aus apriorischen Prinzipien suchen, weil die Selektion innerhalb der Praxis vorgenommen werden muß. Für das Ziehen der fraglichen Grenze gibt es aber keine Gesichtspunkte, die vorab so evident wären, daß sich der Eingriff in die praktische Realität erübrigte.

Dieser Eingriff steht vielmehr unter Bedingungen, über die er nicht verfügt. Die Normbedürftigkeit gewisser Bereiche der intersubjektiven Praxis muß sich erst herausstellen und auch weitgehend als solche empfunden werden, bevor selektive Eingriffe erfolgen. Denn nur bestimmte Inhalte können überhaupt in den Rang einer intersubjektiv gültigen Norm erhoben werden, wogegen das Übrige der Selbstregulierung subjektiver Praxis überlassen bleibt. Die Selektion angesichts praktischer Verhältnisse, die zur Normierung drängen, läßt sich nie voraussehen, weil sie so und auch anders ausfallen kann. Das Moment der *Kontingenz* kommt im genannten Restdezisionismus zum Ausdruck, der in Vernunft nicht mehr aufzuheben ist. Mit einem primären Angewiesensein auf die wirklichen Entwicklungen im Felde der intersubjektiven Praxis muß einfach gerechnet werden und dabei macht sich Wandelbarkeit und mangelnde Steuerbarkeit der praktischen Verhältnisse bemerkbar. Was wann selegiert wird, kann niemand bereits wissen, bevor die Normsetzung tatsächlich erfolgte. Dank der Unmöglichkeit einer vollen Durchrationalisierung der Praxis beginnt *Geschichte* in die Normgenese einzugreifen.

Zwar spielte bei der Entwicklung von Maximen Geschichte bereits eine Rolle, die sich im Verschwinden altmodisch gewordener oder im Auftauchen bislang unbekannter Maximen zeigt. Allerdings vermittelt die praktische Klugheitsüberlegung, der die Maximen entspringen, zwischen dem realen Gang der Praxis und seiner subjektiven Regulierung. Zwischen den auf Normsetzung drängenden Bedürfnissen und der tatsächlichen Normierung vermittelt aber praktische Vernunft nicht im gleichen Maße. Die Setzung von Normen erfolgt einfach an einem Punkte, der nicht durch rationale Mittel allein bestimmbar ist. Wo die Maximenregelung einsetzt, darüber entscheidet im wesentlichen der Akteur. Wo die Selektion beginnt, die gewisse Inhalte für zuständige Normen aussondert, während anderes dem Lauf der Dinge überlassen bleibt, darüber entscheiden weitgehend die Verhältnisse mit, die in sich historisch verstehbar, nicht aber rational vollständig herzuleiten sind. Man kann das auch als *partikulare Kontingenzbewältigung* bezeichnen. Immerhin bedeutet jede Normierung einen rationalen Fortschritt, insofern zumindest ein Stück gemeinsamer Praxis nicht länger dem Belieben der Einzelnen oder der Macht der Umstände ausgeliefert ist. Aber das Stück rationaler Organisation gesellschaftlicher Abläufe durch verbindlich gesetzte Vereinigung der fraglichen Maximen bleibt notwendig partikular, solange es an absolut zwingender Begründung dafür mangelt, warum gerade dieser selektiv ausgesonderte Bereich normativ geregelt wird, sehr viele andere Bereiche aber nicht. Indem die Normsetzung auf gewisse Umstände als partikulare Leistung rationaler Kontingenzbewältigung reagiert, beweist sie ipso facto ihre historische Abhängigkeit. Daß die Normierung hinsichtlich einiger Inhalte, nicht aber schlechthin für jedwede Praxis erfolgt, ist die Grenze rationaler Direktiven für kollektive Praxis. Hier vermag keine Gesellschaftstheorie oder Geschichtsphilosophie mehr eine Brücke zu schlagen, auf der die Einsicht mühelos von der Erkenntnis der praktischen Lage zur Notwendigkeit entsprechender Normsetzung gelangen könnte.

So wenig das *Historische* an dieser Grenzlinie zu vernachlässigen ist, so sehr hilft es jedoch, einen unmittelbaren Kontakt mit den praktischen Erfahrungen der Handelnden herzustellen, denen die Norm zugemutet wird. Die aus den Gegebenheiten erwachsende Selektion normbedürftiger Inhalte befördert naturgemäß die Aussicht einer jeden Norm, durch tätige Befolgung auch anerkannt zu werden. Die Vertrautheit des Handelnden mit der Sachlage ist eine wichtige Voraussetzung für Normenwirksamkeit. Normen ohne greifbare Inhalte oder Normen mit Inhalten fern aller praktischen Umsetzung verhallen als leere Appelle. Normen hingegen, deren Inhalt auf erkennbare Weise aus dem Gesamtbereich realer Praxis herausgearbeitet ist, können in ihren Forderungen von jedem *nachvollzogen* werden, der mit den als normbedürftig ausgezeichneten Inhalten vertraut ist. Das Entstehen von Normen hängt mit der Praxis der Betroffenen so zusammen, daß den Akteuren der Selektionsvorgang durchsichtig wird, auch wenn sie von der Notwendigkeit der Norm oder der Richtigkeit der erfolgten Formulierung nicht überzeugt sind, ja sogar, wenn die Normsetzung ihren eigenen Interessen direkt zuwiderläuft.

Die Verbindung der Norm auf dem Wege ihrer Genese mit den praktischen Erfahrungen der Betroffenen ist aber entscheidend, damit die Norm nicht als nackter Zwang, als fremder Wille oder überhaupt als Unsinn erscheint. Normen, die so empfunden werden, lösen permanente Gereiztheit aus. Man versteht nicht, was die verbindlich gemachte Koinzidenz der Maximen soll, und weil man das nicht versteht, wehrt man sich gegen die Zumutung. Je deutlicher die Normsetzung auf eine Selektion innerhalb des vertrauten Bereichs der Praxis zurückgeht, um so verständlicher erscheint die Normierung. *Verständnis impliziert durchaus nicht immer Zustimmung*, im Gegenteil kann oft die Sachkenntnis der Praktiker gegen abwegige Normsetzungen ins Feld geführt werden und Verbesserung erreichen. Aber noch der Protest wird überzeugender ausfallen, wenn die Normsetzung an die geübte Praxis anknüpft.

Die Einsicht in die Normbedürftigkeit auf Seiten der Betroffenen steigert die *Durchsetzungschance* der Norm, für die bereits eine latente Bereitschaft besteht. Wer aus eigener Kenntnis der Sache weiß, daß intersubjektive Regelung nötig ist, wird sich einer gesetzten Norm nicht völlig verschließen. Das Aufgeben der Eigenverantwortung zugunsten einer intersubjektiven Regelung fällt leichter, nachdem das anfängliche Vertrauen in die eigene Klugheit durch Begegnung mit unüberschaubar gewordenen Verhältnissen bereits erschüttert ist. Eine Überforderung, der man sich im gewohnten Umkreis nicht mehr gewachsen fühlt, verlangt nach Entlastung. Insoweit kommen Normen den gegebenen Bedürfnissen entgegen, wenngleich die für alle verbindliche Setzung die eingelebte Maximenbildung unwiderruflich ablöst. Über den verpflichtenden Setzungsakt, mit dem intersubjektiv gültige Normen entstehen, sollte man sich nicht hinwegtäuschen. Die latente Bereitschaft zur Normunterwerfung bereitet dem Akt der Normsetzung höchstens den Boden, sie hebt aber den Restdezisionismus in jedem solchen Akt nicht auf.

Den Gegensatz zur Selektion des zu Normierenden vor dem Hintergrund des eigenverantworteten Handelns bildet ohne Zweifel der Zustand einer *totalen Normierung*, die keinen Raum für subjektive Maximen mehr freiläßt. Ein gutes Beispiel liefert die bürokratische Gesetzesflut, der kein Inhalt entgeht, weil für alles und jedes Vorschriften existieren. Die totale Verrechtlichung wirkt indes auf unkontrollierbare Weise der eigenen Absicht entgegen; denn wo keine Maximen sich mehr auszubilden vermögen, bevor Normen ergehen, besitzt auch die verbindlich gemachte Maximenkoinzidenz keinen Ansatzpunkt mehr. Das Handeln, dem bis ins Detail die Selbstregulierung abgenommen ist, weil die Vorschriften lückenlos herrschen, stumpft gegen die auf Schritt und Tritt präsente Normerwartung ab. Die Folge ist ein paradoxer Anarchismus unter der Oberfläche totaler Ordnung, in dem die praktische Gleichgültigkeit der überdirigierten Normadressaten sich Luft schafft. Die Dinge beginnen dann mehr oder weniger willkürlich zu laufen, wie es weder die verabsolutierte Norm vorsah, noch die unterdrückten Maximen je zugelassen hätten. Totale Normierung tendiert folglich dazu, sich selber auszuhöhlen.

Indes kann der Hinweis auf die gesteigerte Durchsetzungschance von Normen aufgrund verstehbarer Selektion ebensowenig wie das Schreckbild totaler Normierung die Anstößigkeit beseitigen, die für den *philosophischen* Begriff der geschilderte Zusammenhang von Normsetzung und Restdezisionismus behält. Die faktische Unauflösbarkeit des Zusammenhangs hat durchaus keine rationale Anpassung an diese Gegebenheit der Praxis zur Folge. Wer wird sich sehenden Auges den kontingenten Umständen ausliefern, die erst einmal eingetreten sein müssen, damit gesellschaftliche Organisation eine bestimmte Form intersubjektiver Regelungen erfordert? Die Selektion des Normbedürftigen, die den verbindlichen Setzungen Inhalte zuführt, mag angewiesen sein auf die Besonderheit historischer Lagen, in denen sich abzeichnet, was jeweils der subjektiven Maximenanleitung entzogen werden muß. Die Einsichtsmöglichkeit der betroffenen Subjekte in die Abgrenzung der Normen gegen nicht normiertes Handeln bedeutet aber keinerlei Mitsprache bei deren Entstehung, sei es im wörtlichen oder übertragenen Sinne. Schon gar nicht ist daran zu denken, daß jeder Betroffene im Idealfall sich selber die anstehende Norm gibt.

Eben diesen Fall hat nun das Modell des *Gesellschaftsvertrags* im neuzeitlichen Naturrecht konzipiert. Der originäre Vertrag wird unter einmaligen Bedingungen geschlossen, die den fiktiven Übergang vom Naturzustand in die gesellschaftliche Organisationsform bezeichnen. An der ursprünglichen Stiftung von praktischer Gemeinsamkeit überhaupt müssen idealiter alle Beteiligten gleichermaßen mitwirken, sonst hat die normative Verfassung von Gesellschaft auf ausnahmslose Mitwirkung und Teilnahme keinen Anspruch. Nachdem die Akteure einmal gemeinsam beschlossen haben, ihr egoistisches Privathandeln aufzugeben um der verbindlich geregelten Interaktion willen, gelten alle Normen legitimerweise, die aufgrund des Gesellschaftsvertrags ergehen. Der Vertrag als solcher enthält aber keine spezifischen Normen, die über generelle Grundsätze des Zusammenlebens hinaus die relevanten Bereiche gesellschaftlicher Praxis im einzelnen strukturieren. Der Vertrag liefert nur eine unhinterschreitbare Rechtsgrundlage für alle ihm gemäß erfolgten Normsetzungen.

In den klassischen Modellen liegt die eigentliche *Normsetzung* in anderen Händen. Bei Hobbes erläßt der Souverän die Gesetze mit nahezu uneingeschränkter Autorität, an der zu rütteln widersinnig wäre, wenn das Ziel der Rechtssicherheit, das die Vertragschließung leitete, die Zustimmung aller Beteiligten verdient. Rousseau hat eine überraschende Lösung für die Schwierigkeit gefunden, das vertraglich vereinbarte Prinzip der Gemeinsamkeit in einzelnen Gesetzen auszubuchstabieren. Er führt die Figur des *législateur* ein[20], der mit der singulären Weisheit eines Philosophenkönigs ausgestattet, aber legitimiert durch den Vertrag statt durch einsame Schau platonischer Ideen gesetzgeberisch festlegt, was die *volonté générale* eigentlich gewollt hat. Der willentliche Zusammenschluß unter Beteiligung aller sagt nämlich gar nicht, *was* alle wollen. Er sagt nur, *daß* alle wollen, was alle wollen. Die prinzipielle Hingabe der Einzelnen an Gemeinschaft läßt weitere Bestimmungen gar nicht zu, denn die bedeuteten notwendig eine Einschränkung des Gemeinwillens auf ein Handeln, das diese und jene Akteure in dieser und jener Hinsicht bindet, nicht aber alle allüberall.

Der prinzipiellen Formalität könnte man vielleicht entgehen, wenn das Modell des Gesellschaftsvertrags seiner mythischen Züge entkleidet und auf eine Vielzahl konkreter Entscheidungsfälle heruntergedividiert wird. Die zeitgenössische Normendebatte hat Vorschläge unterbreitet, denen zufolge die Gesamtkonstruktion von Gesellschaft an ihrem zeitlosen Ursprung sich modifiziert zu einer *permanenten Institution*, die alle praktischen Organisationsprobleme begleitet. Jede Regelung bestimmter Interaktion wäre einem Gremium der Betroffenen vorzulegen, das wie ein Gesellschaftsvertrag im Kleinen entscheidet, was hic et nunc jedermann richtig scheint. Normen entstünden somit in einem unablässigen Prozeß der Diskussion, die unter den idealen Bedingungen eines fallweise ständig zu erneuernden Eintritts in das Sozialleben das Normbedürftige von Irrelevantem abgrenzt. Die diskursiv entstandenen Normen hat kein Willensakt über die Köpfe hinweg festgesetzt, sondern alle Betroffenen haben gewollt, was sie nun sollen. Die Verbindlichkeit entstammt einer autonomen Entscheidung, aus der jeglicher Rest an Dezisionismus gewichen ist.

Es fällt nicht schwer, das Utopische dieser Vorstellung zu entdecken, in der die legitimitätsstiftende Fiktion des Vertrags aus der originären Einmaligkeit zum alltäglichen Geschehen erklärt wird. Die gesellschaftlichen Prozesse, die der Normierung bedürfen und nach intersubjektiv verbindlicher Regelung verlangen, scheinen auf lange Sicht identisch zu werden mit der *Diskussionsveranstaltung*, die auf einer Metaebene der erforderlichen Regelsetzung dient. Nachdem die Grenze zwischen dem Normbedürftigen und Irrelevanten, d. h. der intersubjektiven Regelung und der subjektiven Maxime fließend geworden ist, weil die auf die Grenzziehung einwirkenden kontingenten Momente stören, wird nun die Grenze zwischen Regelgeltung und Regelsetzung fließend, d. h. zwischen der genormten Praxis und der Diskussion *über* Normen. Die Beseitigung des störenden Restdezisionismus kostet den Preis der Auflösung derjenigen Praxis, die zu regeln war, in ein praxisentlastetes Diskussionsverhalten. Der gesellschaftliche Verkehr wickelt sich nach dem Vorbild von Metainstitutionen ab, deren Sonderstellung doch gerade jene vorhandenen Institutionen der sozialen Ordnung voraussetzt.

Gewichtiger als der Einwand des Utopischen, der sich leicht anbietet, ist indes ein Einwand, der nicht gleichermaßen auf der Hand liegt, weil er den tieferen Sinn von Normen betrifft. In der skizzierten Vorstellung eines perennierten Vertragsschlusses als Basis gesellschaftlicher Ordnung, wie ihn Habermas und andere unter wechselnden Titeln vertreten, erweist sich die Normierung genau genommen als überflüssig. Die festzusetzenden Regeln leiten sich nämlich einfach von der Grundregel ab, die den Vertragsschluß ermöglicht: der *Reziprozität der Partner*. Das intersubjektive Verhältnis, das die Vertragsfähigkeit definiert, gründet bereits in einer Regel, die nicht noch einmal hinterfragt werden kann, weil für ihre Festsetzung kein Modell existiert, das Legitimität stiftet. Warum mehrere Partner überhaupt kontraktieren sollen, läßt sich nicht sagen, bevor sie einen Gesellschaftsvertrag eingegangen sind. Also muß auf ein unableitbares Verhältnis rekurriert werden, das den Vertragsschluß ermöglicht, ohne von ihm gedeckt zu sein. Dies Verhältnis ist die Reziprozität der Partner, die ihnen Vertragsfähigkeit allererst erlaubt.[21]

Wird nun die gesamte Organisation der Gesellschaft nach dem Vertragsmodell gedeutet, so stehen alle demgemäß zustandegekommenen Normen unter der Prämisse der Reziprozität. Vertraglich festlegen läßt sich nur, was alle Partner, die den Vertrag eingehen, gleichermaßen bindet. Die diskursiv vereinbarten Normen tragen daher allesamt den einheitlichen Stempel, der der *Vertragslogik* entstammt, die keine Unterschiede hinsichtlich der *normbedürftigen Praxis* mehr kennt. Ausnahmslos entsprechen die Normen, die der Metainstitution entspringen, dem Muster dieser Institution, so daß die normsetzende Praxis mit der eigentlich zu normierenden vertauscht erscheint. Unterderhand spielt sich ein Wechsel der Metaebene mit der ursprünglichen Ebene sozialer Praxis ab, der die ausdrückliche Normsetzung ihrer Funktion enthebt, weil das zu Setzende längst festliegt.

Das Zurechtrücken aller normbedürftigen Praxis nach dem Muster des ursprünglichen Vertragsschlusses geht an der Aufgabe der Normierung vorbei, denn nach intersubjektiv verbindlicher Regelung verlangte gerade solches Handeln, dessen Regelung nicht von vornherein selbstverständlich war. Auf die Eigenart derjenigen Praxis, für die Normen jeweils nötig sind, muß die Normsetzung reagieren, statt das modellhafte Verfahren der Normsetzung zur Norm für jedwede Praxis zu erklären. Konkrete Probleme der Normierung verweigern sich der pauschalen Kategorie der Reziprozität schon deshalb, weil die intersubjektiv zu regelnden Handlungsverläufe meist komplizierter sind als die Vertragspraxis. Jene Komplexität war es aber, aus der die Normbedürftigkeit überhaupt hervorging.

Das Vertragsmodell verkürzt dank seiner privatrechtlichen Herkunft Fragen des *sozialen* und *staatlichen* Lebens, die von der klassischen Politiktheorie bis zum modernen Rechtsdenken als Pflichten und Rechte des Bürgers gegenüber Pflichten und Rechten des Herrschers oder der Staatsautorität gefaßt wurden. Der Grundsatz der Symmetrie findet hier nur sehr vermittelt Anwendung. Schon Aristoteles wußte, daß die Doppelbefähigung zum Regieren und Regiertwerden, also das gleiche Akzeptieren ungleicher Positionen, die politische Qualifikation des freien Mannes ausmacht.[22] Weiterhin eignen Normen, die mit der *wirtschaftlichen* Reproduktion und *technischen* Organisation der Gesellschaft nötig werden, sich von Hause aus nicht zur Reziprozität. Betriebe, Krankenhäuser oder Flughäfen sind nach einem Formalprinzip kaum funktionsfähig, das von der Zweckbestimmung im Praktischen planmäßig absieht. Wollte man derlei Fragen aus dem Bereich der für gesellschaftliche Praxis zuständigen Normen ausschließen, so behielte man einen blutleeren Kunstbegriff des Soziallebens zurück, das seinen institutionell entfalteten Reichtum durch einseitige Stilisierung auf die originäre Situation des Eintritts in Gesellschaft aufgibt.

Es kann nach alldem nicht überraschen, daß auch *moralische* Normen im eigentlichen Sinne schlechte Kandidaten für die methodische Wiederholung des Vertragsmodells sind. Unsere alltägliche Moral entspricht höchst selten dem Prinzip des *Do, ut des*; sie machte sich sogar verdächtig, wenn sie moralische Leistungen nach ausgeglichener Wechselseitigkeit beurteilte. Großzügigkeit und Toleranz, Hilfsbereitschaft und Bescheidenheit, Hingabe an ein dem Gemeinwohl nützendes Werk und selbstlose Nächstenliebe gelten als Tugenden, gerade weil sie nicht auf der Reziprozität im Verhältnis der Subjekte zueinander beruhen. Die aus der Natur der Sache erwachsende Unvertauschbarkeit der Leistung des Einen und des Nutzens des Anderen um des besonderen Handlungsvollzugs willen als Norm hinzunehmen und zum Motiv des Tuns zu machen, gibt einer Praxis oft erst moralische Würde. Die Qualifikation erfolgt im Namen des fraglichen Tuns ohne primäre Rücksicht auf den Aspekt intersubjektiver Gleichheit.

Die Reduktion der Formen gesellschaftlicher Interaktion auf das universalisierte Vertragsmodell treibt schließlich die *Geschichte* aus den lebendigen Prozessen gemeinsamen Handelns hinaus.

Jede Situation gleicht jeder andern, weil sie alle am Ursprung von Sozialität überhaupt gemessen werden. Hatten die klassischen Konzeptionen des Gesellschaftsvertrags den historisch erreichten Stand durch einen fiktiven Schritt zurück zum Beginn geordneter Gemeinschaft überhaupt verlassen, hatte umgekehrt die eschatologische Vision die Gegenwart im Vorgriff auf das harmonische Ende aller Geschichte übersprungen, so stellt die Deutung des Soziallebens als permanente Diskussionsveranstaltung über gemeinsam interessierende Probleme den geschichtlichen Wandel als solchen still. Was auch immer der Geschichtsverlauf als wechselnden Anlaß des Eintritts in einen kontraktuellen Dialog heranführt, die Ersetzung des gemeinsamen Handelns durch das Miteinanderreden nivelliert alle durch Kontingenzmomente konstituierten praktischen Lagen innerhalb der Geschichte.

Einklammerung von Geschichte befördert aber unverkürzte Vernunft nur zum Schein. Weder herrscht Vernunft allein beim vorgeschichtlichen Übergang aus dem Naturzustand, wie das Vertragsmodell suggeriert, noch triumphiert sie uneingeschränkt am Ende aller Tage, wie die säkularisierte Eschatologie erhofft. Ebensowenig ist schließlich einer Vernunft Erfolg beschieden, die sich vom Makel historischer Kontingenz zu befreien sucht durch radikale Umdeutung der Praxis nach einem durchgängig gleichen Vorbild der Einigung zwischen einigungsbereiten Partnern im Sonderzustand des Dialogs. Die Momente praktischer Vernunft sind *in der* Geschichte aufzusuchen, weil der *Verwirklichung* von Rationalität kein anderes Feld zur Verfügung steht. Ist das einmal begriffen, so führt kein Weg an der Schlußfolgerung vorbei, daß die Gestalt von Vernunft in der Geschichte ihrerseits durch untilgbare Spuren der Geschichte gezeichnet ist.

Anmerkungen

1 Für eine ausführliche Darlegung und Begründung des Folgenden verweise ich auf meine Untersuchung *Handlung, Sprache und Vernunft*, a.a.O.

2 Vgl. A. Danto, *Analytical Philosophy of Action*, Cambridge 1973, und

dazu meine Bemerkungen, a.a.O. S. 91 ff.

3 Vgl. zur Begriffsgeschichte die in Anm. 1 genannte Abhandlung, S. 196 ff.

4 Wittgenstein, *Philosophische Untersuchungen* (1953), bes. §§ 198-240. Wenn es dort im § 202 heißt, daß »der Regel folgen« eine »Praxis« sei, so gilt nicht der Umkehrschluß, daß als Praxis bedeute, einer Regel zu folgen. Vgl. zuletzt hierüber S. Kripke, *Wittgenstein on Rules and Private Language*, Oxford 1982.

5 Kant, *Metaphysik der Sitten*, Rechtslehre, Einleitung, A 25 f.

6 Vgl. O. Höffe, »Kants kategorischer Imperativ als Kriterium des Sittlichen«, in: *Ethik und Politik*, Frankfurt/M. 1979.

7 Vgl. Kant, *Kritik der praktischen Vernunft*, A 141.

8 In dem Sinne versteht sich der Beginn von Kants *Grundlegung zur Metaphysik der Sitten*: »Es ist überall nichts in der Welt, ja überhaupt auch außerhalb derselben zu denken möglich, was ohne Einschränkung für gut könnte gehalten werden, als allein ein guter Wille.« Vgl. auch *Kritik der reinen Vernunft*, A 57.

9 Der lateinische Terminus *norma* meint Richtschnur und geht auf das griechische κανών zurück (z. B. Chrysipp, *Stoic. Vet. Fragm.* III 77, 34 ff.; Cicero, *Acad.* II 140). Sieht man in dieser Verwendung ab, so entsteht der moderne Sprachgebrauch recht spät. Zu Kants Zeiten sprach man von Normen überwiegend innerhalb der ästhetischen Geschmackskritik; vgl. Kant, *Kritik der Urteilskraft*, A 55 ff.; *Logik* (Hg. Jäsche), A 8. Die von Menzer herausgegebene frühe Vorlesung Kants über Ethik, Berlin 1924, S. 44 f., nennt die Norm immerhin eine »Richtschnur der Beurteilung« im Moralischen. – Hegel scheint den Terminus gar nicht zu kennen. Eine der frühsten Verwendungen im heute üblichen Sinne, der vor allem den Juristen und Soziologen zu verdanken ist, dürfte vorliegen bei F. J. Stahl, *Philosophie des Rechts nach geschichtlicher Ansicht*, Heidelberg 1839.

10 Vgl. beispielsweise Th. Hobbes, *Elem. Phil.* I 1, 6 f.; III 1, 12.

11 Vgl. Kant, *Kritik der reinen Vernunft*, A 812; *Grundlegung zur Metaphysik der Sitten*, A 51 Anm.

12 Descartes, *Discours de la Méthode*, III.

13 Kant, *Grundlegung zur Metaphysik der Sitten*, A 80.

14 Vgl. Kant, *Kritik der praktischen Vernunft*, A 141.

15 In einer sehr eindringlichen Skizze hat *H. Krings* die »systematische Struktur der Normenbegründung« auf einer kantischen Linie aufgebaut, indem er Normen als Bestimmungsgründe des Handelns auf ihren Geltungsgrund befragt, den er in einer Vernunftregel sieht, die ihrerseits in einem transzendentalen Freiheitsprinzip gründet. Dabei ergeben sich nicht unbedeutende Verschiebungen, insofern die Norm, die zunächst an rechtlich-politischen Beispielen wie dem Vertrag und staatlichen Gesetzen erläutert wurde, plötzlich mit der Maxime im

kantischen Sinne gleichgesetzt wird, während die Autonomie des seinen Willen frei bestimmenden Subjekts als »begriffs- und geltungsgenerierende Aktualität der Vernunft«, als »unbedingte Affirmation, deren Gehalt sie selbst ist«, erläutert wird. Die Verschiebungen entstehen, weil Krings offenbar ohne den für Kant zentralen Subjektbegriff auskommen möchte, an dem allerdings jede transzendentalphilosophische Auffassung von Maxime ebenso wie von Autonomie notwendig hängt. Die Problematik dieses spätestens seit Hegel bestrittenen Subjektbegriffs ist im Verlauf unserer Untersuchung genügend zur Sprache gekommen, um deutlich werden zu lassen, warum eine Neuformulierung des sachlichen Zusammenhangs von Maxime und Norm unerläßlich scheint. H. Krings, »Die systematische Struktur der Normenbegründung«, in: Akten Stuttgarter Hegel-Kongreß 1981, unter dem Titel *Kant oder Hegel?* hg. von D. Henrich, Stuttgart 1983, S. 625 ff., bes. S. 635 ff.

16 Hegel, Vorrede zur *Rechtsphilosophie*, a.a.O.; vgl. schon *Differenz des Fichteschen und Schellingschen Systems der Philosophie* (1801), Hamburg 1962, S. 67 f., mit Bezug auf Fichtes *Grundlage des Naturrechts*, WW., Bd. III, S. 291 ff.

17 Vgl. schon K. Binding, *Die Normen und ihre Übertretung*, Leipzig 1872, Bd. I, S. 31, und in der Gegenwart K. Engisch, *Einführung in das juristische Denken*, Stuttgart 1956, ⁶1975, Kap. 2, bes. S. 28; oder R. Schreiber, *Die Geltung von Rechtsnormen*, Heidelberg 1966, S. 36 ff.

18 Zur älteren Debatte siehe M. E. Mayer, *Rechtsnormen und Kulturnormen*, Breslau 1903, und J. Binder, *Rechtsnorm und Rechtspflicht*, Leipzig 1912.

19 C. Schmitt, *Politische Theologie*, München/Leipzig 1922, ²1933, S. 11.

20 J. J. Rousseau, *Contrat social*, II 7.

21 Vgl. in dem Zusammenhang R. Bubner, »Ist eine transzendentale Begründung der Gesellschaft möglich?« in: D. Henrich (Hg.), *Kant oder Hegel?*, a.a.O., S. 489 ff.

22 Aristoteles, *Politik*, III 4.

IV. Normenrationalität

Die Untersuchung war ausgegangen von einer Analyse des Handelns als eines konkreten Vollzugs im Rahmen von Alternativen und führte von dort bruchlos über in die Ebene der Maximen. Die subjektiv entworfenen Handlungsregeln, die sich fallweise ausbilden, machen sodann den Normen als intersubjektiv verbindlich gesetzter Koinzidenz von Maximen mehrerer oder aller Handelnden Platz. Auf dieser neuen Ebene hängt die erforderliche Inhaltlichkeit der Normen ab von einem Restdezisionismus, weil ohne ausdrücklichen Willen zur Koinzidenz in bestimmten Bereichen Normen nicht zu artikulieren sind. Die Normensetzung gründet auf einer Selektion des Normbedürftigen aus der gesamten Breite existierender Praxis. Wenn einige Vollzüge nicht länger den Maximenanleitungen Einzelner überlassen bleiben, sondern unter die Direktive der Normen geraten, so sind die Akteure davon als einer immer schon gefällten Entscheidung betroffen, ohne an der Normsetzung beteiligt gewesen zu sein. Auch die Annahme, sie hätten zumindest idealiter die Setzung selber vollziehen können, ändert daran nichts, weil die Komplexität des entwickelten Soziallebens die Kompetenz Einzelner stets übersteigt. Hingegen ist von deren Standpunkt durchaus eine Einsicht in die selektive Grenzziehung möglich, was die Anerkennung vorhandener Normen fördert, die in ihrer Mehrzahl wie »ungeschriebene Gesetze« von den Handelnden befolgt werden.

Die ausführliche Betrachtung der Normen hatte das juristische Paradigma verlassen, um die Entstehung von Normen verständlich zu machen, die als *Ethos* oder *historisch eingelebte Sitte* eine kollektiv orientierende Wirkung ausüben, ohne daß der Setzungsakt seinerseits klar normiert wäre. Die Betrachtung war nötig, weil die philosophische Aufmerksamkeit die lebensweltliche Grundlage der Ethik meist vernachlässigt im Bemühen, die hier begegnenden Momente historischer Kontingenz mit einem Modell rein rationaler Handlungsanleitung zu überwinden.

Die historisch gegebenen Lebensformen, in denen Handelnde sich miteinander bewegen, sind keineswegs bloß als Fakten beschreibbar, sie sind ohne Rückgriff auf stabilisierende Normen gar nicht zu denken. Die *Geltung* der Normen zeigt sich in Gestalt solcher Institutionen, die gemeinsames Handeln ermöglichen und von gemeinsamem Handeln getragen werden. Aus ihnen läßt sich ablesen, was als intersubjektiv verbindliche Regeln akzeptiert wird, so daß die Geltung nicht abgehoben von dem ihr zugeordneten Handeln einer isolierten Sphäre des Sollens angehört. Eine Prüfung der Normen, die das Faktische vom Geltenden trennt, wird kaum finden, was sie sucht: die Erklärung nämlich, wieso Normen in der Tat befolgt werden. Normen, deren Geltung sich im konsequenten Handeln erweist, sind Teil der Wirklichkeit, während die übliche Trennung von Sein und Sollen allein durch die methodische Anlage der Untersuchung bereits alle Vernunft aus dem Bestehenden vertreibt.

Ebenso muß der umgekehrte Versuch mißlingen, eine handlungsextern konzipierte Rationalität wieder auf reale Praxis einwirken zu lassen. Die Frage lautet nicht, wie die Vernunft aus den Köpfen in die Taten gerät, oder was anzustellen sei, damit das Handeln eine Rationalität aufweist, die Vorrecht der Theoretiker ist. Die Aufgabe ist vielmehr, die im konkreten Handeln enthaltene und in dessen historisch gegebenen Organisationsformen verschiedenartig ausgedrückte Rationalität zu entdecken und zu befördern. Statt das Handeln unter Vernunftgesetze zu zwingen, die ihm fremd sind, hebt praktische Vernunft die im Handeln gelegenen, institutionell fixierten Momente einer Rationalität hervor, die geklärt und gegen konträre Tendenzen verstärkt, von inneren Widersprüchen befreit und zu einem in sich durchsichtigen System vervollständigt werden müssen.

Die philosophische Aufgabe liegt in dieser *kritischen und systematischen Arbeit am Leitfaden der praktisch vorfindlichen Vernunftmomente*. Schwierig ist die Aufgabe insofern, als sie Abstriche am Perfektionsideal der Theorie verlangt und mithin den Selbstverständlichkeiten des wissenschaftlichen Diskurses entgegenwirkt. Diese korrigierende Reflexion hat praktische Philosophie jedoch zu üben, wenn sie sich ohne perspektivische Verzerrung ihrem Gegenstand nähern will. Erstaunlicherweise sind es gerade die höchst ehrbaren Intentionen des Denkens, die als beirrende Vorurteile zu Buche schlagen. Der Begriff muß sich weniger auf die eigenen Kräfte verlassen, als auf das vorhandene Ethos stützen bei dem Versuch, die Rationalität der Normen zu bestimmen. In historischer Dimension gelebte Normen stellen das unverzichtbare Material dar, aus dem eine sittliche Welt ersteht, so daß jede philosophische Forderung nach Vernunft im Praktischen an dieser Grundlage anzuknüpfen hat.

Sittlichkeit entspricht dem Grad der gelingenden Rekonstruktion einer Rationalität, die den Normen einwohnt, ohne das Ziel ihrer Setzung gewesen zu sein. Der anstandslose Vollzug gemeinsamen Handelns ist der Zweck der Normierung, es geht um Beförderung von Praxis und nicht um Rationalität als solche. Indem die Normen aber gemeinsame Praxis ermöglichen, leisten sie einen Rationalitätsbeitrag. Allein die Tatsache, daß die Norm vielfältiges Handeln verschiedener Akteure in einer Einheit erlaubt, die vorher nicht realisierbar war, bedeutet einen wenn auch kleinen Schritt auf dem Wege rationaler Bewältigung praktischer Probleme. Die etablierte Norm drängt die Kontingenz zurück, welche andernfalls das Gemeinschaftsleben überwuchern würde.

Die *Rationalitätsleistungen* der einzelnen Normen bleiben freilich Stückwerk, solange sie sich nicht in einen Zusammenhang fügen. Jede isolierte Betrachtung bringt die Gefahr der Verselbständigung des Partikularen mit sich. Partikulare Rationalitätsleistungen nicht in ihrer Partikularität zu erkennen, sondern für das Ganze zu halten, wäre aber in sich widervernünftig. Da partikulare Beiträge einander allererst in größerem Zusammenhang relativieren, müssen die Normen, um wirklich vernünftig heißen zu dürfen, integriert werden in ein mehr oder weniger deutlich bestimmtes, mehr oder weniger umfassendes Ganzes der Handlungsorientierung auf Dauer und in Gemeinschaft. Die sittliche Welt ist diejenige Gestalt normativ stabilisierter, untereinander zusammenhängender Lebensformen, in der gemeinsames Handeln die größte Rationalität verwirklicht.

Der von Hegel übernommene Ausdruck der »Sittlichkeit« hat wegen des unzeitgemäßen Klanges den Vorteil, die Rationalitätsfrage nicht mit *sozialwissenschaftlichen Konstrukten* zu verwechseln. Rationalität soll nicht mißverstanden werden als wissenschaftliche Zugänglichkeit, die die Subsumtion einer aus soziologischen Erhebungen stammenden Datenmenge unter Ordnungsformen sichert, welche dem theoretischen Bedürfnis nach allgemeiner Erkenntnis genügen. Ein hervorragendes Beispiel für das wissenschaftliche Verfügbarmachen der verwickelten Realität sozialer Praxis ist Max Webers »idealtypische« Kategorie der Zweckrationalität. Über die Kategorienbildung im Dienste von Forschungsinteressen hinaus hatte Weber allerdings mit seiner Geschichtsdiagnose eines okzidentalen Rationalisierungsprozesses dafür gesorgt, auftretenden Kontingenzproblemen realistisch begegnen zu können. So betont er beispielsweise, daß die modernen Rechtsverhältnisse, die mit Bürokratie und Beamtenschaft einer zweckhaften Lebensführung entgegenkommen, nicht etwa eigens dazu geschaffen worden sind, sondern sich der Ausbildung eines autonomen Juristenstandes verdanken, der auf anders gelagerte spätmittelalterliche Ursachen zurückgeht. Rationalisierung greift hier Platz, ohne als solche intendiert gewesen zu sein.

Im Blick auf Weber wie auf Hegel gilt nun die umstrittene Geschichtsdiagnose im Sinne wachsender Rationalisierung als unwillkommene Hypothek für die Frage nach der *Rationalität der Normen*. Wenn die in das voll entfaltete Normensystem eingelagerte Rationalität ein autonomes Produkt der Geschichte wäre, hinge das Urteil darüber von einem historischen Wissen ab, das gesonderten Quellen entspringt. Man müßte dann Auskunft über die Normenrationalität geben können, ohne auf normgestütztes Handeln angewiesen zu sein. Wir haben früher am Beispiel der Hegelschen Rechtsphilosophie den fatalen Zirkel einer am Staat demonstrierten Vollendung des Geistes erörtert, die zugleich die Definition des Staates als Wirklichkeit der Vernunft präjudiziert.

Verzichtet man jedoch auf Geschichtstheorie als Voraussetzung der Bestimmung von Normenrationalität, so genügt die Beschreibung, daß in einer überschaubaren Phase historisch existenter Gesellschaften aufgrund der eigentümlichen Vollzugsstruktur von Praxis eine Regelung notwendig wurde, die auf mehreren Ebenen in einer Form erfolgt, deren Überlegenheit über den kontingenzgefährdeten Selbstlauf sozialer Praxis prinzipiell jedermann verständlich zu machen ist. Die konkrete Normierung ist also mit Hilfe von Gesichtspunkten zu interpretieren, die den Handelnden tatsächlich einleuchten. Solche Gesichtspunkte können nur von der Praxis her entwickelt werden, wobei es eine wesentliche Rolle spielt, daß zwischen den Ebenen der Normierung ein Austausch stattfindet, ohne daß die angesprochenen Subjekte wechseln. Die Rationalitätsleistungen, die die einzelnen Normen auf unterschiedlichen Ebenen darstellen, müssen den normunterworfenen Akteuren in Gestalt der Maximenkoinzidenz, die ihnen die freie Entscheidung abnimmt, noch erkennbar sein. Jede verbindlich gesetzte Norm verliert das Aussehen fremden Zwangs im gleichen Maße, wie darin der Beitrag zur Beförderung einer Praxis, an der allen gelegen ist, wahrgenommen wird. Diese Interpretation muß bei sämtlichen in Frage kommenden Normen möglich sein, um auf die Weise das Normensystem einheitlich zu durchdringen.

Die *Gesichtspunkte,* die die betroffenen Subjekte dabei in Anschlag bringen, müssen *von jedem* vertreten werden können, der einmal absieht von seinen individuellen Neigungen, fallweisen Befindlichkeiten und mit den Situationen fließenden Präferenzen. Minimale Selbstdistanz ist nötig, damit nicht bloß ein Aspekt unter vielen zur Sprache kommt, dem zahllose andere leicht gegenübergestellt werden könnten. Die Prüfung der Rationalität von Normen reicht über die Maximenbildung, die ein Einzelner verantwortet, hinaus und ist von vornherein zum Scheitern verurteilt, wenn die Prüfungsmaßstäbe unvermindert an die Besonderheit der Akteure gebunden bleiben. Gleichwohl muß der Handelnde, wenn er auch von den singulären Bedingungen seines Falls absieht, nicht prinzipiell aus der Rolle des Handelnden hinaustreten, um etwa die Position eines unbeteiligten Beobachters oder souveränen Gesetzgebers einzunehmen. Der Zusammenhang von Lebensformen, die jeden umfassen, der überhaupt handelt, wird als ein Normengefüge im Ganzen den innerhalb seiner Handelnden bereits präsent, wenn die Subjekte sich zu Gesichtspunkten vorarbeiten, die sie als Handelnde ganz allgemein charakterisieren.

Die nötige *Allgemeinheit* ist erreicht, wenn das prinzipielle Angesprochensein von allen einschlägigen Normierungen auf unterschiedlichen Ebenen eingeräumt wird. Denn jeder Handelnde, der sich richtig versteht, ist in der Lage zu akzeptieren, was dazu beiträgt, daß das Handeln in der Breite seiner intersubjektiven Möglichkeiten gefördert wird. Er muß sich nur lösen von der anfänglichen Gewißheit, seine subjektive Ausgangslage tauge am besten zum Urteil. Die Praxis, die er von seinem zunächst eingenommenen Standpunkt überhaupt nicht als eine eigene Möglichkeit sieht, könnte durchaus einmal seine Praxis werden. Potentielle Wege zur Verwirklichung praktischer Subjektivität so aufzutun, daß sich unerwartet neue Möglichkeiten als die eigenen zeigen, bedeutet eine Ausweitung des Selbstverständnisses von Akteuren. Innerhalb eines Normengefüges werden Übergänge zwischen den Ebenen geschaffen, die das limitierte Selbstverständnis bereichern, ohne zum Verlust mit sich identischer Subjektivität zu führen. Wer bereit ist, sich in seinem Handeln über anfängliche Schranken hinauszubewegen und dies als Erfüllung seiner eigenen Möglichkeiten aufzufassen, wird sich auch wiederfinden in einer Welt normativ gestalteter Lebensformen.

Mit der Einführung des praktischen Selbstverständnisses von Subjekten als Kriterium der Rationalitätsprüfung scheidet eine institutionelle Praxisermöglichung von vornherein aus, die sich in erfolgreichem Funktionieren erschöpft. Die *Technik* einer Manipulation von Elementen, deren praktisches Eigenrecht nicht interessiert, weil sie nur als Material gesellschaftlicher Synthesen in Betracht kommen, gehorcht gesonderten Zwecken, die in der Praxis der Betroffenen nicht vorkommen. Das Ablösen der Ordnungszwecke von den Handelnden unterwirft die Subjekte einem Zusammenhang, der ihnen nie als der ihrer Praxis eigene Zusammenhang erscheinen wird. Die technische Ordnung mag funktionale Vorzüge besitzen, die jedoch den Subjekten verschlossen sind, weil sie hier nur als Objekte auftreten. Nötigenfalls behaupten sich die funktionalen Vorzüge sogar gegen die praktischen Interessen der in das System einbezogenen Akteure. Eine technische Rationalität dieser Art wird mit der Normenrationalität niemals zusammenfallen, solange die Auslegung der Vernünftigkeit gebunden bleibt an das praktische Selbstverständnis von Subjektivität.

Hierzu kann Philosophie nur Hilfestellung leisten, indem sie das Bild einer Welt zusammenhängender Lebensformen für die praktische Verwirklichung von Subjektivität nachzeichnet. Sie schreibt nichts im Modus des Postulats vor, sondern *rekonstruiert* ein im ganzen durchsichtiges Normengefüge. Sie entwickelt die vorhandenen Ansätze zu einem stimmigen Zusammenhang fort, den die Geschichte an keinem Punkte in Vollendung vorführt und der dennoch historisch angelegt sein muß. Philosophische Klärung vermag die Vernunft im Vorhandenen herauszuarbeiten und zu verstärken, während sie sich vor der Verführung hüten muß, das Nichtvorhandene *ex cathedra* zu ersetzen.

Indem die Philosophie sich der *Rekonstruktion einer sittlichen Welt* im Rahmen der Geschichte widmet, kommt sie den eigentlichen Akteuren zu Hilfe, die in unsteten historischen Lagen zu handeln haben und die Aussicht nicht aufgeben wollen, innerhalb der Formen des Ethos, die sie vorfinden, sie selbst zu bleiben. Wer sich in der Welt ohne Selbstverlust zurechtfindet, vermutet in den Institutionen, denen er sich auf keine Weise entziehen kann, nicht einen totalen Anschlag auf die Subjektivität. Wer die Subjektivität nicht in Abkehr von der Geschichte retten muß, kann unbefangener an die Umgestaltung vorhandener Lebensformen gehen, die ohnehin dem geschichtlichen Wandel unterliegen. Keine Institution besitzt Ewigkeitswert, aber Institutionen stellen insgesamt auch kein Übergangsstadium dar, durch das wir in ein künftiges Reich der Freiheit wandern. Niemandem kann Philosophie daher die Verwirklichung von Subjektivität unter institutionellen Bedingungen abnehmen. Dafür bleibt die Verantwortung den praktischen Subjekten übertragen.

An dieser Stelle mögen die generellen Überlegungen abgebrochen werden, da das Thema der Normenrationalität genügend vorbereitet ist. Es hat sich gezeigt, daß die Rationalität *im Zusammenhang* der Normen, nicht aber jenseits des Ethos in verselbständigten, abgespaltenen Prinzipien zu suchen sein wird. Ein erster erwägenswerter Vorschlag zur systematischen Rekonstruktion des Zusammenhangs unter Normen stammt von juristischer Seite. Unter neukantianischen Prämissen interpretiert *Kelsen* die Normenrationalität nach einem syllogistischen Schema, das allerdings in seiner radikalen Durchführung gerade an der Unfähigkeit zur Verhältnisbestimmung gegenüber der Geschichte scheitert. Weiter dürfte das abschließende Unternehmen führen, die Rationalität der Normen nicht auf ein Ableitungsschema zuzuschneiden, sondern im Durchlauf durch die Ebenen des Normengefüges zum Problem zu machen. Jede gesetzte Norm, die eine Maximenkoinzidenz ausspricht, müßte ihrerseits wieder in eine Maxime rückübersetzt werden, um den Kontakt der betroffenen Akteure mit dem Zusammenhang geltender Normen als kritische Instanz einzuführen. Die *Übernahme gesetzter Normen in den Maximenbestand* eines Handelnden spiegelt zugleich einen Bildungsprozeß vom Kontingenten zum Allgemeinen.

1. Logik der Ableitung: das Beispiel Kelsens

Hans Kelsens vielgerühmte und heftig umstrittene *Reine Rechts-lehre* stellt sich Seite an Seite mit der Kantischen Erkenntnistheorie.[1] Auf den ersten Blick mag diese Wahl überraschen, denn der in der Jurisprudenz übliche Kantianismus bezieht sich primär auf die Differenz von Sein und Sollen. Die Erkenntnisintention, die der objektiven Wiedergabe von Wirklichkeit gilt, wird streng von der imperativischen Geltung unterschieden, die den gesetzlich verbindlichen Regeln des Handelns zukommt.[2] Die eingebürgerte Entsprechung zur Differenz zwischen der theoretischen und praktischen Philosophie Kants unterläuft Kelsen indes mit seinem Vergleich zwischen Rechtswissenschaft und Erkenntnistheorie.

Die naheliegende Vermutung, es handle sich um einen Versuch wissenschaftstheoretischer Grundlegung der juristischen Disziplin, greift zu kurz. Zwar hatten die Neukantianer angesichts des gegebenen »Faktums der Wissenschaft« die Erarbeitung der logischen Grundlagen wissenschaftlichen Verfahrens zur eigentlichen Aufgabe transzendentalphilosophischer Reflexion erklärt. Der positivistische Standpunkt, den Kelsen dezidiert gegen alle naturrechtliche Spekulation einer ihre Grenzen überschreitenden Philosophie einnimmt, scheint eine ähnliche Aufgabenteilung zwischen juristischem Handwerk und transzendental-logischer Methodenklärung zu fordern. In der Tat enthält die *Reine Rechts-lehre* aber nicht nur eine an Kant geschulte Logik dessen, was juristische Wissenschaft tut. Sie entwirft zumindest implizit eine Theorie der Rationalität von Normen überhaupt. Insofern stellt sie ein Stück inhaltlicher Rechtsphilosophie dar und geht über die methodologische Legitimation der von Juristen geübten Verfahren hinaus.

Kelsen nimmt eine »*Grundnorm*« an, die als »transzendental-logische Voraussetzung« allen Geltens von Normen fungiert. Damit ist die simple Distinktion von Sein und Sollen auf entscheidende Weise erweitert, denn der Rückgriff auf eine letzte Voraussetzung allen Geltens bettet das fragliche Sollen von vornherein in einen Zusammenhang normativer Rechtsordnung ein. Das Sollen, das eine Norm auszeichnet, tritt gar nicht vereinzelt auf, sondern steht in einem wohl geordneten Gefüge von Normen, die einander abstützen und hierarchisch als Rechtsordnung strukturiert sind. Die Geltung jedes einzeln Gesollten wird durch die ganze Pyramide von Normen garantiert, deren Spitze die Grundnorm einnimmt.[3] Innerhalb des Gefüges von Ober- und Unternormen, von Normen zur Generierung und Prüfung von Normen sind syllogistische Ableitungsverhältnisse bestimmend. Etwas Gewisses wird gesollt – z. B. als Ergebnis eines Richterspruchs –, weil es allgemeine Gesetzesnormen gibt, denen gemäß das Urteil gefällt wird, weil weiterhin Normen für die korrekte Erlassung jener Gesetze durch die zuständigen Instanzen gesorgt haben, während andere Normen die Entscheidungsbefugnis des Richters vorsehen usw.

Das gesamte Gefüge der Rechtsordnung besitzt seinerseits Geltung, weil eine Grundnorm vorausgesetzt ist, die nicht mit der Frage nach dem Grund ihrer Geltung nochmals überschritten werden kann. Das Normengefüge als Ganzes und die Grundnorm bedingen daher einander. Die Grundnorm besagt allein, daß alles, was rechtlich den Anspruch auf Geltung erhebt, gilt und mithin als Norm auf den verschiedenen Ebenen durch das Sollen ausgezeichnet ist. Alles Gesollte legen die Normen fest, wogegen die Grundnorm gerade dies ausspricht, daß alles Gesollte im Rahmen einer Rechtsordnung gilt. Mithin reduziert sich die Grundnorm darauf, Ausdruck der *Rechtsordnung als geltender* zu sein. Rechtsordnung aber ist ein immanentes, geschlossenes Ableitungssystem der Normierung, wo jegliche Normsetzung durch eine weitere Norm geregelt ist.

Wenn Normen nur als geltende sinnvoll sind, muß anläßlich einer Norm gleich der ganze Zusammenhang konstruiert werden, innerhalb dessen jede Norm die ihr zukommende Stelle einnimmt und insofern als geltende Norm aufgefaßt werden kann. Dieser Gedanke macht namhaft, was Geltung überhaupt bedeutet. Normen gelten, wenn sie *systematisch aufeinander beziehbar* sind, d. h., daß, wenn überhaupt etwas normiert wird, alles normiert werden muß. Die rechtliche Regelung darf keine Lücken offen lassen, keine Sprünge im Deduktionsprozeß erlauben, nichts der Willkür oder dem Selbstlauf anheimstellen. Der Geltungsanspruch tendiert unmittelbar zu einer vollständigen Erfassung aller relevanten Inhalte. »Daher kann jeder beliebige Inhalt Recht sein.«[4]

Die *Totalität des Normierten* und die *Geltung aller Normen* hängen aufs Engste miteinander zusammen. Je weniger normiert

ist, um so schwankender bleibt die Geltung. Erst der perfekt gestaltete Zusammenhang eines Rechts, in dem grundsätzlich alles
normativ vorgesehen ist, stellt das Sollen in jedem einzelnen Falle
sicher. Es steht dem Verhalten dann nämlich kein Rückzug mehr
offen in das freie Feld der Abwägung oder Eigenverantwortung
oder Beliebigkeit. Die Selektion des Normbedürftigen aus der
Sphäre einer vorgängigen Praxisregelung durch Maximen findet
im Gegensatz zu unserer früheren Analyse hier nicht mehr statt.
Damit entfallen inhaltliche Fragen, die Kelsen zufolge Erkennt-
nisse praktischer Art unterstellen, die wir gar nicht besitzen.[5]

An die Stelle tritt die sogenannte »Rechtsdynamik«, die es allein
mit der Normierung des Normierens zu tun hat, was auch immer
der Inhalt sein mag, den eine korrekt gesetzte Norm jeweils zum
Gesollten erhebt. Wo Normen auf nichts als Normen gründen,
bringt das Recht sich selber hervor.[6] »Jeder rechtserzeugende Akt
muß ein rechtsanwendender Akt sein.«[7] So entsteht jener lückenlose Zusammenhang, der dank einer systematischen Relation aller
Normen Geltung verbürgt. Ein verräterischer Hinweis auf *Platos
Idealstaat* zeigt in dem Kontext, daß Kelsen, der sich sonst zu den
Gebildeten unter Platos Verächtern zählt[8], mit der *Reinen Rechtslehre* offenbar eine ähnlich wohlgegliederte Vernunftordnung wie
die platonische *Politeia* vorsieht. Freilich bildet keine inhaltliche
Idee des Guten den obersten Fluchtpunkt, auf den alles dialektisch zugeordnet ist, sondern die Grundnorm legitimiert die Dy-
namik umfassender Selbsterzeugung des Rechts.

Wie verhält sich das zum zitierten Vorbild *transzendentaler Logik*? Kann die innere Reflexivität der Rechtserzeugung als Rechts-
anwendung, durch die das syllogistische Normensystem sich
schließt, wirklich mit kantischen Mitteln erläutert werden? Der
Schlüssel zu der Frage liegt im Begriff der Objektivität, die Kelsen
zufolge das Sollen einer Norm von Willensakten unterscheidet, in
denen ein Subjekt sich auf das Verhalten anderer intentional richtet. »Darin, daß ›Sollen‹ auch der objektive Sinn des Aktes ist,
kommt zum Ausdruck, daß das Verhalten, auf das der Akt intentional gerichtet ist, nicht nur vom Standpunkt des den Akt setzen-
den Individuums, sondern auch vom Standpunkt eines unbeteiligten Dritten als gesollt angesehen wird; und das auch dann,
wenn das Wollen, dessen subjektiver Sinn das Sollen ist, faktisch
aufgehört hat zu existieren, wenn mit dem Willen nicht auch der
Sinn, das Sollen verschwindet; wenn das Sollen auch nach dem

Aufhören des Wollens ›gilt‹, ja wenn es gilt, selbst wenn das Individuum, dessen Verhalten dem subjektiven Sinn des Willensaktes nach gesollt ist, von diesem Akt und seinem Sinn gar nichts weiß, wenn das Individuum als verpflichtet oder berechtigt angesehen wird, sich sollensgemäß zu verhalten. Dann ist das Sollen als ›objektives‹ Sollen eine ›geltende‹, den Adressaten bindende ›Norm‹«.[9]

Die *Objektivität* hängt nicht von subjektiven Willensakten allein ab, die Befehle an andere ergehen lassen. Willkürherrschaft ohne objektive Geltung ist somit aus dem Bereich des Rechts ausgeschlossen. Ebensowenig genügt das richtige Auffassen des Sollens auf seiten des Adressaten. Intention und Verständnis garantieren kein Gelten, weil sie beide auf das Subjekt beschränkt sind. Erst der unbeteiligte Dritte, der vom Verpflichtungscharakter einer Norm überzeugt ist, stellt die Instanz der Objektivität dar. Objektivität löst sich also von der jeweiligen Subjektivität des Wollens und Wissens betroffener Individuen ab, um als Geltung einen eigenständigen Status einzunehmen. Es fragt sich immerhin, ob der Rekurs auf den rechtlich unbeteiligten Dritten, der gleichwohl den Verpflichtungscharakter einer ergangenen und jemanden betreffenden Norm bestätigt, nicht doch einen Rest von Anerkennung nötig macht, ohne den das Sollen sich intersubjektiv als ein objektiv geltendes nicht formulieren ließe.

Jedenfalls ergibt sich die Parallele zur leitenden Frage transzendentaler Erkenntnistheorie, wenn man das Objektivitätsproblem ins Zentrum stellt. Die Gehalte und Leistungen des jeweiligen Bewußtseins können Kant zufolge einen über die Subjektivität des Meinens hinausgehenden Anspruch auf Objektivität nur erheben, wenn ihnen eine Ableitung aus transzendentalen Strukturen eines ursprünglichen Bewußtseins überhaupt vorangeht. Die Ableitung erfolgt schlüssig aus der Voraussetzung der Bedingungen der Möglichkeit von Erkenntnis in unserer Bewußtseinsausstattung, die sich im obersten Punkt einer transzendentalen Apperzeption zusammenfaßt. Die Apperzeption bedeutet eine spontane, nicht weiter ableitbare oder hinterschreitbare Leistung von Synthesis im Selbstbewußtsein: »Das ›Ich denke‹ muß alle meine Vorstellungen begleiten können.«

Wie man weiß, hat Kant diesen komplizierten Deduktionsgang einem *juristischen* Modell seiner Zeit abgelauscht, wo die Frage *quid facti* auf die Frage *quid juris* im Sinne der Legitimation des

Faktischen zurückgeführt wurde. Die Erkenntnistheorie knüpft den Objektivitätsnachweis also an einen Rechtsgrund im übertragenen Sinne, was die Kantliteratur selten genug berücksichtigt. Gemeinhin wird die transzendentale Deduktion Kants wie ein theoretischer Beweis gelesen, der aus einsichtigen Gründen zwingende Folgerungen zieht, während doch eher ein Plädoyer vorschwebt, das an einen Rechtstitel appelliert, den kein Subjekt bestreiten kann, das sich überhaupt als Subjekt versteht. Vom Selbstbewußtsein vermag nämlich kein Subjekt in Übereinstimmung mit sich abzusehen und deshalb vermag es auch die fragliche Leistung ursprünglicher Synthesis nicht zu leugnen.[10]

Kelsen entgeht diese quasi-juristische Pointe ebenso wie den neukantianischen Erkenntnistheoretikern seiner Zeit, obwohl er gerade das Modell der Herleitung von Objektivität als Gültigkeit von Erkenntnis zur Herleitung der Objektivität von Geltung innerhalb eines Normengefüges nutzt. Daher bleibt der letzte Geltungsgrund, den er in der Grundnorm annimmt, auch eigentümlich abstrakt. Hier wird nämlich nicht die von niemandem bewußt und konsistent zu leugnende Struktur eines Selbstbewußtseins überhaupt in Anspruch genommen, sondern nur ausgesprochen, was den ganzen Komplex systematisch geordneter Normen kennzeichnen soll: – ihre Geltung. Die Grundnorm stellt mithin keine Quelle der Geltung dar, da sie nichts enthält außer dem logischen Ordnungsgedanken für den Gesamtzusammenhang aller Normen.

Objektivität der Normengeltung hatte Kant seinerseits in der Moralphilosophie angestrebt, aber auf ganz anderem Wege nachzuweisen versucht. Was nicht im Belieben empirisch weltverhafteter Subjekte steht, sondern jeden schlechthin verpflichtet, ist im *kategorischen Imperativ* formuliert. Die Objektivität braucht hier von keiner höheren Instanz her abgeleitet zu werden, sie entspringt weder einer Grundnorm noch der Rationalität des Normengefüges. Die Objektivität der Geltung gründet auf der Identität von Subjekten, die die eigene Vernunft zum subjektiven Motiv und zur objektiven Ratio des Handelns erheben. Zur Freiheit eines Tuns aus sich selbst heraus muß aber niemand genötigt oder überredet werden, dazu bekennt sich jedermann ohnehin. Um dem Subjekt die Verbindlichkeit des Gesetzes einsichtig zu machen, genügt es also, ohne Zuhilfenahme weiterer Gründe auf die Selbstachtung als Ursprung der Achtung vor dem selbst gesetzten

Gesetz zurückzugehen.

Es gibt daher für den Menschen nur eine Norm, in der sein gesamtes Sollen zusammengefaßt ist: Verhalte dich wie ein Vernunftwesen! Man kann dasselbe auch mit unserer früheren Formulierung so ausdrücken, daß Kant den Bereich der inhaltlich differenten Normen nicht kennt.[11] Kelsen muß aufgrund seiner positivistischen Annahme die Basis der Kantischen Moralphilosophie rundweg bestreiten, daß nämlich das Sittengesetz aus sich einleuchte. »Daß eine Norm unmittelbar einleuchtend ist, bedeutet, daß sie in der Vernunft, mit der Vernunft gegeben ist. Der Begriff einer unmittelbar einleuchtenden Norm setzt den Begriff einer praktischen Vernunft, das ist einer normsetzenden Vernunft voraus; und dieser Begriff ist unhaltbar, da die Funktion der Vernunft Erkennen, nicht Wollen ist, die Setzung von Normen aber ein Akt des Willens ist. Daher kann es keine unmittelbar einleuchtende Norm geben.«[12]

Weil Kelsen Normen zu einer Angelegenheit der Willenssetzung macht, kann er die Objektivität der Geltung nur durch schlüssige Ableitungsprozesse aus einer Grundnorm gewinnen. Zwar gibt es keine unmittelbar einleuchtende Norm, da die Normsetzung sich auf viele Inhalte bezieht. *Einleuchten* muß aber für die Vernunft, die der Jurist ausschließlich als Erkenntnismittel ansieht, daß die Einzelnorm eine bestimmte Stelle im systematischen Ganzen einnimmt, weil ohne diesen Zusammenhang die Objektivität der Geltung verschwände und damit der Sinn von Norm sich aufhöbe. Die bruchlose Logik der Ableitungsschritte im Hervorbringen von Normen sorgt für die Legitimation der Normen auf allen Ebenen. Die Rationalität des sich durch Selbstanwendung selbsterzeugenden Rechts steckt in der Systematik des Ganzen, dessen logisch geordnetes Gefüge nicht seinerseits noch einmal auf fernere Vernunftgründe verweist, sondern unmittelbar für sich sprechen muß. Wenn aber der Zusammenhang aller Normen unmittelbar einleuchtet, dann leuchtet die jeweilige Einzelnorm immerhin *vermittelt* über den Zusammenhang ein, in dem sie durch ihre Stellung ist, was sie ist. Die Vernunft ist aus Kelsens Konzept nicht schlechterdings ausgeschieden. Sie übernimmt nur eine andere Funktion als die praktische Vernunft Kants.

Die Rationalität des Ableitungszusammenhangs scheint vollkommen, sofern die Setzung jeglicher Norm, die eine Handlungsregel vorschreibt, wiederum aus einer Norm hervorgeht, die das

Normieren regelt. Die oben genannten Momente einer *Kontingenz* im eventuell verbleibenden Restdezisionismus der Setzung und in der historisch bedingten Selektion normbedürftiger Inhalte scheinen aus der *Reinen Rechtslehre* verschwunden zu sein. Stattdessen verbergen sie sich aber hinter der Grundnorm, die zur Garantie der Rationalität des Ganzen unterstellt werden muß, während die Bedingungen ihrer eigenen Entstehung und inhaltlichen Ausprägung im Dunkeln bleiben. Die Grundnorm ist ein angenommenes Prinzip, in dem sich der auf allen Ebenen erhobene Geltungsanspruch ganz bestimmter inhaltlich erfüllter Normen in einem Punkt zusammenfaßt. Die Grundnorm spiegelt dementsprechend auch die wechselnde historische Konfiguration, die in der und der Sequenz so und so gearteter Normen zum Vorschein kommt.

Kelsen zögert gar nicht zuzugeben, daß die Grundnorm, als die man eine existierende *Verfassung* deuten kann, ausgetauscht wird, wenn nach einer Revolution etwa eine neue Verfassung unwidersprochen in Kraft tritt. Die Funktion der Grundnorm erhält sich als dieselbe durch den Wechsel hindurch, der jeweils ein verändertes Normensystem auf eine neue Konstitution gründet. Man hat dem Juristen Fügsamkeit gegenüber den jeweils herrschenden Rechtsvorstellungen vorgehalten, ohne zu bedenken, daß seiner Profession nicht das Urteil über die Geschichte zusteht. Was in die Kompetenz der Historiker, der Politiker oder Geschichtsphilosophen fällt, kann ihm schwerlich abverlangt werden. Die Ambivalenz, in die der Fachmann allerdings gerät, ist anderswo zu suchen. Werden doch aus dem schlüssigen Deduktionszusammenhang der *Reinen Rechtslehre* alle historischen Elemente verbannt, um sodann auf der höchsten Stufe der Grundnorm mit absoluter Gewalt wiederzukehren. Für die Prinzipien des Rechts ist mit einem *ungehemmten Einfluß geschichtlicher Prozesse* zu rechnen, der auf den verschiedenen Ebenen der Normsetzung systematisch eingeklammert wurde.

Diese Verlagerung, die die Macht der Geschichte von dem geschützten Komplex konkreter Normen ablenkt, um ihr die Verfassung ohne Widerstand auszuliefern, erzeugt eine falsche Perspektive. Weder läßt sich nämlich die Wirkung historischer Umstände und gesellschaftlicher Veränderungen vollends aus dem geltenden Normengefüge hinwegeskamotieren, noch sind Verfassungen dafür in exzeptionellem Maße anfällig. Die laufende

Gesetzgebung, die behördlichen Erlasse und die richterliche Gesetzesauslegung reagieren unvermeidlich und durchaus zum Nutzen des Rechts auf einen Wandel in den Lebensbedingungen, der stark genug ist, um sich in den akzeptierten Formen der Interaktion dauernd auszuprägen.[13] Verfassungen dagegen tragen, seit es sie gibt, weitgehend ein ähnliches Gesicht und pflegen auch bei höchst unterschiedlichen Gesellschaftsordnungen einen Standardkanon von Rechtsprinzipien zu enthalten. Die historische Praxis wirkt also auf das hierarchische System konkreter Normen merkbar ein, während sie an den ehernen Grundsätzen eher vorbeigeht.

Wenn das zutrifft, erzeugt die Reine Rechtslehre in der planmäßigen Ausscheidung der mit geschichtlichen Abläufen gesetzten Kontingenz einen *Schein der Rationalität*. Im Wechselverweis von Grundnorm und Normengefüge schließt sich das System zusammen und kapselt sich gleichzeitig gegen äußere Bedingungen aus der Sphäre sozialer Praxis ab. Die innere Stabilisierung des Ableitungssystems macht es um so hilfloser gegenüber dem Zugriff der Geschichte, für deren Verarbeitung gar keine Kategorien bereitstehen. Der Zynismus, an der Spitze der Hierarchie die ungeregelte Ablösung von Verfassungen ohne weitere Bemühungen um Aufklärung vorzusehen, erklärt das Rechtssystem schlechthin zum Opfer der Kontingenz.

In Wahrheit herrscht aber in der Geschichte keine derart blinde Irrationalität, daß man ihr mit einem Blankoscheck auf die Grundnorm das gesamte Rechtssystem überantworten müßte. Kontingenz spielt bei allen konkreten Normsetzungen für gemeinsame Praxis im historischen Rahmen eine gewisse Rolle, die sich nicht mindern läßt, indem der rationalitätsversessene Theoretiker sie aus seinen Deduktionen aussperrt. Die in allen Normsetzungen beiherspielende Kontingenz beeinträchtigt die Normenrationalität durchaus nicht, wenn man darin einmal die inhaltlichen Momente erkannt hat, die den Normen aus der Praxis erwachsen. Da die Normen für Praxis gelten, statt im logischen Deduktionssystem ein kristallines Eigenleben zu führen, kann die Rücksicht auf jene mit der Praxis gesetzten Bedingungen gar kein Hindernis für Normenrationalität bedeuten.

Ohne Rücksicht auf Praxis verdienten Normen nicht einmal Normen zu heißen, auch wenn sie noch so stringent erzeugt wären. Geltung kann unter Rückgriff auf eine Grundnorm zwar generiert werden, muß sich aber in tätiger Befolgung praktisch bewähren. Die Ausrichtung auf die zu regelnde Praxis nötigt dem Akt der Setzung die Einbeziehung von Momenten ab, die nicht bereits normiert sind, sondern mit der fraglichen Praxis auftauchen. Die Logik der Ableitung allein kann diesen Momenten kaum gerecht werden, denn das Ableitungsschema bleibt unter allen denkbaren Bedingungen das gleiche. Trotzdem verliert die Deduktionslogik nicht dadurch an Folgerichtigkeit, daß in bestimmten Normsetzungen, die aufgrund der zuständigen Prinzipien des Generierens legitim erfolgen, vorgegebene Momente konkreter Praxisanweisung eingehen, ohne die die Norm keinen Sinn machte.

Normen von praktischer Aussagekraft entstehen aus einer *Verbindung jener äußerlichen Momente mit einem korrekten Setzungsvorgang*. Verläßt man das juristische Paradigma im engeren Sinne, so ist eine strikte Normierung des Setzungsvorgangs nicht ohne weiteres garantiert. Für den weiten Bereich der »ungeschriebenen Gesetze« wäre korrekte Setzung zurückhaltender als Ausschluß des nackten Zufalls bei der Normgenese zu interpretieren, wofür wir die Hypothese eines expliziten Willensaktes eingeführt haben. Da Normenrationalität mehr ist als eine Sache der Ableitungslogik, muß sie im Gefüge inhaltlich bestimmter, folglich auf konkrete Praxis anwendbarer und mithin historisch lokalisierbarer Handlungsregeln gesucht werden. So stoßen wir wieder auf das Ethos!

2. Systematische Rekonstruktion: Übersetzung von Normen in Maximen

Das Ethos liegt jedem einzelnen Handeln voraus, denn in ihm hat sich die historische Lage einer bestimmten Gesellschaft über längere Zeiträume objektiviert. Die *Priorität* kann gar nicht bestritten werden, ob man sie nun begrüßt oder nicht. Jedes Subjekt findet das Ethos, die Sitten seiner Umgebung, als den historischen Schatten über dem Felde seines Handelns vor. Es wächst mit normativen Erwartungen auf, die von anderen im Rahmen gemeinsamer Lebensformen an sein Verhalten gerichtet werden, und gliedert sich auf dem Wege selbst in die Institutionen ein. So weit reicht die Wirkung des Ethos, daß auch jeglicher Versuch der

Subjekte, zu einer eigenen Identität zu gelangen, notwendig vor diesem Hintergrund spielt. Das beweisen gleichermaßen die Extreme einer strikten Ablehnung oder völligen Übereinstimmung. Die ausdrücklich gegen die geltenden Lebensformen eroberte Selbständigkeit ist ihnen auf dem Wege des Widerstands ebenso verpflichtet wie der spannungslose Einklang, wo ein Subjekt sich selbst in ungetrübter Harmonie mit der Umwelt sieht. Die meisten Biographien dürften sich irgendwo zwischen den Extremen bewegen.

Macht dieser Sachverhalt nicht alle Aussicht von vornherein zunichte, die Normen unvoreingenommen auf Rationalität hin anzusehen? Die Priorität des Ethos mag unbestreitbar sein, man wird sich jedoch damit nicht einfach abfinden. Die *chronologische* Verschiebung, die jeden Einzelnen, der sich vor einem gegebenen Ethos definiert, zwangsläufig ins Hintertreffen bringt, gibt allein für sich genommen dem Ethos kein *sachliches* Übergewicht. Eine allzu ergebene Hinnahme bestehender Verhältnisse erscheint sogar als kraftloses Aufgeben des Eigenrechts der Reflexion oder weckt den Verdacht eines geheimen Plädoyers für den Status quo. Es ist nicht einzusehen, warum der Umstand, daß gewisse Lebensformen sich früher ausgeprägt haben, ihrem Weiterbestehen die Grundlage liefern soll. Wäre die Zäsur nur radikal genug, so müßten die Akten der Vergangenheit sich schließen lassen zugunsten einer Neustiftung gemeinsamer Praxis.

Die Verwerfung des Ethos bedürfte nicht einmal klarer Vorstellungen über die gute oder schlechte Einrichtung von Gesellschaft an sich. Die *Positivität* des Bestehenden allein reichte aus, um das Weiterbestehen des früher einmal Gesetzten unbegründet erscheinen zu lassen. Im Namen der Autonomie einer jeden Gesellschaft, die mit sich machen darf, was sie will, wäre das Tradierte durch neue Setzungen abzulösen. Bis zu einem gewissen Grade enthält jeder Generationswechsel mehr oder weniger verkappt solche Züge. Wenn die neuen Lebensformen darüber hinaus aber das Bild einer wahrhaft guten Gesellschaft entwerfen, würden sie mit dem Anspruch auf *Endgültigkeit* auftreten können. Die Abschaffung des schlechten Bestehenden zugunsten nicht nur des Neuen und Anderen, sondern des dem Menschen eigentlich angemessenen Lebens ist immer im Recht. Jeder Wohlmeinende wird sich einer derartigen Bewegung zur gesellschaftlichen Umgestaltung in Richtung auf das absehbare Ende des indifferenten historischen

Wandels anschließen. Diese verbreiteten Überzeugungen sind nicht von der Hand zu weisen, und sie nähren den Zweifel an jeder Art von Vernünftigkeit des vorhandenen Ethos.

In der Tat erklärt das chronologische Argument allein keineswegs die Existenz des Ethos, denn der äußere Zeitverlauf enthält niemals legitimierende Gründe. Vielerlei hat zu jedem beliebigen Zeitpunkt bereits stattgefunden und nimmt somit den Rang des Früheren ein, ohne daß daraus sein Weiterexistieren im Sinne der gesellschaftlich prägenden Kraft des Ethos oder der praktisch bestätigten Geltung von Normen folgt. Die toten Reste der Vergangenheit werden eine Zeitlang mitgeschleppt, bis sie als störende Fremdkörper empfunden und konsequentermaßen abgestreift werden. Das ist nicht der Fall des Ethos, wenn damit *Lebensformen* statt verkrusteter Relikte gemeint sind. Was hält indes die Lebensformen am Leben? Wieso reichen Institutionen über Zeitabstände hinweg? Offenbar genügt zur Begründung nicht der Verweis auf ihre Herkunft. Die bewußte Bemühung um Vergangenheitspflege ist längst ein Indiz des Verfalls: gewöhnlich beginnt man, die Denkmäler, aus denen das Leben gewichen ist, zu schützen, wo es an der Blüte aktueller Lebensformen mangelt.

Die Lebensformen des Ethos erhalten sich selber, indem sie vergessen lassen, daß ihre Entstehung das Mal der Vergangenheit trägt. Die Herkunft aus früheren Epochen erscheint bedeutungslos, weil und solange der *Zweck* der Institutionen noch erfüllt wird. Der Zweck besteht in der Ermöglichung eines kollektiven Handelns, das ohne die Institutionen nicht vollziehbar wäre, an dessen erfolgreichem Vollzug aber ein dauerhaftes und verbreitetes Interesse besteht. Hört das Interesse an diesen Handlungsvollzügen auf oder läßt es sich anders befriedigen, entleeren sich sukzessive auch die Institutionen, bis sie als unverständliche Überbleibsel auffallen. Soweit die Institutionen aber nicht in historische Distanz entrückt sind, dienen sie dem Zweck der Einräumung einer Realisierungschance für intersubjektives Handeln, das ein solches Niveau der Verwicklung erreicht, daß kein Einzelner es zu lenken oder zu installieren vermag. Überall dort, wo der Einzelne sein Handeln mit Intersubjektivität verbindet, kommen Institutionen seinen Zielsetzungen entgegen: *ihr Zweck wird sein Zweck.*

Das Verhältnis läßt sich nicht derart umkehren, daß Institutionen von individuellen Zwecksetzungen her erläutert werden; denn der Existenzgrund von Institutionen liegt in der prinzipiellen Überforderung des Einzelakteurs. Seine Unfähigkeit, aus der Vielzahl isolierter und divergenter Vollzüge eigenhändig eine einheitliche und gemeinsame Praxis zu bündeln, wird von geeigneten Institutionen kompensiert. Praktische Intersubjektivität verlangt ursprünglich nach Formen kontinuierlichen Vollzugs in all den Bereichen, die der freien Maximenanleitung durch Einzelne entzogen sind. Es ist also die Intersubjektivität von *Handlungsvollzügen*, die Institutionen nötig macht, und nicht eine abstrakte Intersubjektivität überhaupt. Das Überschreiten des vereinzelten Subjekts zum Prinzip des Intersubjektiven hin kann sich als wechselseitige Einräumung von Selbständigkeit, als solidarisches Gefühl der Gemeinschaft, als kontraktuelle Rechtsbegründung im Gesellschaftsvertrag usw. niederschlagen. Daraus entstehen aber unmittelbar noch keine Handlungen; höchstens lassen sich Richtlinien zur Beurteilung von Handlungen entwickeln.

Institutionen dienen hingegen dem Zweck der *Eindämmung von Kontingenz* durch Etablierung bestimmter regelmäßiger Verlaufsformen, auf die das Handeln normativ festgelegt ist, und auf die man sich daher kollektiv verlassen kann. Institutionen, die einer Gesellschaft diesen Dienst tun, verhelfen dem Prinzip der Intersubjektivität zur praktischen Ausformung. Solange Intersubjektivität konkrete Strukturen aufbauen muß, werden Institutionen gebraucht und bejaht. Versagen sie den Dienst, sinkt alsbald ihre Glaubwürdigkeit. Sie machen neuen, modifizierten oder verbesserten Institutionen Platz, sofern nicht Mittel und Wege gefunden sind, die fraglichen Probleme der Abwicklung einer gemeinsamen Praxis unter Verzicht auf jegliche Institution zu lösen. *Das Existenzrecht und die Lebensfähigkeit von Institutionen hängen also an einer Leistung dauerhafter Regelung gemeinsamer Praxis,* wovon unter historischen Bedingungen nie ganz abzusehen ist. Die Vorgängigkeit des Ethos, in dem alle tragfähigen Institutionen sich zur Einheit zusammenschließen, hat diese entscheidenden sachlichen Gründe auf ihrer Seite.

Wenn das Ethos kollektives Handeln erst ermöglicht, kann es selber durch kollektives Handeln nicht errichtet werden. Die gemeinsame Anstrengung zum Aufbau eines neuen oder des endlich richtigen Ethos setzte voraus, was sie zu schaffen gedenkt. Dieser *Zirkel* entspringt nicht eitler Spitzfindigkeit, sondern führt mitten ins Zentrum des Dilemmas. Was kollektivem Handeln entstammt, setzt die Möglichkeit zu kollektivem Handeln voraus. Ohne Widerspruch läßt sich das nicht delegieren an die Weisen, die Führer der Massen, die kritischen Intellektuellen, die Funktionäre oder die wissenschaftlichen Lenker, die Einzelne sind und bleiben, auch wenn sie namens der gemeinsamen Zukunft, der allgemeinen Befreiung oder der Menschheit im Ganzen sprechen. Was immer sie wissen und anweisen, hätten andere auszuführen, die eben deshalb durch einen Mangel an Wissen oder Weisungsbefugnis gekennzeichnet sind.

Unbesehen der Richtigkeit oder Falschheit der Programme genügt das Wissen und die daraus fließende Anweisung nicht, eine kollektive Praxis zu *erzeugen*, die erklärtermaßen noch *nicht existiert*. Ohne Rückgriff auf institutionelle Formen, die den Führern und Funktionären, den Intellektuellen und Wissenschaftlern ihre Sonderstellung garantieren, fänden die geäußerten Vorschläge kein Gehör. Der Aufruf zu radikaler Neugestaltung von Gesellschaft kann nur innerhalb der existierenden Gesellschaft laut werden, indem er an die vorhandenen Institutionen anknüpft. Noch die äußerste Fiktion des Gesellschaftsvertrags als Ursprung des Eintritts in institutionell verfaßte Sozialität überhaupt beweist mit dem zugrundegelegten privatrechtlichen Vertragsmodell, daß keine Gesellschaft sich ohne Institutionen wie Münchhausen aus dem Sumpf eines vermeintlichen Naturzustands ziehen kann.

Ist davon wenigstens der Versuch ausgenommen, das vorhandene Ethos als ganzes zu *thematisieren*, wenn schon die Hoffnung auf eine wirkliche Neugestaltung trügt? Besteht die Möglichkeit, sich zum Ethos zu verhalten, ohne insgeheim wieder ein Opfer des Ethos zu werden? Die Erfahrungen der Traditionsschübe im vollkommenen Wegrücken der herrschenden Ordnung lehren doch, daß man sich vom Übergewicht der Vergangenheit freimachen kann. Man muß vielleicht nur die Schlußfolgerung vermeiden, aus solcher Freiheit könnte eine neue Ordnung von vergleichbarer Stabilität wie die eingelebte Sitte entstehen, um unwidersprochen die Forderung zu erheben, die eingestandene Vorgängigkeit des Ethos dürfe nicht in der bedingungslosen Dominanz des einmal errichteten Zustands enden.

Eine Freisetzung von der Hypothek des Ethos ist allerdings möglich um den Preis der *Auflösung seiner handlungsstützenden Funktion*. Man kann reflektierend stets aus dem gegebenen Lebenszusammenhang ausscheren, ihn zum Gegenstand der Untersuchung machen und kritisch bewerten. Die Thematisierung des Ethos unterbricht den praktischen Kontakt mit ihm, die konstituierende Rolle für konkrete Intersubjektivität setzt aus und der auf das Ethos angewiesene Akteur wird durch den Theoretiker abgelöst. Der Theoretiker muß jedenfalls für die Phase seiner einsamen Erwägungen auf kollektive Praxisanbahnung verzichten; denn wer sich zum Ethos wie zu einem objektiven Thema verhält, stellt sich ihm in Unabhängigkeit gegenüber. Die normativen Verbindlichkeiten gelten nicht länger für die eigene Praxis, sondern werden ausgesetzt und einer analytischen Optik unterworfen. Eine solche Haltung kann allerdings nicht kostenlos von jedem und zu jeder Zeit eingenommen werden. Das *Risiko* des freien Reflektierens sollte nur eingehen, wer sich keinen Illusionen hingibt über den Effekt einer methodischen Distanznahme zum Ethos. Wenn die Gebrochenheit gegenüber den geltenden Formen des gesellschaftlichen Lebens einmal zur Gewohnheit wird, nimmt die ursprüngliche Zugehörigkeit des Theoretikers zu dem Ethos, das sein Thema ist, problematische Züge an. Die Umwelt des intakten Ethos spürt diese Irritation, die sie mit der Zuweisung der Außenseiterrolle an den beteiligt-unbeteiligten Betrachter quittiert. Das reicht vom heroischen Vorbild des Sokrates-Schicksals bis zur Karikatur weltfremder Schreibtischexistenz.

Fataler noch als die schwer schließbare Kluft zwischen Ethos und Reflexionsstandpunkt ist der unvermittelte Sprung aus der Ruhe des Reflektierens in das Getümmel der aktuellen Geschehnisse. Die Negation des Ethos bleibt der Theorie vorbehalten und eignet sich nicht als Pauschalrezept für die Praxis. Der freischwebende Denker hat sich vor dem Irrglauben zu hüten, seine Erkenntnis gelange dann endlich zu unverkürzter Anwendung, wenn der Umweg über den vom Ethos geforderten Tribut an das Gängige erspart würde. Die sophistischen Aufklärer der Antike bewegten sich erfolgreich auf den Märkten der großgriechischen Welt, um ihre Erziehung öffentlich zu machen. Die französischen Intellektuellen des 18. Jahrhunderts fügten sich geschmeidig in die Sphäre der Salons ein, wo sie ihre Ideen unter die Leute brachten. Erst bei der Umsetzung hegelscher Philosophie in politische Taten ist jene leere *Antithese von Theorie und Praxis* zum Zuge gekommen, in deren Rahmen der Purismus einer strikt gegen Praxis artikulierten Theorie zur Veränderung der Verhältnisse führen soll. Unter den Junghegelianern wird die Karriere typisch, wo der Renegat, der Amtsenthobene, der Exilierte, kurz, wer aus ehrenwerten Motiven oder unglücklichen Erlebnissen mit der bestehenden Gesellschaft gebrochen hatte, zum Sprachrohr ihrer Therapie werden sollte. Das Credo der auf Weltverbesserung sinnenden Spekulanten lautete, daß die wahre Einsicht in Gesellschaft und Geschichte nur besitze, wer sich rückhaltlos außerhalb aller Konventionen stelle. Diese Haltung des Theoretikers bot M. Heß, B. Bauer, A. Ruge und anderen den entscheidenden Fingerzeig für die Herbeiführung einer künftigen Gesellschaft, die mit der Abkehr vom existierenden Weltzustand in der Reflexion sich schlagartig ergeben müsse.

Der endgültige Appell, mit allem Überlieferten Schluß zu machen, führt freilich das erwünschte Ergebnis nicht herbei, weil die theoretische Distanznahme zu den praktischen Verhältnissen stets noch in deren Bann verbleibt und keine neuen sozialen Kräfte freisetzt. *Marx*, der ehemalige Mitstreiter des politisch engagierten Junghegelianismus, hatte die Paradoxie einer unvermittelt auf Praxis ausgreifenden Reflexion klar erkannt und den Ansprüchen der ebenso von Praxis unberührten wie zur Praxis unfähigen Reflexion spöttisch den Status einer »Heiligen Familie« zugesprochen. Heilige Familien gab es seit dem 19. Jahrhundert dank der steigenden Erwartung einer theoretischen Steuerbarkeit geschichtlicher Verläufe immer wieder. Sie alle bestätigen die Verlockung, aus der distanzierten Stellungnahme der Reflexion zum Ethos auf dasselbe so wieder einzuwirken, daß die normativ stabilisierte Regelung kollektiver Praxis sich dem theoretischen Muster anpaßt. Die Praxis soll werden wie die Theorie oder das Ethos soll unter der Schärfe des Begriffs seinen substantiellen Widerstand aufgeben, um einer Institutionalisierung des kritischen Verhaltens Platz zu machen. Nun braucht Kritik aber den Gegenpol, ohne den sie ins Leere liefe. Die Abschaffung des Ethos beraubt sie daher der unerläßlichen Voraussetzung für ihre Wirkung. Die Verfestigung der *Kritik* zu einer *Lebensform* sui generis vermag den Verlust nicht zu ersetzen, denn eine gegen sich selber gerichtete Kritik müßte sich auf Dauer ins Nichts auflösen.

Das Ethos verliert, einmal zum Gegenstand der Theorie erklärt, automatisch seine praktische Wirksamkeit, und die ist mit den vollendeten Mitteln der Theorie allein nicht zu erneuern. Daraus folgt jedoch mitnichten als einziger Ausweg, unter Preisgabe aller rationalen Maßstäbe das Bestehende zu akzeptieren und der Tragfähigkeit des Ethos blind die eigenen Geschicke zu überantworten. Der Gegensatz zwischen stummer Unterwerfung und kritischer Reflexion als ausschließlicher Alternative ist künstlich aufgerichtet. Deshalb ist auch die an der Einstellung verselbständigter Kritik ihrerseits anzumeldende Kritik nicht durch den simplen Ideologievorwurf zum Schweigen zu bringen. Vielmehr besteht alle Aussicht, daß eine *praktische Vernunft* im Unterschied zur theoretischen ohne Verletzung der realen Praxisbedeutung des Ethos die in historischen Gesellschaftsformen angebotenen Institutionen auf Rationalität zu prüfen imstande ist. Mit den Prüfungsmöglichkeiten praktischer Vernunft kehren wir zu der eingangs erörterten Frage der Normenrationalität zurück.

Wie erinnerlich waren *Normen* die Kerne, um die herum sich Lebensformen im Sinne selbstverständlich gewordener Praxisanleitung bilden. Üblicherweise geschieht die Befolgung nicht aus einer eigens gewonnenen Einsicht in den Sinn der Normierung, sondern kraft Automatismus. Wenn Befolgung Gewohnheit ist, so sind zwar die Bedingungen wirklicher Normgeltung erfüllt, die Frage nach dem *Warum* ist aber durch das aufweisbare Faktum nicht erledigt. Die Frage erhebt sich immer dort, wo man den Sinn von Normen einzusehen sucht, statt im Vertrauen auf sie zu agieren. Nun findet zunächst der Akteur die Norm vor, der er sich anpassen wird, wenn er sie nutzen will. Er profitiert dann von der Kontingenzeindämmung, ohne darin den objektiven *Rationalitätsbeitrag* für gemeinsame Praxis abzuwägen. An diesem Beitrag zur rationalen Lösung praktischer Probleme sind Normen in Wahrheit zu messen. Wie soll das aber gehen, wenn nach allem Gesagten der Handelnde nicht fragt und der Fragende nicht handelt?

Die Prüfung wird zusätzlich erschwert, insofern die Rationalität nur dasjenige Stück gemeinsamer Praxis betrifft, das von der Norm eindeutig festgelegt ist. Die übrige Praxis, die den weitaus größeren Bereich ausmacht, wird entweder der subjektiven Maximenbildung überlassen oder erliegt haltlos der Kontingenz der Verläufe. Bezieht man Rationalität nunmehr auf eine Vielzahl von Normen und entsprechenden Lebensformen, so stellt sie ein Stückwerk dar, das der schlüssigen *Rekonstruktion im Ganzen* noch harrt. Teile der überhaupt in Frage kommenden intersubjek-

tiven Praxis erscheinen geregelt, die Teile verweisen in gewisser
Hinsicht sogar aufeinander, wenn man sie als Teile einer Gesamtpraxis deutet. Das vollständige Muster ergibt sich aber nicht aus
der Betrachtung der Teile, weil deren Rationalität einer erkennbaren Relation zwischen der Norm oder einer Gruppe von Normen
und der dadurch geregelten Praxis entspringt. Dieses Schema läßt
sich nicht ohne weiteres auf die gesamte Praxis übertragen, weil es
dann *eine* Obernorm geben müßte, die eine allumfassende Relation auf *die* Praxis herstellte.

Die Diskussion um Kelsens »Grundnorm« hatte gezeigt, daß ein
solcher Einheitspol in Relation auf die Gesamtheit aller normierten Praxis sich entleert zum bloßen Ausdruck der Lückenlosigkeit
der vorgesehenen Regelung. Die Grundnorm ist keine Norm wie
andere mehr, sondern logische Prämisse der Totalität des Geltens,
die ohne jeden Rest alles Handeln erfaßt. Die Rationalität, die in
der Relation einer bestimmten Norm oder eines Normkomplexes
zu der relevanten Praxis besteht, ist deshalb nicht auf das Ganze
übertragbar, weil in der notwendigen Aufblähung zur Grundnorm die Spezifität einer auf bestimmte Praxis bezogenen Norm
ebenso verschwindet wie die Aussonderung des normierten Handelns aus der Breite nicht normierter Praxis. Das konkrete Handeln muß durch Normen unterstützt, aber nicht ersetzt werden.
Die Stabilisierung gewisser Bereiche des intersubjektiven Handelns muß andere Bereiche frei lassen. Die *Partikularität* der im
Licht einer Norm definierten Rationalität besteht in der unauf-
gebbaren Voraussetzung jener besonderen Praxis, die die Norm
zu regeln hat. Auf die Gänze eines Normenzusammenhangs projiziert, verliert die in der Relation zur Praxis verankerte Rationalität nicht etwa alles Partikulare, sondern vielmehr ihren wesentlichen Praxisbezug. Partikulare Normenrationalität läßt sich also
nicht als Kriterium auch jener Rationalität deuten, die im Verbund aller Normen waltet.

Dafür liegt der Schlüssel bei den *betroffenen Akteuren*, die unter
der Normvorgabe im Rahmen des bestehenden Ethos handeln. Sie
wissen am besten zu sagen, ob ihre gemeinsame Praxis alles in
allem genommen normativ gestärkt oder überdirigiert wird. Wer
sonst sollte denn entscheiden, ob das Ethos in der vorfindlichen
Gestalt angemessen ist, indem es Raum für praktische Äußerung
von Subjektivität schafft oder beschneidet? Das fällt einem externen Beobachter weniger auf, den ein glänzendes Gebäude der

Vernunft blenden mag, das an der praktischen Aufgabe gleichwohl scheitert. Die Hypertrophie der Verrechtlichung und die Dominanz eines systemfunktionalen Selbstzwecks spüren zuvörderst diejenigen, die unter Normen handeln, welche sich mit ihrer Praxis nur schwer oder überhaupt nicht vermitteln lassen.

Zwei Probleme stehen hier im Weg. Einmal darf Rationalitätsprüfung nicht *Geltungssuspension* zur Folge haben; denn die Norm an sich kann nicht abhängig sein von der Tatsache, daß jemand die Rationalität, die in ihrer Existenz liegt, begreift oder nicht. Die Legitimation der Norm war darin zu sehen, daß die Möglichkeit eines Praxisvollzugs gegeben ist, die kein Einzelner stiften kann, an der aber jeder einschlägig Handelnde grundsätzlich interessiert sein muß. Also kann die Prüfung der Rationalität nur darauf zielen, diese Relation faßlich zu machen, ohne dabei die Rolle der Norm zum Verschwinden zu bringen. Wenn Einsicht in den Sinn der Norm auf Kosten der Norm geht, ist der Sinn nicht erfaßt, was auch immer man im übrigen begriffen haben mag. Die Rationalitätsprüfung muß die Norm in ihrer Geltung intakt lassen. Was hätte schließlich der Prüfer, dessen Prüfung die Geltung aufs Spiel setzt, noch für einen Grund, der geprüften und für rational befundenen Norm seinerseits zu folgen?

Das zweite Problem hängt damit zusammen. Es ist nämlich unklar, nach welchen *Maßstäben* die Prüfung vor sich gehen sollte, auch wenn die geschilderte Widersprüchlichkeit zwischen Rationalitätsprüfung und Geltungssuspension vermeidbar wäre. Der Prüfende hat auf Praxis und deren Ermöglichung bei Kontingenzgefahr zu achten. Insoweit muß er von sich als normunterworfenem Akteur ausgehen, um überhaupt die Rationalität in der richtigen Dimension zu sehen. Als Handelnder erfährt er aber in seiner normbedürftigen Praxis die größte Förderung, wenn er sich den Anweisungen ohne Wenn und Aber fügt. Woran ist eine Rationalität noch zu messen, die in einer Wirksamkeit beruht, welche man tunlich gar nicht antastet?

Die beiden Probleme lassen sich lösen, wenn der Handelnde, statt bei der Prüfung die Praxis auszusetzen und also mit seiner Rationalitätssuche den Gegenstand zu verlieren oder auf Maßstäbe ganz zu verzichten, um nicht an die intakte Norm zu rühren, ganz anders verfährt. *Er hätte sich zu fragen, ob die Norm, deren Rationalität zur Debatte steht, unmittelbar in die Maxime seines Handelns übersetzbar wäre.* Die Übersetzung einer Norm in die Maxime läßt die Geltung unberührt, insofern nun die ursprünglich gesetzte Regelung wie eine subjektiv entworfene erscheint. Die Rückführung von der intersubjektiven zur subjektiven Ebene kostet die strenge Verbindlichkeit, garantiert aber eine ungeschmälerte Handlungsanleitung. Die Frage lautet nicht, ob der Handelnde im Schritt über seine Maximen hinaus sich die historisch gegebene, also früher von anderer Seite erlassene Norm im Prinzip auch selbst hätte setzen können. Die Richtung der Frage ist umzukehren, weil eine Stilisierung des Handelnden zum Gesetzgeber den Rückgriff auf Kompetenzen unvermeidlich macht, die in der Handlungsrolle gar nicht liegen.

Also beläßt die vorgeschlagene Übersetzung der Norm in die Maxime dem Akteur seine Stelle in der Welt, damit er prüfe, ob das, was nicht selbstgesetzt, sondern im Ethos vorgefunden wurde, grundsätzlich auch zur eigenverantworteten Richtschnur realer Praxis taugt. Anders gesagt, übernimmt der Handelnde probeweise *mit vollem Bewußtsein* eine Norm, der er *faktisch* längst unterworfen ist. Es geht ihm darum, die Rationalität, die wegen der historischen Vorgängigkeit des Ethos nicht seine Leistung hatte sein können, im Nachhinein sich anzueignen. Normen, die derart in Maximen übersetzbar sind, behalten ihre Bedeutung als Norm, gerade indem sie sich einfügen in den Maximenhaushalt einer subjektiven Handlungsorientierung. Der Handelnde löst nicht in subjektives Belieben auf, was objektive Geltung besaß. Er fragt sich allerdings, ob die normativ erlassene Anweisung mit seinem selbstgeschaffenen Praxisverständnis überhaupt zusammenstimmt. Dazu muß die Norm sich eignen, wenn sie nicht eine auf ewig fremde Forderung darstellt, mit der höhere Mächte rücksichtslos gegen die freie Handlungsorientierung von Subjekten sich Respekt verschaffen.

Der *Normsinn* sollte den Betroffenen erfahrbar bleiben, damit die intersubjektiv verfügte Regelung ihren Anspruch auf Rationalität auch einlöst. Offensichtlich liegt diese Rationalität jenseits der Klugheit des Einzelnen – was Normen sind, bleibt weiterhin der Entscheidung von Individuen entzogen. Trotzdem ist die Rationalität einem nachfolgenden Verständnis zugänglich. Das Hindernis lag nämlich nicht in jener unglücklichen chronologischen Verspätung, die historische Subjekte gegenüber dem Ethos kennzeichnet, sondern in der permanenten Unfähigkeit jedes Einzelnen zur autoritativen Normsetzung. Nicht daß versäumt wurde, die Normadressaten zu fragen, obwohl sie an sich entscheidungsbefugt sind, macht die Geschichtlichkeit von Normen aus, sondern daß weder der Einzelne noch alle Einzelnen gemeinsam jemals in der Lage sein werden, die Lebensformen zu installieren, welche sie in kollektiver Praxis bereits voraussetzen. Wenn nun die in der normativen Praxisermöglichung gelegene Rationalität sich mit den Klugheitsregeln eines praktischen Selbstverständnisses vermitteln läßt, kann noch in historischer Distanz Zustimmung eingeholt werden.

Betrachten wir Beispiele! In dem meisten Wirtschaftsordnungen ist der Kaufmann zur Seriosität gegenüber seinen Kunden verpflichtet. Ob das dem Einzelsubjekt nun paßt oder nicht, – der Anwärter auf den Kaufmannsstand hat sich damit zu arrangieren. Verstößt er gegen die Norm, drohen ihm Sanktionen von der Rufschädigung bis zum Kundenboykott oder einer Geldbuße. Unterwirft er sich zähneknirschend der Forderung, statt den Beruf zu wechseln, so wird er im einmal gewählten Gewerbe unglücklich werden. Es liegt nahe, die Schuld dafür den Verhältnissen anzulasten, denn deren Anonymität läßt sich leicht anklagen, und in der Anklage setzt sich die unglückliche Lebenseinstellung unversehens ins Recht. Vernünftig wäre es jedoch, die Norm in eine Maxime zu übersetzen, d. h. einzusehen, was man soll, um die eigene Handlungsanleitung in Übereinstimmung zu bringen mit den Verhältnissen, unter denen man tätig ist. – Ähnlich wird von einem akademischen Lehrer gemäß Beamtenrecht und öffentlicher Meinung ein qualifizierter Unterricht erwartet. Der Lehrer kann lehren und diese Erwartung gleichwohl als beschwerliche Zumutung empfinden. Er kann sich auch die Maxime zu eigen machen, möglichst guten Unterricht zu halten, und wird dann plötzlich aus seinem professionellen Tun Befriedigung ziehen.

Dagegen ist der Einwand wohlfeil, daß durch Internalisierung von Normen auf stillschweigende Weise Freiheit unterdrückt werde, weil Marktordnung und Wissenschaftsbetrieb nur für dressierte Individuen Verwendung hätten. Pauschale Freiheitsansprüche lassen sich gegen Institutionen immer anmelden, sofern man nicht sieht, daß Intersubjektivität Normativität impliziert. Ein drittes Beispiel aus einer privateren Sphäre möge das verdeutlichen. Ehepartner sind aus gutem Grund zur Treue verpflichtet, weil über die lästige Konvention hinaus der Zusammenhalt eines Lebens zu zweit auf dem Spiele steht. Wen das stört, der bleibe unverheiratet. Die Ehe jedenfalls wird glücklicher werden, wenn die Partner die geschworene Treue als eigene Handlungsregel für sich akzeptieren, statt ein leidvolles Joch zu tragen, bis der Tod sie scheidet. Ungebundenheit und Gemeinsamkeit kann niemand ohne inneren Widerspruch gleichzeitig wollen.

Damit ist dem ersten der genannten Bedenken Rechnung getragen: die Praxisbedeutung der Norm geht im Zuge der Rationalitätsprüfung nicht verloren, so daß die mögliche Vernünftigkeit der Norm auch wirklich von praktischen Vollzügen her bewertet wird. Das andere Bedenken ist aber nicht so leicht auszuräumen. Welches sind denn die *Maßstäbe,* denen eine Prüfung genügt, die dem praktischen Sinn von Normen gerecht werden will? Ist der Prüfende irgend in der Lage, ein Urteil zu fällen, wenn er allein für sich die fragliche Norm nie hätte setzen können? Muß er nicht der Suggestion erliegen, Normierung repräsentiere an sich bereits eine höhere Vernunft, die er rückhaltlos anerkennen möge, da er sich mit ihr doch nie wird messen können? Unter dieser Voraussetzung wäre die Rationalitätsprüfung in der Tat überflüssig, weil das Resultat bereits vorher feststeht: alle Normen erschienen im Vergleich mit der Inkompetenz des Prüfers apriori berechtigt.

Zunächst ist die abstrakte *Gegenüberstellung* aufzugeben, in der ein Handelnder, der vielfachen Normen unterworfen ist, die seine Praxis steuern, sich aus dieser Bindung löst, um plötzlich der erdrückenden Übermacht normativer Verpflichtungen gegenüber seine Vereinzelung zu empfinden. In dieser abgedrängten Position klingt der Ruf nach Maßstäben in der Tat verzweifelt. Da die Normenrationalität sich, wenn überhaupt, im Vollzug der Praxis zeigt, muß der Zustand intakter Geltung des komplexen Normengefüges wiederhergestellt werden, in dem wir uns zum Nutzen oder zum Schaden unserer Praxis bewegen. Trotzdem darf dies nicht die Frage nach der Rationalität überflüssig machen, so als verstummte jeder Zweifel im blinden Eifer normkonformen Verhaltens. Die Wiederherstellung der Geschlossenheit wirklicher Handlungsvollzüge hat allein den Zweck, die Beurteilung an der richtigen Stelle anzusetzen.

Das ist deshalb wichtig, weil die Prüfung vermeiden muß, den Blickwinkel unbemerkt auf *Einzelnormen* einzuschränken. Wenn

Normen je für sich genommen nur partikulare Rationalitätsbeiträge darstellen, kann deren Partikularität nicht vom Partikularen aus bestimmbar werden. Die Rationalität der Normen läßt sich erst in einem Zusammenhang angemessen beurteilen, zu dem jede einzelne Norm beiträgt, ohne daß sie selber noch zu definieren vermöchte, worin ihr Beitrag als Teil eines Ganzen besteht. Die Einzelnormen werden zur Praxisbeförderung durch Kontingenzeindämmung eingeführt und nicht zur Verbreitung von Rationalität. Rational heißen sie, weil kraft ihrer regelnden Leistung innerhalb des verwickelten Geflechts kollektiver Praxis die Identität handelnder Subjekte geschaffen und ausgebildet werden kann. Im Durchlauf durch differente Normen, die jeweils ihre spezifische Aufgabe erfüllen, stellt sich der Zusammenhang her, der praktischen Subjekten Entfaltungsraum bietet. Hier liegen die Maßstäbe der Rationalitätsprüfung.

Demnach gibt der *Handelnde* den eigentlichen Bezugspunkt ab. Auf seine Fähigkeit zum Überwinden des Partikularen oder zum Verhindern künstlicher Normenisolation muß jegliche Prüfung gründen. Die Teile zum Ganzen zusammenzufügen setzt nämlich voraus, daß die praxisbefördernde Leistung aller Einzelnormen wahrgenommen wird und zugleich integriert werden kann in den unverstellten Fluß des Handelns und Weiterhandelns auf allen Ebenen. Die Verknüpfung der Normen zu einem Zusammenhang, den sie zwar konstituieren, aber nicht intendieren, kann nicht auf der geraden Linie einer ins Allgemeine verlängerten Normenfunktion geschehen. Der Umweg über die Praxis dessen, dem die vielfältige Kontingenzeindämmung aller relevanten Normen insgesamt nützt, ist nötig, weil die so ermöglichte Handlungseinheit mehr und anderes ist als das simple Resultat normativ gesicherter Abwehr von Gefährdung.

Die Durchführung einheitlicher Praxis, mit der handelnde Subjekte ihre Identität stiften und aktiv bewähren, wird von Seiten des institutionellen Rahmens höchstens abgestützt; denn die Kontingenz, zu deren Eindämmung Normen vorgesehen sind, muß erst einmal eintreten. Sie tritt nur ein, wo gehandelt wird, so daß eine wünschenswerte Dämpfung ihrer beeinträchtigenden Wirkung auch nur im Gefolge praktischer Vollzüge zum Problem wird. Vom Standpunkt einheitlichen Tuns erscheinen die normativen Leistungen, die es ermöglichen, als aufeinander beziehbare Beiträge zu einer Rationalität, die nicht Grundmuster der Normsetzung gewesen ist, aber den wahren Prüfstein ihrer Beurteilung abgibt. Die Pluralität existierender Normen, die sich *gleichsam zu einer absichtsvollen Logik* fügen, kommt dem Handelnden als die Einheit der sittlichen Welt entgegen. Sie korrespondiert seinen praktischen Interessen, ohne daß dafür eine verantwortliche Autorschaft identifizierbar wäre. In Gestalt solcher Korrespondenz gewährt Geschichte dem Handelnden einen Sukkurs, den sie ihm wiederum dort versagt, wo die Entfremdung überwiegt.

Konzentriert man die Rationalitätsprüfung von vornherein auf Einzelnormen, so geht damit notwendig die Auflösung des Zusammenhangs einher. Der Blick wendet sich von der praktischen Funktion ab und richtet sich auf *formale* Charaktere der jeweiligen Norm. Die restlose Verallgemeinerbarkeit, die definitive Konsensfähigkeit, die Würdigung des Prinzips der Intersubjektivität stehen nun im Vordergrund. Die Formalität taucht auf, wo man nach Mitteln sucht, außer Kraft geratene oder ausdrücklich bestrittene Normen wieder akzeptabel zu machen. So betrachtet ist sie ein Indiz für das Zerbrechen des Lebenszusammenhangs. Fraglich gewordene Normen werden selegiert, um das Bedürfnis nach Beseitigung etwa ausbrechender Konflikte zu befriedigen. Dabei ist Formalität der Nenner, auf den man sich am ehesten einigt.

Konfliktbeseitigung stellt einen punktuellen *Sonderfall* kollektiver Handlungsermöglichung dar, der sich auf der Grundlage gewohnter Abläufe erhebt. Nachdem die ungestörte Fortsetzung unseres Soziallebens unmöglich wird, gilt eine spezielle Aufmerksamkeit den Störfaktoren. Man entwickelt Prozeduren zur fallweisen Reparatur am normativen Gewebe, das unsere Interaktion trägt, die sich nicht ohne weiteres auch zum Modell für die institutionelle Knüpfung dieses Gewebes eignen. Den Notfall als solchen zu erkennen und auf seine Behebung zu dringen, zwingt vielmehr dazu, eine ursprünglichere Erfahrung von Normfunktion zu aktivieren. Der Formalismus ist nicht das Primäre, sondern das Sekundäre. Normbegründung unter Benutzung rein formaler Gesichtspunkte erzeugt fälschlich den Eindruck unhinterschreitbarer Letztbegründung; denn die normative Wirkung des Formalen muß ihrerseits noch in etwas anderem begründet sein.[14]

Will man die Frage der Normenrationalität im historischen Zusammenhang nicht zu einer Angelegenheit des formal korrekten

Verfahrens der Prüfung oder Wiedereinsetzung erklären, müssen die *Maßstäbe ihren Ort innerhalb der tatsächlich vollzogenen oder vollziehbaren Gesamtpraxis* finden. Die vorgeschlagene Übersetzung der faktisch geltenden Normen in Maximen auf Probe trägt dafür Sorge. Eine solche Übersetzung erlaubt nämlich, den unaufgelösten Zusammenhang differenter Normen im Focus der von ihnen gemeinsam avisierten Handelnden zu spiegeln und zugleich die Tauglichkeit aller Normen für die Stützung kohärenter Praxis zur Debatte zu stellen. Die Vereinbarkeit vielfältiger Anweisungen auf unterschiedlichen Ebenen wird daraufhin geprüft, ob alles Verlangte auch wirklich in jener Praxis konvergiert, die normativ ermöglicht werden soll.

Die Gesichtspunkte, die der Einzelne wählen muß, um die fragliche Gesamtpraxis überhaupt in den Blick zu bekommen, können freilich kaum identisch sein mit den Einstellungen, in denen er sich fallweise vorfindet. Eine Rationalitätsprüfung durch Übersetzung von Normen in Maximen soll keineswegs der verbreiteten Neigung Vorschub leisten, das Selbstverständliche stets auch für das Legitime zu halten. Zwar ist es ganz natürlich, die jeweilige Ausgangsposition für die endgültig wahre zu halten, aber wer die einfache Sicherheit der Mühe des Relativierens vorzieht, kann apriori nicht erwarten, daß er als Erzieher die relevante Gesamtpraxis überschaut, in der alle miteinander Beziehungen eingehen. Hierzu ist die Entwicklung passender Gesichtspunkte nötig, die dem früher skizzierten Bildungsvorgang entstammen, worin die unvermeidliche Einseitigkeit konkreter Handlungslagen korrigiert wird. Dabei zeigt sich, daß die *Erarbeitung der Gesichtspunkte und die Einfügung ins Sozialleben* weitgehend parallel verlaufen.

Die Relativierung fixer Ausgangspositionen ist nämlich weniger eine Folge des guten Willens als der Begegnung mit unerwarteten Normanforderungen und dadurch neu eröffnetem Handeln. Allmählich lernt das praktische Subjekt einzusehen, daß seine Privatauffassung von Praxis vielleicht das erste, aber nicht das letzte Wort ist. Die Auseinandersetzung mit den auf Anhieb schwer begreiflichen oder unbequemen Forderungen, die in geltenden Normen auf den Einzelnen eindringen, verändert fließend die ohne eigenes Zutun determinierte Lage und bringt den Handelnden schrittweise zu sich selbst. Normativ angesonnene Praxis erweitert die Selbständigkeit mindestens so sehr, wie sie sie nach dem ersten Eindruck zu beschneiden scheint. Ein konsequentes Abschleifen dogmatischer Vormeinungen über die zuträgliche Praxissphäre läßt das jeweilige Subjekt als dasselbe geläutert hervorgehen.

Daß wir kein realitätsfernes Philosophenideal beschwören, erweist die schlichte Selbstbeobachtung. Jedermann, der erwachsen geworden ist, hat als Lernender, als Bürger, als Teilnehmer an Rechtsverhältnissen, als Partner oder Familienvater, als Berufstätiger und Amtsträger, in der Sorge für andere, im Interesse an gedeihlicher Gemeinschaftsexistenz, in der Erfüllung einer jeden die Neigungen übersteigenden Aufgabe teil an sozialen Strukturen, von denen ihm in der Wiege noch nichts gesungen ward. Trotzdem verliert er in all diesen Bereichen bei mannigfachen normativen Verpflichtungen nicht sein Selbst, ja er bewährt sich als Mensch überhaupt erst, indem er sich den steten Horizonterweiterungen gewachsen zeigt. So gewinnt er sukzessive ein Niveau größerer Allgemeinheit, als ihm zunächst beschieden war. Er vermag das, was jeden Handelnden in einer vergleichbaren Position angeht, stellvertretend für andere geltend zu machen. Es bedarf keines Austauschs der Subjekte von Ebene zu Ebene, als ob für jeden Normbereich andere Akteure mit differentem Verständnishorizont zuständig wären. Es bedarf auch keiner Transformation des Handelnden in ein Sprachrohr idealer Prämissen. Das Einzelsubjekt, das sich innerhalb eines Normengefüges ohne Schranken zu bewegen geübt hat, artikuliert von seinem praktischen Selbstverständnis her, was jeder andere ebenso zu beachten hätte, nachdem er seine anders gelagerte Ausgangsposition auf demselben Wege relativiert hat.

Das gebildete Selbstverständnis der Akteure gibt authentisch Auskunft über die Rationalität, die ein vorhandenes Ethos gewährt oder verweigert. Auf dieser Basis kann nämlich abgeschätzt werden, ob das Geltende in seinem jeweiligen Zusammenhang jene Einheit des Lebens, der es dienen soll, widerstandslos zu realisieren gestattet. Die Ausprägungen des Zusammenhangs müssen wegen der strukturellen Konkretion aller Praxis den historischen Gegebenheiten und ihrem Wandel überlassen bleiben. Die *Logik des Zusammenhangs als eines solchen ist jedoch kein Produkt der Umstände,* sondern in jeglicher historischen Formation gleichermaßen aufzusuchen. Der Grund dafür liegt in der Natur der Praxis, die überhistorisch, aber nicht ahistorisch ist, weil Praxis sich in sämtlichen Geschichtsperioden realisiert, ohne der Verankerung in einer separaten Anthropologie zu bedürfen. Gerade als konkreter Prozeß will Handeln immer Einheit. Die *ursprüngliche Erwartung aller Praxis, als Einheit eines Lebens vollziehbar zu sein*, wird vom Handeln selber aufgrund seiner eigenen Natur wieder und wieder an die je gegebenen institutionellen Bedingungen gerichtet.

Der stimmige und in seiner Stimmigkeit durchsichtige Zusammenhang der faktischen Normen kann sich schon deshalb nicht in schwankende Phänomene historischer Relativität auflösen, weil keine Geschichtsepoche ihn in makeloser Vollkommenheit präsentiert. Indem Normenrationalität der Prüfung anheimgegeben wird, ist sie gegen Verwechslung mit einer unerschütterlichen Wirklichkeitsbehauptung von vornherein gefeit. Anzunehmen, daß Normen den praxisstützenden Zusammenhang bilden, bedeutet eine *Unterstellung*, die nicht etwa in unserem Wissen von Geschichte gegründet ist, sondern aus der Analyse des Handelns folgerichtig hervorgeht. Das letzte Prinzip liegt im Handlungsbegriff, der zwar auf Kontingenz verweist und deshalb von Geschichte nicht abzutrennen ist, der aber mitnichten als Verschleierung eines uferlosen Relativismus auftritt. Gerade weil die Strukturanalyse historische Veränderung zuläßt, statt sie formalistisch abzuschneiden, ereilt das Unvorhersehbare der Geschichtsprozesse nicht hinterrücks das menschliche Handeln mitsamt seiner Normausstattung.

Die Logik des Zusammenhangs gültiger Normen zu rekonstruieren ist eine Aufgabe, die in der Geschichte Geschichte transzendiert. Weder erschöpft sich die Rekonstruktion im Nachzeichnen der bunten Vielfalt des Ethos, noch im äußerlichen Bemühen um einen generellen Namen für den substanziellen Gestaltwandel. Das Herausarbeiten der Logik entspricht einem Vorstoß zum unhistorischen Grund aller Institutionen. Im Rückgang auf den Handlungsbegriff entsteht das Postulat, allen Normprofilen abzulesen, ob und wieweit Praxisbeförderung durch Kontingenzeindämmung verwirklicht wurde. So verhindert die Rekonstruktion den Wesensverlust des Handelns in der Geschichte.

V. Schluß

Normenrationalität bahnt nicht den Weg zur schlüssigen Aufhellung der Gesamtgeschichte, von der sie ein Teil ist und bleibt. Solange Normen ebenso der ausführenden Praxis bedürfen wie die kontingenzbegleiteten Handlungen der Normen, folgt die institutionelle Praxisregelung Schritt für Schritt den realen Geschichtsprozessen. Noch die vernünftigsten Institutionen ragen darüber zu keiner Zeit hinaus. Einen Fixpunkt epochaler Gliederung oder teleologischer Ausrichtung bilden sie nicht, weil die Ausfüllung der normativ gesicherten Handlungsräume dieselben zugleich umgestaltet. Während das Subjekt sich im Ethos wiederfindet, arbeitet es am weiteren Geschichtsverlauf ungewollt mit. Einer totalen Vernunftherrschaft steht immer entgegen, daß sogar in der sittlichen Welt noch gehandelt wird. Der Zwang zum Handeln bietet nun einmal die einzige Chance, Vorzüge dieser Lebensform auch wirklich zur Geltung zu bringen.

Daß Sittlichkeit nicht der Zauberschlag einer Transformation in einen völlig anderen Zustand ist, verwundert weniger, wenn man begreift, daß in letzter Konsequenz das Handeln durch Institutionalisierung auf sich reagiert. Es entspricht mit seiner regelhaften Selbstfestlegung der eigenen Natur und nicht einer fremd andrängenden Umwelt. In allen normativen Leistungen wendet es sich auf sich zurück, weil Kontingenzeindämmung gerade im Zuge von Handlungskonkretion nötig wird. So beschwört tätiges Handeln erst jene Unsicherheitsfaktoren herauf, denen es mittels Normierung dann antwortet. Obwohl alles Kontingente aus dem Kreis der eigentlichen Intentionen herausfällt, ist das Handeln an dessen Auftreten doch keineswegs unbeteiligt, und an ihm liegt es auch, die unbeabsichtigt ausgelösten Konstellationen in Bahnen zu lenken, wo das Verfolgen der ursprünglichen Intentionen dem totalen Spiel des Schicksals entzogen ist. Normen entstehen auf der Spur ungesteuerter Verwicklung im kollektiven Tun und deshalb bleibt die in ihnen sedimentierte Rationalität gebannt an die wechselnden Umstände.

Vernunft, die über Praxis ins Chaos eingreift, vermag solche Merkmale des Historischen niemals aufzugeben. Das philosophische Leiden an der Unvollkommenheit praktischer Vernunft wäre höchstens durch die Radikalkur einer Abschaffung der Praxis schlechthin zu beheben, aber dabei verlöre die Therapie ihren Sinn; denn ist einmal die Praxis namens der Rationalität von sich selbst emanzipiert, gibt es niemanden mehr, der die überraschende Freiheit zu nutzen wüßte. Wir haben uns also mit derjenigen Rationalität zu bescheiden, die in institutionellen Formen historisch wirksam wird. Hier schließt Praxis sich mit sich selber zusammen und kann das Mehr oder Weniger an Rationalität sowohl abschätzen wie nutzen. In dieser Perspektive erhält schließlich die alte Lehre der Historiographie ihr Recht zurück, die immer wußte, daß Aufklärung über Praxis allein aus Begegnung mit Praxis erwächst; das Urteil schärft der historische Vergleich.

Anmerkungen

1 H. Kelsen, *Reine Rechtslehre,* Wien ²1960, S. 204 f.

2 Z. B. K. Engisch, *Einführung in das juristische Denken,* a.a.O. S. 21 ff. und öfter.

3 A.a.O., S. 196 ff.

4 A.a.O., S. 201.

5 Gegen die positivistische Entleerung des Rechtsbegriffs meldet sich seit eh und je der Hinweis auf unabhängige sittliche Grundsätze, die den syllogistischen Ableitungsprozeß transzendieren: z. B. H. Heller, *Staatslehre,* Leiden 1934, ⁴1970, S. 190 ff.; M. Kriele, *Recht und praktische Vernunft,* Göttingen 1979, S. 117. Den Streit längs den vertrauten Fronten lasse ich auf sich beruhen, da die mögliche Deutung der Normenrationalität als Ausweis des Sittlichen selber zur Debatte steht.

6 Kelsen, a.a.O. S. 283.

7 A.a.O. S. 241.

8 Vgl. Kelsen, *Aufsätze zur Ideologiekritik,* Neuwied 1964.

9 Kelsen, *Reine Rechtslehre,* a.a.O. S. 7.

10 Vgl. dazu R. Bubner, »Selbstbezüglichkeit als Struktur transzendentaler Argumente«, in: Böhler/Kuhlmann (Hg.), *Kommunikation und Reflexion. Festschrift für K. O. Apel,* Frankfurt/M. 1982, bes. S. 306 ff.

11 Siehe oben, B III 2.

12 A.a.O. S. 198, vgl. S. 227.

13 Hier nützt die scharfe Trennung von Rechtswissenschaft und *Rechtspolitik* wenig; a.a.O. S. 75. Angesichts gegenwärtiger Tendenzen zur Vermengung mag der Spartentrennung für die Jurisprudenz eine fach-

hygienische Bedeutung zukommen; vgl. R. Dreier, »Sein und Sollen. Bemerkungen zur ›Reinen Rechtslehre‹ Kelsens«, in: *Recht – Moral – Ideologie*, Frankfurt/M. 1981, S. 228 ff. Aber Prinzipien zur erforderlichen Bestimmung des Zusammenhangs von Recht und Politik bzw. zur Anleitung in diesem Felde *extra legem*, das nicht purer Durchsetzung von Machtinteressen überlassen bleiben soll, erwachsen daraus keineswegs.

14 J. Habermas hat kritisch gegen eine früher vorgelegte Skizze dieser Überlegungen eingewandt, daß ein historisch durchgängiger »Leitfaden« dem Konzept sittlicher Lebenswelt mangele, so daß die Einheit universalistisch zu verstehender Moral unter dem Wandel kulturell relativierter Ausprägungen verschwinde: »Über Moral und Sittlichkeit – Was macht eine Lebensform rational?«, in: H. Schnädelbach (Hg.), *Rationalität*, Frankfurt/M. 1984; bes. Abschnitt II. Immerhin gibt Habermas zu, daß die Rationalitätsprüfung einzelner Normen die Auflösung lebensweltlicher Zusammenhänge bedeutet und deshalb stets vor der Schwierigkeit einer motivierenden Rückführung des Konsensfähigen in konkrete Tätigkeit steht. Ich leugne nicht die Berechtigung der Frage, schließe aber daraus, daß anstelle der von Habermas favorisierten Lösung einer Prüfung durch Austritt aus dem Handlungskontext der Leitfaden *innerhalb* des Handlungskontextes zu suchen ist.

Namenregister

Acham, K. 155
Adorno, Th. W. 222
Alkibiades 57
Angehrn, E. 128
Aristoteles 30, 35-38, 49 f., 56-58,
 62, 64, 69, 76, 137, 151, 154,
 160, 165, 176, 187 f., 224, 261,
 264
Augustinus 66, 73, 91
Ayer, A. 144
Bauer, B. 286
Baumgartner, H. M. 129
Bentham, J. 212
Berlin, I. 91
Binding, K. 264
Blumenberg, H. 91
Böckenförde, E. W. 219
Bodin, J. 58, 70
Boethius 35, 49
Bossuet, J. B. 60, 73 f., 91
Boysen, F. E. 48
Brauer, O. D. 220
Bubner, R. 49, 91, 104, 128, 155,
 169, 218, 222, 262 ff., 299
Buckle, Th. 52
Brutus 44
Buffon, G. L. 83
Burke, E. 154
Burckhardt, J. 67, 131, 154
Caesar 43 f., 112, 117
Chladenius, J. M. 48
Chrysipp 263
Cicero 44, 51, 68, 263
Cieszkowski, A. v. 125-127, 129
Cornelius Nepos 59
Creuzer, Fr. 71
Croce, B. 91
Danto, A. 12, 48, 128, 132, 143-
 147, 155, 158, 262
Descartes, R. 159, 245, 263

Dilthey, W. 52, 124 f., 133, 146,
 154, 209, 215
Dreier, R. 299
Droysen, J. G. 52, 63-67, 71,
 124 f., 129, 143
Durkheim, E. 249
Engels, F. 128
Engisch, K. 264, 299
Fénélon 70
Feyerabend, P. K. 162
Fichte, J. G. 47, 75, 94-97, 99,
 101, 104-108, 110, 112 f., 127 f.,
 165, 188, 222, 248, 264
Forsthoff, E. 220
Friedrich der Große 48
Fritz, K. v. 69
Gadamer, H. G. 125
Gans, E. 128, 204 f., 219
Garewicz, J. 129
Gatterer, J. Chr. 48
Gervinus, G. 62 f., 70
Goethe, J. W. 70
Guicciardini, F. 112
Habermas, J. 49, 91, 155, 259, 300
Haym, R. 101, 104
Hegel, G. W. F. 47, 60, 63, 65, 71,
 75, 79, 94, 101-106, 110-112,
 114-116, 118, 124-128, 131,
 133 f., 163-165, 167 f., 173, 183-
 192, 194-198, 201-222, 242, 244,
 248, 263 f., 267 f.
Heidegger, M. 11, 78 f., 91
Heitmann, K. 69
Heller, H. 183, 299
Hempel, C. G. 132, 141, 143-145,
 155, 157 f.
Herder, J. G. 49, 63, 70, 75, 81-86,
 89-92, 125, 163
Herodot 23 f., 51, 53 f., 57, 61, 68,
 112

302